D1255506

PETIT COURS
D'AUTODÉFENSE INTELLECTUELLE

NORMAND BAILLARGEON

PETIT COURS D'AUTODÉFENSE INTELLECTUELLE

ILLUSTRATIONS DE CHARB

Édition revue et corrigée

La collection « Instinct de liberté », dirigée par Marie-Eve Lamy et Sylvain Beaudet, propose des textes susceptibles d'approfondir la réflexion quant à l'avènement d'une société nouvelle, sensible aux principes libertaires.

www.luxediteur.com

Dépôt légal : 4e trimestre 2005
Bibliothèque nationale du Canada
Bibliothèque nationale du Québec
ISBN 2-89596-006-2

Ouvrage publié avec le concours du Conseil des arts du Canada, du programme de crédit d'impôts du gouvernement du Québec et de la SODEC.

À Martin Gardner, le polymathe,
en le remerciant de tout ce qu'il m'a appris.
Aux Sceptiques du Québec,
pour souligner leur important travail.

Remerciements

L'aventure de ce *Petit cours* a commencé par des textes publiés dans le mensuel *Le Couac* : je le remercie de lui avoir ouvert ses pages.

Elle s'est poursuivie au Service aux collectivités de l'UQAM, dans le cadre d'un projet auquel Lorraine Guay, Jocelyne Lamoureux (professeure au département de sociologie) et Lina Trudel étaient associées. Je les remercie toutes les trois de leurs précieux commentaires.

Mon ami Benoît Léonard, un mathématicien actuellement à l'emploi du cégep de saint-Jérôme, a relu le chapitre 2 de cet ouvrage et je le remercie de ses nombreuses suggestions.

Mon ami Bruno Dubuc a relu le chapitre 3 et je lui adresse les mêmes remerciements, pour les mêmes raisons. Le site Internet qu'il propose sur le cerveau sera certainement apprécié des lecteurs et lectrices du présent ouvrage : http://www.lecerveau.mcgill.ca/.

Je remercie en outre, sans pouvoir les nommer tous puisqu'ils sont si nombreux, tous ces auteurs et penseurs critiques dont j'ai beaucoup appris au fil des ans. J'ai pris soin de souligner partout mes dettes et il me fera plaisir de corriger dans une édition ultérieure toute omission de ma part qu'on aura portée à mon attention.

Merci enfin à Charlotte Lambert pour ses nombreuses illustrations qui facilitent grandement la compréhension de certains passages de cet ouvrage.

Il va de soi que les éventuelles erreurs qu'on trouverait dans les pages qui suivent me seront imputables à moi seul.

Introduction

Douter de tout ou tout croire sont deux solutions également commodes qui, l'une comme l'autre, nous dispensent de réfléchir.

POINCARÉ

Le sommeil de la raison engendre des monstres.

FRANCISCO DE GOYA
(Extrait de la légende d'une gravure de Caprices)

La première chose qu'il faut faire, c'est prendre soin de votre cerveau. La deuxième est de vous extraire de tout ce système [d'endoctrinement]. Il vient alors un moment où ça devient un réflexe de lire la première page du L.A. Times *en y recensant les mensonges et les distorsions, un réflexe de replacer tout cela dans une sorte de cadre rationnel. Pour y arriver, vous devez encore reconnaître que l'État, les corporations, les médias et ainsi de suite vous considèrent comme un ennemi : vous devez donc apprendre à vous défendre. Si nous avions un vrai système d'éducation, on y donnerait des cours d'autodéfense intellectuelle.*

NOAM CHOMSKY

Ce petit livre est né de la convergence, chez moi, de deux préoccupations. Elles ne me sont pas propres, loin de là, mais n'en sont pas moins vives pour autant. À défaut de pouvoir justifier chacune d'elles, ce qui demanderait un ouvrage tout entier et qui n'est de toute façon pas nécessaire ici, permettez-moi au moins de simplement les énoncer.

La première de ces préoccupations pourrait être qualifiée d'épistémologique et recouvre deux séries d'inquiétudes.

Je suis d'abord inquiet de la prévalence de toutes ces croyances qui circulent dans nos sociétés sous divers noms, comme paranormal, ésotérisme ou nouvel âge, et qui comprennent des croyances et pratiques aussi diverses que la télékinésie, la transmission de pensée, les vies antérieures, les enlèvements par des extraterrestres, les pouvoirs des cristaux, les cures miracles, les programmes et appareils d'exercice aux effets immédiats obtenus sans effort, la communication avec les morts, diverses formes de mysticisme oriental appliqué, la chiropratique, l'homéopathie, l'astrologie, toutes sortes de médecines dites alternatives, le Feng Shui, les planches de Oui Ja, la possibilité de tordre des cuillères avec la seule pensée, le recours par les policiers aux services de voyantes, la cartomancie et j'en passe [1].

Je suis encore inquiet – je devrais peut-être dire consterné – par ce qui me semble être un état réellement déplorable de la réflexion, du savoir et de la rationalité dans de larges pans de la vie académique et intellectuelle. Je le dirai aussi sobrement que possible : certaines des choses qui se font et se disent dans certains secteurs de l'université actuelle, où fleurissent littéralement l'inculture et le charlatanisme, me sidèrent. Je ne suis pas le seul à le penser.

Ma deuxième préoccupation est politique et concerne l'accès des citoyens des démocraties à une compréhension du monde dans lequel nous vivons, à une information riche, sérieuse et plurielle qui leur permette de comprendre ce monde et d'agir sur lui. Je le dis très franchement : comme beaucoup d'autres

1. On lira avec intérêt l'article de S. Larivée, « L'influence socioculturelle sur la vogue des pseudo-sciences », disponible sur Internet à http://www.sceptiques.qc.ca.

personnes, je m'inquiète de l'état de nos médias, de leur concentration, de leur convergence et de leur dérive marchande, du rôle propagandiste qu'ils sont amenés à jouer dans la dynamique sociale au moment où chacun de nous est littéralement bombardé d'informations et de discours qui cherchent à obtenir son assentiment ou à le faire agir de telle ou telle manière.

Dans une démocratie participative, on le sait, l'éducation est l'autre grande institution, outre les médias, à laquelle il incombe, de manière privilégiée, de contribuer à la réalisation d'une vie citoyenne digne de ce nom. Mais elle aussi est mise à mal. On trouve dans ses récents développements des raisons graves de s'inquiéter : par exemple, on semble renoncer avec une réelle légèreté à poursuivre l'idéal de donner à chacun une formation libérale. Cela m'indigne particulièrement, d'autant que cette formation est, justement aujourd'hui, plus que jamais nécessaire au futur citoyen. Les dérives clientélistes et le réductionnisme économique qu'on décèle actuellement chez trop de gens, et en particulier parmi les décideurs du monde de l'éducation, constituent donc, à mes yeux, d'autres graves raisons de ne pas être rassuré quant à l'avenir de la démocratie participative.

Mais s'il est vrai, comme je le pense, qu'à chacune des avancées de l'irrationalisme, de la bêtise, de la propagande et de la manipulation, on peut toujours opposer une pensée critique et un recul réflexif, alors on peut, sans s'illusionner, trouver un certain réconfort dans la diffusion de la pensée critique. Exercer son autodéfense intellectuelle, dans cette perspective, est un acte citoyen. C'est ce qui m'a motivé à écrire ce petit livre, qui propose justement une introduction à la pensée critique.

Ce qu'on trouve dans les pages qui suivent ne prétend pas être neuf, ni original. Ce que j'y expose est bien connu, au moins des personnes qui fréquentent de près la littérature scientifique ou les écrits concernant la pensée critique et sceptique. Je me suis toutefois efforcé d'en faire une synthèse accessible en présentant, le plus simplement et le plus clairement possible, ces concepts et habiletés dont la maîtrise me paraît être un talent nécessaire à toute citoyenne et à tout citoyen.

Voici donc ce que l'on trouvera dans ce livre.

Dans la première partie, intitulée « Quelques indispensables outils de pensée critique », nous commençons (chapitre 1, page 19) par examiner le langage et nous étudions certaines propriétés des mots avant de rappeler quelques notions utiles de logique et d'examiner les principaux paralogismes. Le deuxième chapitre (page 87) propose un survol des mathématiques citoyennes. Il traite des formes courantes d'innumérisme, des probabilités, de la statistique et des formes de représentation des données.

La deuxième partie du livre, « De la justification de croyances », traite de cette question dans trois domaines particuliers : l'expérience personnelle (chapitre 3, page 175), la science (chapitre 4, page 225) et, pour finir, les médias (chapitre 5, page 269). En d'autres termes, nous chercherons à préciser dans quels cas, à quelles conditions et dans quelle mesure nous sommes autorisés à tenir pour vraies des propositions justifiées par notre expérience personnelle, par le recours à l'expérimentation et par les médias.

Si l'étude de la pensée critique est pour vous une chose nouvelle, cette description, j'en suis conscient, ne vous dit sans doute pas grand-chose et vous ne savez toujours pas précisément ce qu'on veut dire par pensée critique ou autodéfense intellectuelle. Bien entendu, le reste de ce livre entend précisément vous le montrer. Mais en attendant, et pour clore cette introduction, je voudrais vous proposer un petit jeu susceptible de satisfaire un peu votre curiosité, et peut-être même de l'attiser.

Vous trouverez dans l'encadré qui suit un passage

extrait du dernier ouvrage que le regretté Carl Sagan (1934-1996) a fait paraître de son vivant [2].

Astronome réputé, vulgarisateur scientifique exemplaire, Sagan a aussi beaucoup œuvré pour faire connaître la pensée critique et encourager sa pratique. Le texte que je cite est adapté d'un passage de son ultime *opus,* où il propose justement un ensemble de préceptes de pensée critique, qui constitue ce qu'il nommait un *baloney detection kit* – je propose de traduire cela par : kit de détection de poutine !

Lisez attentivement tout ce qui s'y trouve.

Je soupçonne que certaines de ses entrées vous sembleront quelque peu obscures. Mais je suis aussi convaincu que, quand vous aurez terminé la lecture du présent ouvrage, vous comprendrez parfaitement non seulement ce que Sagan voulait dire, mais aussi et surtout pourquoi il est si important de pratiquer ce que ces préceptes recommandent.

Si c'est bien le cas, ni vous ni moi n'aurons perdu notre temps.

2. C. Sagan, *The Demon Haunted World, – Science as a Candle in the Dark*, Balantine Books, New York, 1996.

Le kit de détection de poutine de Carl Sagan (extraits)

- Chaque fois que c'est possible, il doit y avoir des confirmations indépendantes des faits.
- Il faut encourager des discussions substantielles des faits allégués entre des gens informés ayant différents points de vue.
- Des arguments d'autorité n'ont que peu de poids – par le passé il est arrivé à des autorités de se tromper ; d'autres se tromperont à l'avenir. Autrement dit, en science, il n'y pas d'autorité : au mieux, seulement des experts.
- Envisagez plus d'une hypothèse et ne sautez pas sur la première idée qui vous vient à l'esprit. [...]
- Essayez de ne pas vous attacher excessivement à une hypothèse simplement parce que c'est la vôtre. [...] Demandez-vous pourquoi cette idée vous plaît. Comparez-la équitablement avec les autres hypothèses. Cherchez des raisons de la rejeter : si vous ne le faites pas, d'autres le feront.
- Quantifiez. Si ce que vous cherchez à expliquer se mesure, si vous l'exprimez par une donnée numérique, vous saurez beaucoup mieux discriminer des hypothèses concurrentes. Ce qui est vague et qualitatif peut s'expliquer de plusieurs manières. Bien entendu, il y a des vérités à rechercher dans tous ces problèmes qualitatifs auxquels nous devons faire face : mais les trouver est un défi plus grand encore.
- S'il y a une chaîne d'argumentation, *chacun* des maillons doit fonctionner, y compris les prémisses, et pas seulement la plupart de ces maillons.
- Le rasoir d'Ockham. Ce précepte commode nous enjoint, s'il y a deux hypothèses qui expliquent les données *aussi bien* l'une que l'autre, de préférer la plus simple.
- Demandez-vous si votre hypothèse peut, au moins en principe, être falsifiée. Des propositions qu'on ne peut pas tester ou falsifier ne valent pas grand-chose. Prenez par exemple la grande idée que notre univers et tout ce qu'il contient n'est qu'une particule élémentaire – disons un électron – d'un cosmos beaucoup plus grand. Si nous ne pouvons jamais acquérir d'information sur ce qui se passe à l'extérieur de notre univers, cette idée n'est-elle pas impossible à réfuter ? Il faut pouvoir vérifier les asser-

tions. Des sceptiques fervents doivent avoir la possibilité de suivre votre raisonnement, de répéter vos expérimentations et de constater s'ils obtiennent les mêmes résultats.

Avoir recours à des expérimentations contrôlées est crucial. [...]. Nous n'apprendrons pas grand-chose de la seule contemplation. [...] Par exemple, si un médicament est supposé guérir une maladie 20 fois sur 100, nous devons nous assurer que, dans un groupe de contrôle dont les membres prennent une pilule de sucre sans savoir s'il s'agit ou non du nouveau médicament, on ne retrouve pas également un taux de rémission de la maladie de 20 pour 100.

Il faut isoler les variables. Disons que vous souffrez du mal de mer et qu'on vous donne un bracelet d'acupression et 50 mg de méclizine. Votre malaise disparaît. Qu'est-ce qui a marché – le bracelet ou la pilule ? Vous ne le saurez que si vous prenez l'un sans l'autre la prochaine fois que vous aurez le mal de mer. [...]

Souvent, l'expérimentation doit être faite en double aveugle. [...]

En plus de nous apprendre ce qu'il faut faire pour évaluer une proposition qui se donne comme vraie, tout bon détecteur de poutine doit aussi nous apprendre ce qu'il ne faut *pas* faire. Il nous aide à reconnaître les paralogismes les plus communs et les plus dangereux pièges de la logique et de la rhétorique

Source : *Ibid.*, p. 210-211. Sagan poursuit en énumérant (p. 212-216) les principaux paralogismes.

Première partie

Quelques indispensables outils de pensée critique

Chapitre 1

Le langage

À force de répétitions et à l'aide d'une bonne connaissance du psychisme des personnes concernées, il devrait être tout à fait possible de prouver qu'un carré est en fait un cercle. Car après tout, que sont « cercle » et « carré » ? De simples mots. Et les mots peuvent être façonnés jusqu'à rendre méconnaissables les idées qu'ils véhiculent.

JOSEPH GOEBBELS (*Ministre nazi de l'Information et de la Propagande*)

Lorsque les mots perdent leur sens,
les gens perdent leur liberté.

CONFUCIUS

— Combien de pattes un cochon a-t-il ?
— Quatre.
— Et si nous appelons sa queue « patte », combien de pattes a-t-il ?
— Cinq.
— Pas du tout : on ne peut pas transformer une queue en patte simplement en l'appelant patte.

ÉNIGME ENFANTINE ANONYME

Xanthus [son maître] lui commanda [à Ésope] d'acheter ce qu'il y aurait de meilleur. Il n'acheta que des langues : l'entrée, le second, l'entremets, tout ne fut que langues. Et qu'y a-t-il de meilleur que la langue ? reprit Ésope : c'est le lien de la vie civile, la clef des sciences, l'organe de la vérité et de la raison. Eh bien, dit Xanthus, achète-moi demain ce qui est de pire. Le lendemain, Ésope ne fit servir que le même mets, disant que la langue est la pire chose qui soit au monde : « C'est la mère de tous débats,... la source des divisions et des guerres... »

LA FONTAINE
(*Vie d'Ésope*)

Introduction

Platon soutenait, très finement, que l'émerveillement est une passion proprement philosophique. Que comprendre en cela ? Sans doute que la capacité de s'émerveiller est un point de départ privilégié de la pensée en général et de la philosophie en particulier. En effet, elle suppose que l'on se débarrasse des idées toutes faites et des préjugés, que l'on s'arrache à l'immense force d'inertie de l'opinion jusqu'à être profondément étonné par ce qui semblait jusque-là anodin et sans grand intérêt. L'émerveillement naît alors, qui ouvre la voie à la réflexion.

Le langage est une expérience tellement quotidienne qu'il est rare que nous nous arrêtions pour nous en émerveiller. Nous avons bien tort : une simple minute de réflexion permet à la plupart des gens de découvrir à quel point le langage humain est prodigieusement étonnant et digne de notre émerveillement.

Nous possédons tous, dans la partie inférieure de notre visage, une cavité que l'on peut ouvrir et fermer à volonté. Quelque part au fond de cette cavité, nous avons des sortes de cordes ; il nous est possible, en y faisant passer de l'air, de produire des sons aux innombrables modulations. Ces sons sont projetés par la cavité et, voyageant dans l'air, ils parviennent à ceux qui se trouvent à leur portée et qui, à l'aide d'autres mécanismes complexes, peuvent les capter [1]. Grâce à ces sons, on peut accomplir un nombre prodigieux de choses. On peut, par exemple :

– Transmettre de l'information ;
– Affirmer ou nier un fait ;
– Poser une question ;

1. C'est John Searle qui présente ainsi, afin de bien faire remarquer ce qu'elle a de fantastique, notre capacité à parler. Voir J. Searle, *Mind, Language and Society. Philosphy in the Real World*, p. 135-136.

- Fournir une explication ;
- Exhorter quelqu'un à faire quelque chose ;
- Donner un ordre ;
- Promettre ;
- Se marier ;
- Émouvoir ;
- Faire des hypothèses ;
- Proposer une expérience de pensée.

Et ce ne sont là que quelques exemples parmi des milliers d'autres. Comment tout cela est-il possible ? Comment le langage signifie-t-il ? Comment expliquer, par exemple, que nous puissions produire des énoncés inédits – et même en produire autant que nous le souhaitons ? Ou encore, comment est-il possible que ces énoncés soient, en général, parfaitement compris par ceux qui les entendent pour la toute première fois ?

Sitôt qu'on réfléchit à ce que parler signifie, d'innombrables questions et problèmes surgissent, fascinants, que les linguistes, philosophes et autres penseurs cherchent à percer depuis longtemps. Pour le moment, avouons-le, le langage conserve de nombreux mystères.

Nous n'entrerons toutefois pas plus avant dans ces considérations, même si elles sont passionnantes. Mais puisque le langage est capable de produire les effets que nous venons de décrire (convaincre, émouvoir, exhorter, et ainsi de suite), il apparaît évident que nous devons nous y arrêter si nous souhaitons assurer notre autodéfense intellectuelle – et cela, même si nous n'avons pas de réponse définitive et philosophiquement satisfaisante à toutes nos questions. Vous l'avez deviné : un outil aussi puissant peut s'avérer une arme redoutable. À qui l'aurait oublié ou l'ignorerait, il suffira de rappeler comment la langue, au XXe siècle, a parlé de politique. Pour nous rafraîchir la mémoire à ce sujet, rien de mieux que de relire George Orwell, l'inventeur du concept de « novlangue », cet étrange langage qui permet de dire, par exemple, que l'esclavage, c'est la liberté.

Orwell, sur la langue et le politique

Dans une large mesure, le discours et l'écriture politiques consistent, à notre époque, à défendre l'indéfendable. Certes, des choses comme la perpétuation de la domination anglaise en Inde, les purges et les déportations en Russie, le largage de bombes atomiques sur le Japon peuvent être défendues : mais elles ne peuvent l'être que par des arguments si brutaux que peu de gens pourraient les regarder en face. De toute façon, ces arguments ne cadrent pas avec les objectifs que disent poursuivre les partis politiques. C'est pourquoi le langage politique doit pour l'essentiel être constitué d'euphémismes, de pseudo-banalités et de vaporeuses ambiguïtés. Des villages sont-ils bombardés depuis les airs, leurs habitants forcés de fuir vers la campagne, leurs troupeaux passés à la mitrailleuse, leurs huttes brûlées avec des balles incendiaires ? Cela s'appellera *pacification*. Vole-t-on leurs fermes à des millions de paysans qui doivent dès lors fuir sur les routes en n'emportant avec eux que ce qu'ils pourront porter ? Cela s'appellera *transfert de population* ou *reconfiguration des frontières*. Des gens sont-ils emprisonnés des années durant sans avoir subi de procès ? D'autres reçoivent-ils une balle dans la nuque ou sont-ils envoyés mourir du scorbut dans des camps de planche en Arctique ? Cela s'appelle *suppression d'éléments indésirables*.

Source : G. Orwell *Politics and the English Language*, 1946. Traduction : Normand Baillargeon.

La leçon est ancienne. L'histoire nous apprend que, très vite, des personnes sensibles aux pouvoirs du langage se sont empressées d'en tirer tout le parti possible. Il semble (en Occident, du moins) que tout ait commencé vers le ve siècle avant notre ère, en Sicile précisément, quand des gens ayant été spoliés de leurs terres entreprirent de les reprendre aux malfaiteurs en leur intentant des procès.

C'est alors que commencèrent à se développer ces techniques oratoires qui formeront la rhétorique.

Bientôt, des professeurs vont de cité en cité faire commerce de cet art de la parole, promettant fortune et gloire à qui saura le maîtriser. On les appellera « sophistes » et de ce nom est dérivé le terme de « sophisme », qui désigne un raisonnement invalide avancé avec l'intention de tromper son auditoire.

L'histoire est peut-être ici injuste avec ces professeurs, en les donnant pour des charlatans soucieux seulement d'efficacité pratique et de réussite sociale. Quoi qu'il en soit, les sophistes avaient pleinement pris conscience du pouvoir que peut conférer le langage quand il est manié par un habile rhéteur. Voici l'opinion de l'un d'entre eux, Gorgias, à ce sujet :

> [...] le discours est un tyran très puissant; [...] la parole peut faire cesser la peur, dissiper le chagrin, exciter la joie, accroître la pitié. Par [la parole], les auditeurs sont envahis du frisson de la crainte, ou pénétrés de cette pitié qui arrache les larmes ou de ce regret qui éveille la douleur [...] Les incantations enthousiastes nous procurent du plaisir par l'effet des paroles, et chassent le chagrin. [...] en détruisant une opinion et en en suscitant une autre à sa place, [les rhéteurs] font apparaître aux yeux de l'opinion des choses incroyables et invisibles. [...] les plaidoyers judiciaires [...] produisent leur effet de contrainte grâce aux paroles : c'est un genre dans lequel un seul discours peut tenir sous le charme et persuader une foule nombreuse, même s'il ne dit pas la vérité, pourvu qu'il ait été écrit avec art. [...] Il existe une analogie entre la puissance du discours à l'égard de l'ordonnance de l'âme et l'ordonnance des drogues [...] il y a des discours qui affligent, d'autres qui enhardissent leurs auditeurs, et d'autres qui, avec l'aide maligne de la persuasion, mettent

l'âme dans la dépendance de leur drogue et
de leur magie [2].

Dans les pages qui suivent, nous nous intéresserons au langage du point de vue de l'autodéfense intellectuelle.

Notre parcours comprend deux moments.

Nous nous arrêterons tout d'abord aux mots, à leur choix et à certains usages trompeurs qu'on peut en faire et qu'il est crucial de connaître pour mieux s'en prémunir.

Nous en viendrons ensuite à la logique, ou l'art de combiner les propositions, et surtout à cet art bien particulier qu'est la rhétorique, envisagée comme celui de la fourberie mentale et de la manipulation : nous examinerons alors quelques paralogismes courants.

1.1 Mots-à-maux

Words, words, words.
WILLIAM SHAKESPEARE

Ce que l'on conçoit bien s'énonce clairement
Et les mots pour le dire viennent aisément.
BOILEAU, *Art poétique*, I

La présente section vous invite à faire preuve d'une grande vigilance à l'endroit des mots, une vigilance qui devrait en fait être égale à l'attention que leur portent, avec raison, ceux qui savent s'en servir efficacement pour convaincre, tromper et endoctriner.

Nous commencerons par introduire une importante distinction entre les verbes dénoter et connoter.

2. Gorgias, *Éloge d'Hélène, passim.*

1.1.1 Dénoter/connoter

Notre conception spontanée du langage est souvent bien naïve. Elle repose sur l'idée que les mots désignent des objets du monde, objets que l'on pourrait autrement pointer du doigt. Une minute de réflexion montrera que c'est loin d'être aussi simple. Bien des mots n'ont pas de tels référents : ils sont abstraits, imprécis, vagues, ils changent de signification selon le contexte ; d'autres encore réifient, transmettent des émotions et ainsi de suite.

Il est commode de distinguer entre la dénotation des mots (les objets, les personnes, les faits ou les propriétés auxquels ils réfèrent) et leur connotation, c'est-à-dire les réactions émotives qu'ils suscitent. Deux mots peuvent ainsi dénoter la même chose, mais avoir des connotations fort différentes : positives dans un cas, négatives dans l'autre. Il est crucial de le savoir, puisqu'on peut ainsi, selon le cas, glorifier, dénigrer ou neutraliser ce dont on parle, par le seul choix des mots utilisés. Ainsi, ce n'est pas la même chose que de parler d'une automobile, d'un bolide ou d'une minoune : chacun de ces termes dénote bien un véhicule motorisé destiné au transport individuel, mais chacun porte aussi avec lui des connotations et suscite des réactions émotives bien différentes. Il convient donc d'être très attentif aux mots qu'on utilise pour décrire le monde – particulièrement dans tous les secteurs polémiques et contestés de la vie sociale. Pensez par exemple au vocabulaire utilisé pour parler de l'avortement. Les protagonistes de ce débat se désignent eux-mêmes comme étant pro-vie ou pro-choix. Ce n'est pas un hasard : qui voudrait être anti-vie ou anti-choix ? Le fait que les militants parleront plus volontiers, selon le cas, de fœtus ou de bébé, n'est pas un hasard non plus. Songez également aux employés de Wal-Mart, appelés des associés. Ou encore, considérez cette blague de la comédienne américaine Roseanne Barr : « J'ai trouvé un moyen infaillible pour que les enfants mangent sainement : le mélange santé. Une cuillérée de M & M et deux cuillérées de *Smarties*. Les enfants en raffolent. Vous savez que c'est bon pour eux : eh ! C'est un mélange santé ! »

Voyez encore l'emploi de ce qu'on appelle des euphémismes, qui sont justement des mots qui servent à masquer ou du moins minorer une idée désagréable en y référant par un mot aux connotations moins négatives. Ils illustrent bien l'utilisation de cette propriété du langage par laquelle on peut induire en erreur un auditoire.

Considérez le cas suivant, rapporté et étudié par Sheldon Rampton et John Stauber[3] et qui montre comment des groupes intéressés peuvent utiliser le langage. En 1992, l'International Food Information Council (IFIC) des États-Unis s'inquiète de la perception qu'a le public des biotechnologies alimentaires. Un vaste programme de recherche sera donc mis en place pour déterminer comment parler au public de ces technologies. Les recommandations du groupe de travail concerneront surtout le vocabulaire qu'il convient d'employer. Des mots seront retenus pour leur charge positive et il sera fortement conseillé de s'en tenir à ceux-là. Par exemple : beauté, abondance, enfants, choix, diversité, terre, organique, héritage, métisser, fermier, fleurs, fruits, générations futures, travailler fort, amélioré, pureté, sol, tradition et entier. D'autres, par contre, seront à proscrire absolument, notamment : biotechnologie, ADN, économie, expérimentation, industrie, laboratoire, machines, manipuler, argent, pesticides, profit, radiation, sécurité et chercheur.

3. S. Rampton et J. Stauber, *Trust Us, We're Experts*, chap. 3.

Les manifestations contre le sommet de Québec du printemps 2001 vues par Mario Roy

(Éditorial, *La Presse*, 14 avril 2001, p. A18)

« Des gens déguisés en dauphins ou en tortues de mer – ou alors en vaches, comme il y en avait à la conférence des ministres des Finances des Amériques, à Toronto. Des musiciens de rue et des danseurs. Des pancartes et des posters. Des harangues et des chansons. Des slogans et des tracts. Un manifestant qui offre une fleur à un policier, comme sur cette photo des années 1960 qui a fait le tour du monde et est devenue une icône, au même titre que celle du Che.

Une affiche qui dit : *Capitalism sucks !* comme en 1970.

Partout, de grands adolescents et de jeunes adultes qui accourent à la fête, pour la seule raison qu'il faut être là où ça se passe, avec les copains et les copines, à Seattle ou à Québec. Pour eux, le soir, après la manif, une fois les pancartes rangées contre le mur, il y aura de la musique et du pot, de l'amour et du vin…

On ne parle pas ici des manifestants professionnels, souvent rétribués par de gros syndicats ou des organismes "populaires" attachés avec un collier et une laisse au poteau de l'État, qui ne présentent aucun intérêt. Ni des casseurs, le mot qu'on emploie en la circonstance pour désigner les petits bums, qui n'en offrent guère plus.

Pas du tout.

Il est plutôt question de la grosse foule anonyme de ces jeunes pleins d'hormones et d'enthousiasme, qui vont à l'OMC ou au Sommet des Amériques dans le même esprit que, trente ans plus tôt, d'autres jeunes sont allés à Woodstock, ou à "McGill français", ou devant la Sorbonne pour la grand-messe de Mai 68.

C'est normal. Et c'est sain. Vous ne vous souvenez pas de vos 18 ans ? »

La guerre, on le devine sans peine, est un autre domaine particulièrement propice à l'utilisation d'euphémismes, comme le montre le tableau suivant [4]. On y trouve, en première colonne, quelques exemples du vocabulaire qui a été employé pour parler de la guerre, depuis celle du Vietnam jusqu'à nos jours. La deuxième colonne propose une traduction de ce qui est vraisemblablement désigné par chacun des mots ou des expressions.

4. Adapté de H. Kahane, *Logic and Contemporary Rhetoric – The Use of Reason in Everyday Life*, p. 137.

Pertes collatérales	Mort de civils
Centre de pacification	Camp de concentration
Forces de maintien de la paix aux Caraïbes (R. Reagan, 1983)	L'armée, la marine et les forces de l'air américaines qui ont envahi la Grenade
US Defense Department	Ministère de l'Agression ?
Opération *Tempête du Désert*	Guerre contre l'Irak
Effort pour soulager et Mission de compassion (Bill Clinton)	Entrée de troupes américaines en Somalie
Lutte contre le terrorisme	Commission d'actes terroristes
Incursion	Invasion
Frappe chirurgicale	Bombardement qu'on espère précis en raison de la proximité de civils
Frappe de défense réactive	Bombardement
Repli stratégique	Retraite (de notre part)
Redéploiement tactique	Retraite (de l'ennemi)
Conseiller	Officier militaire ou agent de la CIA – avant que les États-Unis ne reconnaissent leur « implication » au Vietnam
Terminer	Tuer
Ordonnance particulière (ou explosifs particuliers)	Napalm

1.1.2 Des vertus de l'imprécision

Si les mots servent souvent à exprimer des idées précises et claires, ils savent aussi être vagues et imprécis. Cette propriété s'avère même fort utile à l'occasion. Grâce à elle, on pourra affirmer quelque chose de manière tellement vague, par exemple, qu'il y aura peu de chance que l'interprétation des faits confirme notre affirmation. Ou encore, on pourra répondre à une question embarrassante par des généralités qui n'engagent à rien de précis, justement parce qu'elles ne disent rien de précis.

Le journaliste — Monsieur le Ministre, que comptez-vous faire pour désengorger les urgences de Montréal ?

Le ministre — Je vais mettre en œuvre un plan qui va utiliser au mieux l'ensemble des ressources disponibles pour faire face de la manière la plus efficace possible à ce grave problème.

Le journaliste — Mais encore ?

Le ministre — Il s'agira d'un plan d'ensemble, très novateur, s'efforçant de prendre en compte chacune des dimensions du problème en ne négligeant aucun de ses aspects quantitatifs et humains et qui...

Les prédictions de Nostradamus

Michel de Notre-Dame, ce médecin et astrologue qui allait être connu sous le nom de Nostradamus, est né à Saint-Rémy-de-Provence (France) en 1503.

En 1555, il publie, sous le titre *Centuries*, un premier recueil de quatrains énigmatiques aussitôt immensément populaires et aujourd'hui encore tenus par des adeptes comme des prédictions extraordinairement justes. La deuxième édition de ces *Centuries* paraît en 1558 : elle est dédiée au roi Henri II, à qui Nostradamus souhaite « une vie heureuse ». Henri II meurt... l'année suivante, d'une blessure subie dans un tournoi.

Le visionnaire aurait-il eu la vue embrouillée ? Pas du tout, répondent ses thuriféraires, qui assurent que la prédiction de la mort d'Henri II est au contraire une des plus claires de toutes les prédictions de Nostradamus. C'est qu'Henri II est mort dans un tournoi qui se tenait à Paris (rue Saint-Antoine), frappé par la lance du comte de Montgomery qui, s'étant brisée, a pénétré dans son crâne.

Et Nostradamus a en effet écrit :

> *Le lyon leune le vieux surmontera*
> *En champ bellique par singulier duelle :*
> *Dans caige d'or les yeux lui creuera*
> *Deux classes une, puis mourir, mort cruelle*

Notons d'abord que c'est toujours après coup que des prédictions semblables sont explicitement formulées, ce qui fait qu'elles ne sont pas des prédictions. Par exemple, les événements du 11 septembre 2001 étaient bien lisibles dans Nostradamus, mais seulement à compter du 12 septembre 2001.

Mais voyons de plus près cette prédiction/postdiction exemplaire.

Voici comment James Randi analyse le quatrain au sujet du roi Henri II :

1. Parler de *jeune* et de *vieux* est douteux ici, puisque les deux hommes n'avaient que quelques années de différence.

2. En *champ bellique* réfère à un champ de bataille, mais on ne désignerait pas ainsi un lieu où se déroule un tournoi de chevalerie, qui est une compétition sportive.
3. *Caige d'or* : aucune armure ni aucun casque n'était fait d'or, puisqu'il s'agit d'un métal mou.
4. *Les yeux lui creuera* : aucun témoignage de l'époque ne parle d'un œil crevé.
5. *Le lyon* : il n'était pas alors, n'avait pas été avant et n'a pas été depuis l'emblème des rois de France.

Moralité : utilisez des mots vagues et construisez des phrases obscures : il se trouvera toujours quelqu'un pour y lire quelque chose et s'extasier de vos dons.

Pour en savoir plus : J. Randi, *Le vrai visage de Nostradmus*, Éditions du Griot, Paris, 1993.

1.1.3 Sexisme et rectitude politique

La langue reflète les idéologies particulières de la société qui la parle. Elle en reflète aussi les transformations. Depuis plusieurs années, nous sommes devenus plus sensibles aux dimensions sexistes (qui discriminent selon le sexe), mais aussi classistes (selon la classe sociale), âgistes (selon l'âge) et ethnocentristes (selon la société ou la culture) de notre langue parlée ou écrite et nous nous efforçons de les bannir. C'est que la langue peut être un puissant véhicule de formes, subtiles ou moins subtiles, d'exclusion et de discrimination.

L'histoire suivante est bien connue. Un homme voyage en voiture avec son fils. Un accident survient et il est tué sur le coup. On emmène l'enfant d'urgence à l'hôpital. Dans la salle d'opération, cependant, le médecin déclare : « Je ne peux pas opérer cet enfant, c'est mon fils. » Comment expliquez-vous cette affirmation, qui est rigoureusement vraie ?

La réponse est évidemment que le médecin est sa mère.

Voici quelques exemples de réécriture non sexiste recommandés par le gouvernement de l'Ontario [5].

Exemple 1

Traducteur H/F

Exigences

Le(la) traducteur(trice) sera titulaire d'un diplôme en traduction et possédera une expérience pertinente en traduction et en révision, une maîtrise de l'anglais et du français, de bonnes aptitudes interpersonnelles, une capacité à travailler sous pression et une volonté à travailler en équipe. La personne choisie devra traduire un minimum de 800 mots par jour, et réviser les traductions d'un(e) autre traducteur(trice).

Version révisée

Traductrice ou traducteur

Exigences

La personne idéale sera titulaire d'un diplôme en traduction et possédera une expérience pertinente en traduction et en révision, une maîtrise de l'anglais et du français, de bonnes aptitudes interpersonnelles, une capacité à travailler sous pression et une volonté à travailler en équipe. La personne choisie devra traduire un minimum de 800 mots par jour et réviser le travail d'une ou d'un collègue.

Exemple 2

La demande d'ouvriers qualifiés augmente chaque jour. Les gens de métier, comme les électriciens, les mécaniciens d'automobiles, les monteurs de lignes électriques, les imprimeurs, les ferronniers, les mécaniciens-monteurs et les plâtriers gagnent de bons salaires. Ils exercent un métier motivant et

5. http://www.ofa.gov.on.ca/francais/ajt/contents.html.

satisfaisant. Et ils ont la possibilité d'obtenir un poste de direction ou de fonder leur propre entreprise.

Version révisée

La demande d'ouvrières et d'ouvriers qualifiés augmente chaque jour. Les gens de métier en électricité, en mécanique automobile, en montage de lignes électriques, en imprimerie, en ferronnerie, en mécanique de montage et en plâtrerie gagnent de bons salaires. En plus d'exercer un métier motivant et satisfaisant, il leur est possible d'obtenir un poste de direction ou de fonder leur propre entreprise.

Exemple 3

L'étudiant(e) idéal(e) a été défini(e) par les jeunes eux-mêmes. Selon eux, le/la jeune idéal(e) est créatif(ve), travaillant(e), intéressé(e) à apprendre, actif(ve) et impliqué(e) à l'école et dans sa communauté. L'étudiant(e) fait preuve d'indépendance, il/elle est organisé(e) et ouvert(e) d'esprit. Le/la jeune a confiance en lui/elle, il/elle est respectueux(se) et il/elle a l'esprit critique. Par ailleurs, il/elle est motivé(e), attentif(ve), responsable et enthousiaste. Il/Elle est bilingue et se fixe des buts à long terme. Il/Elle est réfléchi(e), il/elle communique avec son entourage et il/elle a une attitude positive devant la vie.

Version révisée

Les jeunes ont défini l'élève idéal ou idéale. À leur avis, ce jeune ou cette jeune possède de la créativité, aime travailler et apprendre, et joue un rôle actif à l'école et dans sa communauté. L'élève fait preuve d'indépendance, a le sens de l'organisation et l'esprit

> ouvert. Le respect, la confiance en soi et l'esprit critique font partie de ses qualités personnelles. L'élève fait preuve de motivation, d'attention et d'enthousiasme, et assume facilement des responsabilités. Il ou elle est bilingue, se fixe des buts à long terme, fait preuve de prudence, communique avec son entourage et manifeste une attitude positive envers la vie.

Notons pour finir que certains auteurs (et certaines auteures) arguent que ces modes d'expression confinent parfois à des excès de rectitude politique décriés comme irritants, pernicieux, voire nuisibles. Diane Ravitch[6], par exemple, dénonce ce qu'elle appelle la « police du langage » sur les campus américains et y voit un danger pour la liberté d'expression et pour l'exploration libre de tous les sujets et de toutes les questions.

Voici, à titre d'exemples, deux cas rapportés par l'auteure.

Un texte portant sur l'histoire (vraie) d'un homme aveugle ayant réussi à grimper au sommet d'une montagne a été déclaré offensant, parce qu'une histoire de montagne est discriminatoire envers les gens habitant les villes ou les régions planes et parce que l'histoire suggère qu'être aveugle est un handicap.

Par ailleurs, un article affirmant qu'il y avait des riches et des pauvres en Égypte a été déclaré offensant pour les pauvres d'aujourd'hui.

1.1.4 L'art de l'ambiguïté : équivoque et amphibologie

Beaucoup de mots, dans toutes les langues, sont polysémiques, c'est-à-dire qu'ils ont plusieurs sens. C'est justement le fait d'utiliser un mot dans un sens

6. D. Ravitch, *The Language Police. How Pressure Groups Restrict what Students Learn*, p. 10, 13.

puis d'en changer subtilement qui produit l'équivoque dont il sera ici question.

Cette propriété peut bien entendu servir à produire des effets humoristiques.

Par exemple :

> Dieu soit loué – et s'il est à vendre, achetez, c'est une valeur en hausse ! (Guy Bedos)

Ou encore :

> Quand quelqu'un vous dit : Je me tue à vous le dire, laissez-le mourir ! (Jacques Prévert)

Dans ces deux cas, on joue sur le caractère équivoque d'un mot : « louer » signifie chanter les louanges, mais aussi acquérir en location ; « tuer » veut dire mettre à mort, mais aussi se fatiguer à quelque chose.

Mais l'équivoque n'est pas toujours aussi facile à détecter. Elle peut dès lors servir à embrouiller plutôt qu'à faire sourire.

Par exemple :

> Vous acceptez sans difficulté les miracles de la science : pourquoi devenez-vous soudainement si critiques quand il s'agit de ceux de la Bible ?

On verra, en y réfléchissant un peu, que le mot miracle est clairement employé dans deux sens différents. Faute de le remarquer, on aura l'impression que l'argument mérite une réponse.

Donnons un dernier exemple. Certains pédagogues mettent au cœur de leur réflexion le concept d'intérêt. Mais ce mot est justement un mot équivoque qui peut s'entendre d'au moins deux manières bien différentes : il peut en effet signifier ce qui intéresse l'enfant, d'une part, ou ce qui est dans son intérêt, d'autre part. Il peut très bien arriver que ce qui intéresse l'enfant ne soit pas dans son intérêt et que ce qui est dans son intérêt ne l'intéresse pas.

Ne pas préciser ce qu'on entend par une pédagogie fondée sur l'intérêt peut donc donner lieu à de nombreuses équivoques, pas toujours faciles à déceler. Et c'est ainsi que fleurissent tous ces slogans vides de la pédagogie...

La figure de rhétorique qui permet de produire des énoncés à interprétations multiples porte le nom d'amphibologie. De tels énoncés sont parfois très drôles et commis à l'insu de leurs auteurs. Les annonces classées, parce que les gens s'efforcent de s'y exprimer avec un minimum de mots, en sont une source inépuisable.

> Chien à donner. Mange de tout et adore les enfants.
>
> Loue superbe voilier 20 m récent avec marin confortable bien équipé.
>
> Armoire pour dames aux pattes courbées.

Les grands titres des journaux nous en fournissent aussi :

> Cent policiers ont surveillé cinquante carrefours dangereux qui ne l'étaient pas jusqu'ici faute d'effectifs.

Les charlatans savent depuis longtemps tout le parti qu'ils peuvent tirer de l'amphibologie. La première utilisation connue remonte d'ailleurs probablement à l'Antiquité grecque. Le roi Crésus avait consulté l'Oracle de Delphes, afin de savoir s'il sortirait vainqueur d'une guerre contre les Perses. Le royaume perse était séparé du sien par le fleuve Halys. Le roi reçut la réponse suivante : « Si Crésus traverse l'Halys, il détruira un grand empire. »

Crésus comprit qu'il serait vainqueur. Mais cette prédiction est ambiguë. Voyez-vous pourquoi ?

Crésus fit la guerre, convaincu qu'il allait l'emporter. Il fut vaincu. Fait prisonnier par le roi des Perses, il envoya des messagers pour se plaindre à l'Oracle de sa mauvaise prédiction. La Pythie, raconte Hérodote, lui fit cette réponse :

> Crésus récrimine sans raison. Loxias lui prédisait que s'il entrait en guerre contre les Perses, il détruirait un grand empire. En face de cette réponse, il aurait dû envoyer demander au dieu de quel empire il parlait, du sien ou de celui de Cyrus. Il n'a pas compris ce qu'on lui avait dit, il n'a pas interrogé de nouveau : qu'il s'en fasse grief à lui-même[7].

La prédiction de l'Oracle était donc ambiguë et se trouvait vérifiée quel que soit le vaincu, qui serait de toute façon un grand royaume.

1.1.5 L'accentuation

Cette stratégie rhétorique repose sur le fait qu'il est possible de changer le sens d'une affirmation simplement en changeant l'intonation avec laquelle on en prononce certains mots.

Prenez par exemple la maxime suivante : « On ne doit pas dire de mal de nos amis. » Sa signification est claire et son interprétation ne pose généralement pas de problème. Mais on peut la dire en signifiant qu'on peut dire du mal de ceux qui ne sont pas nos amis – simplement en insistant sur le dernier mot : « On ne doit pas dire de mal de nos *amis.* »

On peut encore la dire en laissant entendre qu'on peut dire du mal des amis des autres : « On ne doit pas dire de mal de *nos* amis. »

Dans un certain contexte, on pourra la dire en insinuant que, si l'on ne peut pas dire du mal de nos amis, on peut cependant leur en faire : « On ne doit pas *dire* de mal de nos amis. »

À l'écrit, il existe un équivalent de cette stratégie orale, qui consiste à accentuer certaines parties

7. Hérodote, *Histoires I,* 91.

d'un message. La publicité y a souvent recours, par exemple en annonçant en grosses lettres : UN ORDINATEUR PERSONNEL POUR 300 $ et, en tout petits caractères, que le moniteur n'est pas compris dans ce prix.

Une stratégie voisine mais distincte consiste à ne retenir que certains passages d'un texte, donnant ainsi l'impression qu'une chose est affirmée alors que le texte original disait sinon le contraire, du moins tout autre chose. Je propose d'appeler ce procédé l'*éduction*[8].

Voici, pour prendre un exemple fictif, ce que disait la recension d'une pièce de théâtre de Marvin Miller.

> La nouvelle pièce de Marvin Miller est un échec monumental ! Présentée par les producteurs comme une aventure pleine de rebondissements et de suspense racontant les péripéties d'une expédition en Arctique, le seul suspense, pour l'auteur de ces lignes, a été de savoir s'il parviendrait à rester jusqu'à la fin du premier acte de ce pitoyable spectacle. À vrai dire, le seul intérêt que présente cette pièce est son accompagnement musical, superbe et envoûtant, signé Pierre Tournier.

Et voici ce qu'on pourrait en retenir pour faire la publicité du spectacle :

> [...] monumental ! [...] une aventure pleine de rebondissements et de suspense [...] superbe et envoûtant.

8. C'est un ancien terme de philosophie, aujourd'hui très peu utilisé, qui désigne l'action par laquelle une cause efficiente, agissant sur une « matière », y fait apparaître une forme déterminée.

Un dangereux tueur invisible

Le texte qui suit aurait été rédigé en 1988 avant d'être, quelques années plus tard, posté sur le Net par un de ses auteurs, Eric Lechner.

Il aurait plus d'une fois été présenté comme une pétition et proposé à la signature de personnes croisées au hasard dans divers lieux publics ; il aurait chaque fois été abondamment signé – ce qui n'a évidemment aucune valeur scientifique.

Quoi qu'il en soit, comme vous le constaterez, il s'agit d'un texte savoureux et dont la lecture attentive constitue un amusant exercice de pensée critique.

Le tueur invisible

Le monoxyde dihydrogéné est sans couleur, sans odeur et sans saveur et il tue des milliers de personnes chaque année. La plupart de ces morts sont causées par une ingestion accidentelle de MODH ; mais les dangers de ce produit ne s'arrêtent pas là. Une exposition prolongée à sa forme solide peut causer de sérieux dommages à l'organisme. Les symptômes d'une ingestion de MODH peuvent comprendre : sueur et urine abondantes, une possible sensation de ballonnement, des nausées et vomissements ainsi qu'un déséquilibre électrolytique. Sitôt qu'on y est devenu dépendant, la cessation de la consommation conduit à une mort certaine.

Le monoxyde dihydrogéné :

- Est également connu sous le nom d'acide hydroxylique et est la principale composante des pluies acides ;
- Contribue à l'effet de serre ;
- Peut causer de sérieuses brûlures ;
- Contribue à l'érosion de nos sites naturels ;
- Accélère la corrosion et la rouille de plusieurs métaux ;
- Peut produire des pannes électriques et diminuer l'efficacité des freins des automobiles ;
- A été trouvé dans les tumeurs extraites à des patients cancéreux en phase terminale.

La contamination atteint désormais des proportions endémiques !

On détecte aujourd'hui la présence en abondance de monoxyde dihydrogéné dans presque tous nos ruisseaux, nos lacs et nos réservoirs. Mais la pollution est globale et le contaminant a été détecté jusque dans les glaces de l'Antarctique. Le

MODH a plusieurs fois causé des dommages à la propriété évalués à plusieurs millions de dollars – tout récemment encore en Californie.

Malgré tous ces dangers, le monoxyde dihydrogéné reste souvent utilisé :

- Dans diverses industries comme refroidisseur et solvant ;
- Dans les centrales nucléaires ;
- Dans la production de polystyrène expansé ;
- Comme hydrofuge ;
- Dans de nombreuses et cruelles recherches sur les animaux ;
- Dans la diffusion de pesticides – et même après lavage, les objets restent contaminés par ce produit chimique ;
- Comme additif dans certains aliments de restauration rapide et dans divers autres produits alimentaires.

Les entreprises déversent couramment du monoxyde dihydrogéné dans les fleuves et les océans et rien ne peut empêcher cette pratique, puisqu'elle reste pour le moment parfaitement légale. L'impact sur la nature est immense et il n'est désormais plus possible de l'ignorer !

Il faut mettre fin à cette horreur !

Le Gouvernement a refusé de bannir la production, la distribution ou l'utilisation de ce nuisible produit chimique, alléguant son « importance dans la santé économique de notre pays ». En réalité, la Marine et d'autres organisations militaires mènent des expérimentations sur le monoxyde dihydrogéné et construisent, à coups de millions de dollars, des appareils destinés à le contrôler et à l'utiliser durant les conflits armés. Des centaines de centres de recherche militaires en reçoivent d'ailleurs des quantités importantes à travers un complexe réseau souterrain de distribution. Plusieurs en stockent de grandes quantités.

[Le canular se poursuit sur un hilarant site qui promeut le bannissement du monoxyde dihydrogéné. Ses efforts, fort heureusement, sont restés absolument vains.]

Source : http://www.dhmo.org/

1.1.6 Les mots-fouines

En anglais, certains mots sont appelés des *weasel words*, c'est-à-dire, littéralement, des mots-fouines.

Ce charmant animal, la fouine, s'attaque aux œufs

dans le nid des oiseaux selon une méthode très particulière : elle les perce et les gobe, avant de les laisser là. La maman oiseau croit apercevoir son œuf : mais ce n'est plus qu'une coquille vidée de son précieux contenu.

Les mots-fouines font la même chose, mais avec des propositions. On croit ainsi apercevoir un énoncé plein de riche contenu, mais la présence d'un petit mot l'a vidé de sa substance.

La publicité a énormément recours à cette stratégie ; l'observateur attentif en repérera un grand nombre d'occurrences. Qui n'a pas reçu d'enveloppe portant la mention : « Vous pourriez avoir gagné 1 000 000 $ » ?

En voici quelques autres exemples :

> Un produit *peut* produire tel ou tel effet.
> Un produit diminue ou augmente telle chose *jusqu'à* tel ou tel niveau.
> Un produit *aide* à...
> Un produit *contribue* à...
> Un produit *est une composante* de...
> Un produit vous fait vous sentir *comme*...
> Un produit est *comme*...
> Un produit est *en quelque sorte* ...
> *Des* chercheurs affirment que...
> Des recherches *suggèrent* que...
> Des recherches *tendent* à montrer...
> *On* prétend que...
> Un produit est *presque*...

La publicité n'est cependant pas la seule à user de ces mots-fouines, loin de là ! Le penseur critique doit savoir les reconnaître d'emblée, de manière à ne pas interpréter le message incorrectement. On doit pourtant se rappeler que, dans certains cas, il est important de nuancer sa pensée. Il ne faut pas confondre cela avec l'emploi de mots-fouines dans le but conscient de tromper ou de mystifier.

1.1.7 Jargon et pseudo-expertise

Il est parfois nécessaire et tout à fait légitime d'utiliser un vocabulaire spécialisé pour exprimer clairement certaines idées. On ne peut pas, par exemple, discuter sérieusement de la physique quantique ou de la philosophie de Kant sans introduire des mots techniques et un vocabulaire précis qui permettent d'échanger au sujet d'idées complexes. Ce vocabulaire, que le néophyte ne comprend pas, sert à poser et à clarifier des problèmes réels. Toutefois, on peut en général donner au néophyte intéressé une certaine idée de la signification de ces concepts et des enjeux qu'ils soulèvent. Avec cet aperçu, il pourra décider s'il veut aller de l'avant et approfondir ses connaissances : le cas échéant, il lui faudra acquérir à la fois le vocabulaire spécialisé et la somme de savoir qui lui correspond.

Pourtant, on a parfois l'impression que le vocabulaire employé, loin de recouvrir des problèmes réels, de permettre de les étudier et d'y voir plus clair, sert au contraire à complexifier artificiellement des choses plutôt simples ou encore à masquer l'indigence de la pensée.

La ligne de partage entre la première catégorie et la deuxième n'est pas toujours facile à tracer, j'en conviens ; mais elle existe bel et bien. Ce que nous trouvons dans la deuxième catégorie est appelé jargon.

Il existe une grande variété de jargons. En anglais, plusieurs noms ont été proposés pour les désigner. Par exemple, le jargon des avocats serait le *legalese ;* il existe d'ailleurs, aux États-Unis, des groupes qui œuvrent à contrer cet obscurantisme juridique et qui proposent des traductions en langage courant de documents juridiques. Celui des sciences de l'éducation s'appelle l'*educando* – à ma connaissance, personne ne s'est encore attaqué à la tâche herculéenne de traduire ces textes en langage compréhensible au commun des mortels.

Voici un exemple de jargon, académique cette fois. Il est extrait d'une thèse de sociologie récemment soutenue à la Sorbonne par une astrologue française bien connue. La thèse, d'une inconcevable vacuité, de l'avis des experts qui s'y sont penchés [9], était un acte militant pour introduire à l'université l'enseignement de l'astrologie.

> Le pivot et le cœur de l'astrologie, miroir d'une unicité profonde de l'univers, rappellent l'*unus mundis* des Anciens, où le cosmos est considéré comme un grand Tout indivisible. Avec le rationalisme et ses Lumières, la scission se fit entre cœur, âme et esprit, entre raison et sensibilité. Un schisme socioculturel qui allait de pair avec une dualité dans laquelle s'inscrit encore notre culture occidentale, malgré le changement de paradigme apparu ces dernières années. [...]
>
> Cependant, un nouveau paradigme est générateur d'un intérêt croissant pour les astres, et ce, nonobstant un rejet rémanent qui perdure, lié essentiellement à la confusion et à l'amalgame fait autour des pratiques telles que voyance, tarots et autres. Par rapport à notre vécu, élément fondamental au regard d'une sociologie compréhensive, wéberienne ou simmélienne, nous avons voulu privilégier le phénomène des médias, reflet du donné social, vu notre expérience en ce domaine depuis plus de vingt ans, dans et hors de l'Hexagone. [...] nous avons tenté d'analyser cette ambivalence de fait entre attraction et rejet ; mais

9. On pourra consulter tous les documents liés à cette affaire sur le site de l'Association française pour l'information scientifique : http://site.afis.free.fr/phpteissier/frames.php3.

> aussi de définir, à l'aide d'un constat sociétal, quelle peut être la situation épistémologique de l'astrologie aujourd'hui. [...]
>
> Un tel dialogue [entre scientifiques et astrologues] ne pourra toutefois s'établir qu'autour d'une pensée complexe, celle qui régit le Nouvel Esprit Scientifique, mais aussi le paradigme astrologique – songeons à A. Breton parlant du jeu multidialectique que l'astrologie nécessite. Cette ouverture, cet assouplissement de l'esprit, nous les avons pour notre part largement pratiqués sur un plan empirique jusqu'à en devenir monomaniaque – ou plutôt métanoïaque (Pareto) [10].

C'est là un cas tout à fait exemplaire de jargon, qui condense en quelques lignes tout ce qu'on peut imaginer de pire en la matière : mots et concepts pseudo-savants utilisés sans raison, références artificielles à des concepts, à des théories et à des auteurs prestigieux.

De tels jargons remplissent sans doute plusieurs fonctions. Certains y voient un écran de fumée destiné à procurer du prestige à ceux qui les utilisent. Noam Chomsky y voit, au moins en partie, une manière pour les intellectuels de cacher la vacuité de ce qu'ils font :

> Les intellectuels ont un problème : ils doivent justifier leur existence. Or il y a peu de choses concernant le monde qui sont comprises. La plupart des choses qui sont comprises, à part peut-être certains secteurs de la physique, peuvent être exprimées à l'aide de mots très simples et dans des phrases très courtes. Mais si vous faites cela, vous ne devenez pas célèbre, vous n'obtenez pas d'emploi, les gens ne révèrent pas vos

10. É. Tessier, *Situation épistémologique de l'astrologie à travers l'ambivalence fascination/rejet dans les sociétés postmodernes*, Thèse de Doctorat en sociologie, La Sorbonne, Paris. Résumé.

> écrits. Il y a là un défi pour les intellectuels. Il s'agira de prendre ce qui est plutôt simple et de le faire passer pour très compliqué et très profond. Les groupes d'intellectuels interagissent comme cela. Ils se parlent entre eux, et le reste du monde est supposé les admirer, les traiter avec respect, etc. Mais traduisez en langage simple ce qu'ils disent et vous trouverez bien souvent ou bien rien du tout, ou bien des truismes, ou bien des absurdités[11].

Apprendre à tracer la ligne de partage évoquée plus haut et donc à reconnaître le jargon n'est pas toujours facile. Il s'agit en fait d'un travail de très longue haleine, qui demande beaucoup de savoir, de la rigueur, de la modestie devant sa propre ignorance ainsi que de la générosité pour les idées nouvelles.

Pour conclure sur ce sujet, je voudrais rappeler les résultats d'une amusante étude[12] qui a voulu mettre en évidence certains effets du recours au jargon dans le contexte académique : unique et ne permettant pas de tirer de conclusions significatives, je la cite néanmoins ici, puisqu'elle est une des rares à s'être penchée sur cet objet d'étude.

Au début des années 1970, le docteur Fox a prononcé, à trois occasions, une conférence intitulée « La théorie mathématique des jeux et son application à la formation des médecins ». Il s'est exprimé devant un total de cinquante-cinq personnes, toutes hautement scolarisées : travailleurs sociaux, éducateurs, administrateurs, psychologues et psychiatres. Son exposé durait une heure et était suivi de trente minutes de discussion. On distribuait ensuite un questionnaire

11. N. Baillargeon et D. Barsamian, *Entretiens avec Chomsky*, Éditions Écosociété, Montréal, 2002, p. 45-46.

12. J. Scott Armstrong, « Unintelligible Management Research and Academic Prestige », *Interfaces*, vol. 10, n° 2, 1980, p. 80-86.

à l'auditoire pour connaître son opinion sur l'exposé du docteur. Tous les participants l'ont trouvé clair et stimulant ; aucun n'a fait remarquer que cette conférence était un tissu de sottises... ce qu'elle était pourtant.

Le docteur Fox était en fait un comédien. Il avait l'air très distingué et parlait sur un ton autoritaire et convaincu. Mais le texte qu'il disait, appris par cœur et portant sur un sujet auquel il ne connaissait absolument rien, était truffé de mots vagues, de contradictions, de fausses références, de renvois savants à des concepts n'ayant pas de rapport avec le sujet traité, de concepts creux et ainsi de suite. Bref : du vent, des contradictions et de la pompeuse insignifiance.

Ceux qui ont commis ce canular – qui rappelle fort celui de Sokal [13] il y a quelques années – ont formulé ce qu'ils appellent l'hypothèse Fox, selon laquelle un discours inintelligible, s'il est émis par une source légitime, tendra malgré tout à être accepté comme intelligible. Un corollaire de cette idée est que l'emploi d'un vocabulaire qui donne ne serait-ce que l'illusion de la profondeur et de l'érudition peut contribuer à accroître la crédibilité d'une communication.

Le moment est particulièrement propice pour rappeler ici quelques règles simples et saines que devraient suivre ceux qui veulent communiquer efficacement :

13. La littérature concernant la célèbre affaire Sokal est désormais abondante. Pour dire en un mot de quoi il s'agit : ce physicien, Alan Sokal, a réussi à faire publier dans une revue de *cultural studies* un texte faisant chorus aux critiques de la science et de la rationalité communes dans certains milieux académiques. Toutefois, son article était truffé de bêtises considérables et de faussetés concernant la science, lesquelles ont échappé aux éditeurs de la revue. Sokal voulait ainsi suggérer que, dans ces milieux, certains ne connaissent guère la science dont ils font si allégrement la critique. On pourra lire à ce sujet : A. Sokal et A. Bricmont, *Impostures intellectuelles*, Odile Jacob, Paris, 1999.

- Assurez-vous que vous comprenez votre message avant de l'émettre ;
- Parlez le langage des gens à qui vous vous adressez ;
- Simplifiez autant que possible ;
- Sollicitez des commentaires, des critiques et des réactions.

1.1.8 Définir

> *— Voilà donc de la gloire pour toi.*
> *— Je ne comprends pas ce que vous voulez dire, dit Alice.*
> *Humpty Dumpty sourit dédaigneusement.*
> *— Évidemment que tu ne comprends pas – pour cela il faut que je te le dise. Je veux dire : Voilà un argument décisif pour toi !*
> *— Mais « gloire » ne veut pas dire « argument décisif », objecta Alice.*
> *— Lorsque j'utilise un mot, dit Humpty Dumpty avec mépris, il signifie exactement ce que je choisis qu'il signifie – ni plus, ni moins.*
> *— La question est de savoir si vous pouvez faire signifier aux mots autant de choses différentes, dit Alice.*
> *— La question est de savoir qui est le maître, et rien d'autre, dit Humpty Dumpty.*
>
> Lewis Carroll, (*De l'autre côté du miroir*)

Quiconque a été ne serait-ce qu'une fois embourbé dans une discussion qui s'enlisait pour ces raisons le sait : certains débats sont en fait des malentendus qui reposent sur l'imprécision du sens accordé à un mot donné ou qui perdurent parce que chacun des interlocuteurs n'a pas la même définition pour un ou plusieurs des termes utilisés.

En pareils cas, évidemment, il faut produire une définition sur laquelle on puisse s'entendre. Mais définir n'est pas une mince tâche.

Une première tentation est de s'en remettre au dictionnaire. C'est parfois tout à fait légitime. Cependant, il faut se souvenir que le dictionnaire donne essentiellement les conventions d'une société relatives à l'usage des mots, conventions explicitées à l'aide de synonymes. Ce n'est certes pas sans intérêt. Si vous ignorez, par exemple, ce que votre interlocuteur veut dire par « quadrupède », le dictionnaire vous en fournira un synonyme utile qui vous éclairera suffisamment pour poursuivre la discussion : « vertébré terrestre, spécialement un mammifère, qui marche sur quatre pattes. » Autre exemple : si vous ne savez pas ce qu'un auteur entend par un « *dearborn* », un dictionnaire anglais du XIXe siècle vous dira qu'à l'époque, aux États-Unis, on appelait ainsi un certain type de voiture d'attelage avec des rideaux.

Toutefois, ce type de définition – qu'on appelle linguistique – n'est généralement pas ce qui convient. Supposons que vous discutiez pour déterminer si telle ou telle pratique est juste : le recours au dictionnaire pour apprendre que « juste » signifie « conforme à l'équité en respectant les règles de la morale ou de la religion » ne vous aidera pas beaucoup. Vous voudrez aussitôt savoir ce que signifie équitable, si cette conformité est nécessaire et pourquoi, et mille autres choses. Si vous conversez avec quelqu'un en vous demandant si les créations de Christo – qui a littéralement emballé le Reichstag, à Berlin, le Pont Neuf, à Paris, et Central Park, à New York – sont ou non de l'art, encore une fois, la définition linguistique de l'art ne vous sera pas d'un grand secours.

Ces problèmes ne sont pas purement théoriques. Au contraire, ils sont capitaux et lourds de conséquences de toutes sortes. Il est difficile, par exemple, de définir des termes comme : terrorisme, vie, mort, avortement, guerre, génocide, mariage, pauvreté, vol, drogue. Pensez un seul moment aux répercussions qui découlent de l'emploi d'une définition plutôt que d'une autre...

Ce qu'il faut produire en ces cas s'appelle une définition conceptuelle. En Occident, on peut soutenir que la philosophie est née, au moins en partie, de la volonté de résoudre des problèmes concernant les définitions conceptuelles, l'immense difficulté de leur formulation et leurs nombreuses répercussions. Le nom de Socrate reste lié à tout cela. En effet, celui-ci conviait ses contemporains à adopter une démarche qui consistait à parvenir, par induction, c'est-à-dire par l'examen de cas particulier, à une définition conceptuelle d'un terme problématique : courage, piété ou justice, par exemple. Cette démarche reste valable ; chercher à préciser de cette manière les concepts que nous utilisons est souvent avantageux. S'agit-il de terrorisme ? Quelles sont les conditions nécessaires et suffisantes qui doivent être satisfaites pour pouvoir parler de terrorisme ? Celles qu'on met de l'avant se retrouvent-elles dans tous les cas où il est couramment question de terrorisme ? Si non, pourquoi ? Et que faut-il revoir en ce cas : notre usage ou notre définition ?

Une manière de procéder, ancienne mais utile, est de chercher le genre (*genus*) et la différence spécifique (*differentia*) de ce qu'on veut définir. On souhaite par exemple définir « oiseau ». Le genre est animal ; la différence spécifique est ce par quoi les oiseaux – et eux seuls – diffèrent des autres animaux (disons que ce pourrait être : avoir des plumes). Essayez avec « drogue » : vous verrez que l'exercice n'est pas aussi facile qu'il y paraît ! Les sciences ou les savoirs spécialisés proposent souvent des définitions qui pourront nous convenir.

Définition de la photographie

L'interdit porté sur les images, en Arabie Saoudite, a longtemps entraîné l'interdiction de la photographie. Mais les photographies aériennes sont indispensables à la recherche de puits de pétrole. Le magazine *Harper's* (février 1978) rapporte comment ce dilemme a été résolu : « Le Roi Ibn Saud a convoqué l'Ulema [un groupe de théologiens musulmans qui exercent une grande influence sur la moralité publique] et lui a fait accorder que la photographie était en fait une bonne chose, puisqu'elle n'est pas une image, mais une combinaison de lumière et d'ombre qui décrit sans les violer les créatures d'Allah. »

Cité par H. Kahane, *Logic and Contemporary Rhetoric – The Use of Reason in Everyday Life*, p. 151.

Dans de tels exercices de définition, certains en appellent à l'étymologie, qui est l'étude des racines des mots. Ici encore, une mise en garde s'impose : l'origine d'un mot n'est pas nécessairement éclairante, puisque le sens qu'il avait hier, sous sa forme originelle, n'est pas nécessairement identique au sens qu'il a sous sa nouvelle forme ; souvent, il en est même fort éloigné, de sorte que l'étymologie ne nous renseigne guère. Le mot « rôle », par exemple, provient du latin médiéval *rotulus*, qui désignait une feuille roulée portant un écrit. Cela n'est pas précisément d'un grand secours...

Ce qu'on pourrait appeler un « paralogisme étymologique » est parfois poussé très loin. Il est ainsi arrivé à des partisans d'une conception libérale de l'éducation d'invoquer que le mot « éducation » viendrait de « *educere* », l'étymologie invitant à concevoir l'éducation comme une activité consistant à conduire (*ducere*) hors de (*ex*) l'ignorance – ce qui est conforme à la conception libérale de l'éducation. D'un autre côté, il y a ceux qui sont partisans d'une conception de l'éducation envisagée comme le fait de nourrir et, plus largement, de procurer à un être les conditions nécessaires à son développement. Ceux-là invoquent une deuxième hypothèse étymologique, selon laquelle « éducation » proviendrait d'« *educare* », qui signifie « nourrir », « élever ». D'autres enfin tiennent l'éducation pour un concept indéterminé et appuient leur thèse sur... l'incertitude même de l'étymologie. On voit que l'étymologie, pour éclairante qu'elle soit parfois, ne peut en aucun cas trancher à elle seule des problèmes de définition conceptuelle.

Il arrive que l'on doive convenir d'une définition stipulative, c'est-à-dire une définition de convention. Des concepts comme « surpoids » ou « obésité », par exemple, appartiennent à un continuum d'excès de poids : les frontières entre poids normal, surpoids et obésité sont tracées à l'aide d'un indice de masse corporelle, qui donne une définition stipulative de ces concepts.

Les sciences, quant à elles, ont souvent recours à deux types de définition de leurs concepts, qu'il faut connaître.

En premier lieu, les définitions opérationnelles. Celles-ci indiquent les procédures ou les étapes à suivre pour observer le concept qui en fait l'objet. La recette du gâteau Forêt-noire est une définition opérationnelle du concept de gâteau Forêt-noire. Bien sûr, les définitions opérationnelles utilisées en science sont beaucoup plus complexes...

En second lieu, les indices. La démarche se fait ici en plusieurs étapes[14]. Soit un concept X. On commencera par se faire une représentation imagée de ce concept : c'est à cette phase qu'entrent en jeu savoir, sensibilité et créativité. La phase suivante est celle de la spécification du concept, qui précise ses dimensions. La troisième phase est celle où l'on choisit des indicateurs de ces dimensions, c'est-à-dire des caractéristiques observables qui en témoignent. Pour finir, on fait la synthèse pondérée de ces dimensions en une mesure unique qui constitue l'indice. On notera pour finir combien facile est la dangereuse tentation de la réification, qui accorde réalité et existence autonome à un indice qui n'est rien d'autre qu'une construction possible. Le Quotient Intellectuel (le fameux QI) est

14. Je suis ici la présentation de Paul Lazarsfeld dans un article classique et souvent reproduit : « Des concepts aux indices empiriques ». On le trouvera dans : R. Bourdon et R. Lazarsfeld, *Le Vocabulaire des sciences sociales*, Mouton, Paris, 1965.

précisément un indice ; chacun sait avec quelle facilité il est réifié.

1.2 L'art de la fourberie mentale et de la manipulation : quelques paralogismes courants [15]

Considérez les propositions suivantes :

Tous les hommes sont mortels
Socrate est un homme
Donc Socrate est mortel

Tout le monde connaît ce raisonnement, qu'on appelle un syllogisme. Il a d'ailleurs été si souvent répété que Paul Valéry a dit avec humour que c'est le syllogisme, et non la ciguë, qui avait tué Socrate.

Pour avoir attiré l'attention sur les raisonnements de ce genre, leur avoir donné un nom et en avoir, le premier, fait l'étude systématique, Aristote est généralement reconnu comme l'inventeur de la logique formelle. Jusqu'à la fin du XIXe siècle, la logique qu'il a développée sera tenue pour l'achèvement de cette discipline. Ce n'est qu'avec les travaux de mathématiciens et de philosophes du XXe siècle (G. Frege et B. Russell, notamment) qu'une logique (mathématique) plus puissante sera développée.

Qu'est-ce que la logique ? Pour le savoir, revenons justement aux traités de logique d'Aristote (ou *Organon*, c'est-à-dire *outil*). Dans ces textes, il étudie les raisonnements en ne s'intéressant qu'à leur forme, indépendamment de leur contenu – d'où l'épithète « formelle » donnée à sa logique. Aristote codifie d'abord les « lois de la pensée » :

– principe d'identité : ce qui est, est ; A est A ;

15. L'expression (*the art of mental trickery and manipulation*) est de Richard Paul et Linda Elder, dans *Foundation for Critical Thinking*.

– principe de contradiction : rien ne peut être à la fois A et non A[16] ;
– principe du tiers exclu : A ou non A – sans troisième possibilité.

Puis il développe sa théorie du syllogisme. Considérez le raisonnement suivant :

Tous les policiers du Québec possèdent une matraque
Pierre est un policier du Québec
Donc Pierre possède une matraque

Ce raisonnement – ou syllogisme, comme dit Aristote – a un contenu (il y est question de policiers québécois, de Pierre, de matraques) et quelque chose est affirmé de ce contenu. Ce syllogisme a aussi une forme, une forme qu'on peut d'ailleurs mettre en évidence en faisant, si l'on peut dire, abstraction du contenu. On aura sans doute déjà remarqué que ce syllogisme a justement la même forme que celui qui concluait à la mortalité de Socrate. On le verra d'ailleurs mieux en utilisant des lettres qui nous serviront de symboles conventionnels pour représenter n'importe quel contenu. Le raisonnement ci-dessus parle de classes générales : des policiers québécois (A) et de la possession d'une matraque (B) et d'un individu, Pierre (appelons-le *x*). Il parle de tous les A, de tous les B et de ce *x* en établissant des relations entre ces classes et cet individu. Sa structure est la suivante :

Tous les A sont des B
x est un A
Donc *x* est un B

Si on considère la structure de ce raisonnement, indépendamment de son contenu, on se rend compte que « ça marche » nécessairement. Effectivement, dès lors que tous les A sont des B et que *x* est un A, il

16. « Il est impossible que le même attribut appartienne et n'appartienne pas au même sujet sous le même rapport », (Aristote, *Métaphysique*)

faut que *x* soit aussi un B. On s'en rend d'ailleurs parfaitement compte en dessinant ces cercles, appelés diagrammes de Venn, du nom de leur inventeur :

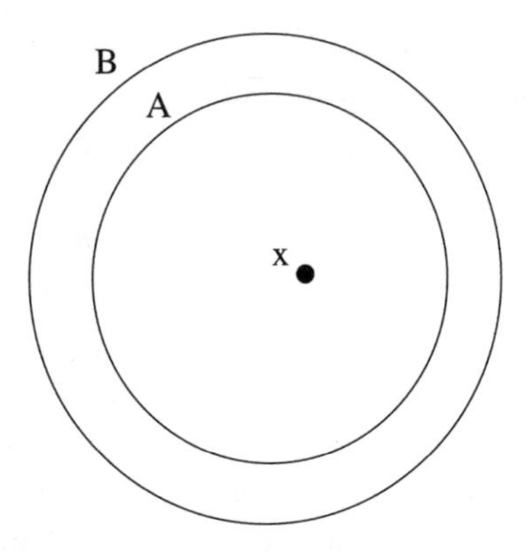

La première et la deuxième propositions (tous les A sont des B et *x* est un A) sont appelées prémisses par Aristote. De ces prémisses on tire, de façon certaine, une troisième proposition qui en découle : celle-ci est la conclusion (*x* est un B). Les prémisses sont les raisons invoquées pour soutenir notre conclusion. Dans le cas d'un raisonnement comme celui que nous venons d'examiner, la conclusion suit nécessairement les prémisses : on dit que le raisonnement est valide.

Le syllogisme valide permet de garantir que, si les prémisses sont vraies, la conclusion le sera aussi. Partant de là, les choses se complexifient assez vite. Aristote a décrit quatorze formes de syllogismes valides, que les logiciens médiévaux baptisèrent de noms latins : *Barbara*, *Celerant* et ainsi de suite.

Une importante distinction entre validité et vérité a déjà été évoquée : elle doit à présent être précisée. On l'a vu, certaines formes de raisonnement garantissent qu'une conclusion *valide* découle nécessairement des prémisses. Mais cela ne garantit pas que la conclusion soit *vraie*. Reprenons la même forme, mais avec un nouveau raisonnement :

Toutes les autruches sont des éléphants
Cette grenouille verte est une autruche
Donc cette grenouille verte est un éléphant

Ce syllogisme est valide, mais la conclusion n'est pas vraie, parce que les prémisses ne le sont pas.

En réfléchissant un peu à ces catégories (validité, vérité), vous verrez qu'on peut distinguer quatre possibilités.

1. Le raisonnement est valide et la conclusion est vraie :

   Tous les hommes sont mortels
   Socrate est un homme
   Donc Socrate est mortel

2. La conclusion est fausse, mais le raisonnement est valide :

   Tous les hommes sont bleus
   Socrate est un homme
   Donc Socrate est bleu

3. La conclusion est fausse et le raisonnement est invalide :

   Quelques hommes sont bleus
   Socrate est un homme
   Donc Socrate est bleu

4. La conclusion est vraie, mais le raisonnement est invalide :

   Quelques hommes sont mortels
   Socrate est un homme
   Donc Socrate est mortel

Si on veut assurer son autodéfense intellectuelle, on gagne manifestement à pratiquer l'art de détecter la fourberie mentale et donc à savoir repérer des argumentations qui ne tiennent pas la route et qui incitent à tirer de mauvaises conclusions. On appelle ces raisonnements des sophismes ou des paralogismes

– la différence étant que le paralogisme est commis de bonne foi, tandis que le sophisme est avancé avec l'intention de tromper. (Ici, conformément à un usage répandu, nous parlerons simplement de paralogismes pour désigner un raisonnement invalide, qu'il soit ou non intentionnellement trompeur.)

On peut distinguer entre des paralogismes formels et des paralogismes informels. Les premiers sont commis lorsque le raisonnement est invalide et que la conclusion ne découle donc pas des prémisses. Ce sont eux que nous étudierons d'abord. Mais il existe aussi une très grande quantité de paralogismes qu'on nomme informels ; c'est surtout à eux que nous allons nous intéresser. Ceux-ci reposent sur des propriétés du langage, sur la manière dont on fait appel aux faits, et plus généralement, sur certaines caractéristiques des prémisses invoquées. Ces paralogismes sont très courants et il est absolument nécessaire de savoir les reconnaître. Mais ils sont aussi plus difficiles à classer. Plusieurs classifications ont été proposées ; ce n'est pas étonnant, puisque les manières d'errer sont multiples et que plusieurs erreurs appartiennent à plus d'une des catégories dans lesquelles on voudrait les ranger. Pour ces raisons, je me contenterai de décrire les paralogismes informels que je considère les plus courants.

1.2.1 Paralogismes formels

Nous examinerons pour commencer trois causes qui peuvent rendre un raisonnement invalide. Dans chacun de ces cas, le raisonnement proposé, en vertu de sa seule forme, ne garantit pas la préservation de la vérité (éventuelle) des prémisses.

L'inconsistance

Une propriété essentielle d'une argumentation valide est de ne pas contenir de contradiction : on dit alors quelle est consistante. Dès que vous pouvez repérer une contradiction dans une argumentation, vous savez donc qu'elle est invalide parce qu'inconsistante.

Voici un exemple d'un raisonnement inconsistant :

Montréal est à 60 kilomètres de
Saint-Apollinaire
Québec est à 200 kilomètres de
Saint-Apollinaire
Donc Saint-Apollinaire est plus près de
Québec que de Montréal.

Notez que si cette argumentation est invalide, cela ne nous dit pas si la conclusion avancée est fausse : sa vérité ou sa fausseté est une question pour le géographe et ne concerne pas le logicien, qui ne s'intéresse qu'à la forme du raisonnement et non à son contenu.

Un œil avisé repérera bien des inconsistances dans les raisonnements qui sont ici et là avancés. Voici un exemple que vous avez sûrement déjà croisé :

On ne devrait pas offrir de l'aide sociale aux gens : une économie de marché demande que chacun se prenne en main.

Et :

Il faut donner des subventions à Bombardier, sans quoi, cette compagnie ne survivrait pas.

Affirmation du conséquent

La forme de ce paralogisme est la suivante :

Si P, alors Q
Or Q
Donc P

Ici, même si les deux prémisses sont vraies, la conclusion ne l'est pas nécessairement : on dit que cette conclusion est un *non sequitur*.

Voici un exemple :

Si vous êtes un policier, vous possédez une matraque
Vous possédez une matraque
Donc vous êtes un policier

On voit que les prémisses ne garantissent pas la conclusion. Il peut fort bien arriver que l'on possède une matraque sans être un policier et le fait d'être un policier n'épuise pas les raisons par lesquelles on peut posséder une matraque.

Voici un autre exemple :

S'il pleut, le trottoir est mouillé
Le trottoir est mouillé
Donc il pleut

On sait bien qu'il peut y avoir un grand nombre d'autres explications au fait que le trottoir soit mouillé. Le fait qu'il le soit ne garantit donc pas qu'il pleuve. Considérez l'exemple suivant :

Si les structures de base d'une société sont
justes, les citoyens
ne se rebellent pas
Les citoyens de notre société
ne se rebellent pas
Donc, les structures de base de notre société
sont justes

Le paralogisme de l'affirmation du conséquent est particulièrement pernicieux, parce qu'il est difficile à détecter, et cela, pour deux raisons principales. La première est qu'il est rarement présenté de telle manière que sa forme soit explicitement visible, comme dans les exemples précédents. On aura plus souvent quelque chose comme ceci :

> Il est admis de tous les observateurs impartiaux et de tous les théoriciens crédibles que lorsque les structures de base d'une société sont équitables, les citoyens s'y conforment de bon gré. Le fait que les citoyens de nos sociétés ne se rebellent pas constitue ainsi une preuve puissante et convaincante de la justice de nos institutions de base et tous nos prétendus révolutionnaires feraient bien de la méditer.

La deuxième raison qui explique la difficulté à repérer ce paralogisme est sa ressemblance superficielle avec un raisonnement tout à fait valide appelé *modus ponens*. Ce dernier a la forme suivante :

Si P, alors Q
Or P
Donc Q

Par exemple :

Si les structures de base d'une société sont
justes, alors les citoyens ne se rebellent pas
Les structures de base de notre société sont
justes
Donc les citoyens ne se rebellent pas

Négation de l'antécédent

Ce paralogisme a la forme suivante :

Si P, alors Q
Non P
Donc non Q

Ici encore, la condition (si P) est faussement admise pour la condition nécessaire et suffisante de Q. Pour mieux voir pourquoi cela ne marche pas, considérez l'exemple suivant :

Si je suis à Londres, je suis en Angleterre
Je ne suis pas à Londres
Donc je ne suis pas en Angleterre

Il va de soi qu'il y a, à part Londres, bien des lieux où l'on peut se trouver pour être tout de même en Angleterre.

Cette fois également, la difficulté à repérer ce paralogisme tient à sa ressemblance avec un autre, de forme tout à fait valide, appelé négation de la conséquence ou *modus tollens*. Cette fois, on a :

Si P, alors Q
Non Q
Donc non P

Reprenons le même exemple :

Si je suis à Londres, je suis en Angleterre
Je ne suis pas en Angleterre
Donc je ne suis pas à Londres

Mais venons-en à présent aux paralogismes informels.

1.2.2 Paralogismes informels

Le faux dilemme

Une des stratégies les plus utiles du répertoire de tout bon magicien consiste à « forcer » un choix. Voici de quoi il s'agit.

Le magicien vous invite à choisir – par exemple, une carte dans un paquet. Vous vous exécutez, avec la certitude d'avoir librement sélectionné votre carte. Pourtant, les conditions de ce choix, organisées par le magicien, sont telles qu'il savait d'avance quelle carte vous alliez choisir : on dit alors que votre choix était forcé. Une fois cette étape franchie, vous l'avez deviné, rien n'est plus facile pour le magicien que de (prétendre) retrouver ou deviner votre carte.

On peut dire que le faux dilemme, le paralogisme dont nous allons à présent traiter, est au fond un équivalent sur le plan de la fourberie mentale de ce choix forcé des magiciens.

Un vrai dilemme, puisque cela existe, survient lorsque nous sommes devant une alternative : deux choix – et seulement deux – s'offrent à nous. Nous sommes indécis, puisque nous avons d'aussi bonnes raisons de désirer opter pour l'un que pour l'autre. Un faux dilemme survient lorsque nous nous laissons convaincre que nous devons choisir entre deux et seulement deux options mutuellement exclusives, alors que c'est faux. En général, lorsque cette stratégie rhétorique est utilisée, l'une des options est inacceptable et rebutante tandis que l'autre est celle que le manipulateur veut nous voir adopter. Quiconque succombe à ce piège a donc fait un choix forcé et, par là, sans grande valeur. Placé devant un faux dilemme, le penseur critique devrait réagir en faisant remarquer qu'entre A et Z, il existe une grande variété d'autres options (B, C, D et ainsi de suite).

Voici quelques exemples de faux dilemmes courants.

> Ou la médecine peut expliquer comment madame X a été guérie, ou il s'agit d'un miracle. La médecine ne peut pas expliquer comment elle a été guérie. Il s'agit donc d'un miracle.
>
> Si on ne diminue pas les dépenses publiques, notre économie va s'écrouler.

Tu utilises beaucoup trop d'éclairage inutile dans ta maison et ça gaspille de l'énergie. Ne pourrais-tu pas faire un peu plus attention ? Qu'est-ce que tu voudrais : que je m'éclaire avec des bougies ?

America : Love it or leave it.

L'univers n'ayant pas pu être créé du néant, il doit l'avoir été par une force vitale intelligente.

Il est bien entendu possible, selon le même procédé, de créer des trilemmes, des quadrilemmes, et ainsi de suite. Chaque fois, on prétend (faussement) que la liste des options qu'on énumère est complète et on glisse dans cette liste une option et une seule qui soit acceptable.

La tendance ô combien humaine à préférer des analyses et des descriptions simples à des analyses et des descriptions complexes et nuancées est très répandue. Cela explique sans doute une part du succès remporté par les faux dilemmes. Quoi qu'il en soit, aucun manipulateur n'a manqué de noter tout le parti qu'il est possible d'en tirer. Il est tellement plus facile de penser devoir choisir entre lutter contre le terrorisme en bombardant le pays X ou voir la civilisation occidentale s'écrouler que de consentir aux longues et complexes analyses que demande un examen sérieux et lucide des nombreuses questions en jeu. Kahane [17] a suggéré que la stratégie du faux dilemme combinée au paralogisme de l'homme de paille (que nous verrons plus loin) compte parmi celles que les politiciens utilisent le plus souvent. Le schéma d'argumentation est alors le suivant : la position de l'adversaire du politicien est caricaturée et rendue grotesque ; puis sa propre position est exposée comme étant la seule autre option possible. La conclusion est enfin explicitement avancée ou implicitement affirmée que la

17. H. Kahane, *Logic and contemporary Rethoric – The Use of Reason in Everyday Life.*

politique proposée est la seule qui soit raisonnable.

La morale de tout cela ? Si on nous présente un dilemme, il faut nous assurer qu'il s'agit d'un vrai dilemme avant de sauter à une conclusion (ou avant de conclure qu'il est impossible de choisir). Pour cela, il est crucial de nous rappeler qu'entre le blanc et le noir il existe bien souvent de nombreuses nuances de gris. En d'autres termes, le meilleur antidote contre le faux dilemme est un peu d'imagination, ce qui suffit souvent à établir qu'on ne nous a pas présenté de façon juste et exhaustive les choix qui s'offrent à nous.

La généralisation hâtive

Le sexisme, comme le racisme, commence par la généralisation : c'est-à-dire la bêtise.

CHRISTIANE COLLANGE

Comme son nom l'indique, ce paralogisme consiste à généraliser trop vite et à tirer des conclusions au sujet d'un ensemble donné en se basant sur un trop petit nombre de cas. Certes, les cas invoqués peuvent avoir rapport à la conclusion avancée ; c'est leur rareté qui fait problème. Dans la vie de tous les jours, ce paralogisme prend souvent la forme d'un argument anecdotique, c'est-à-dire qu'il invoque une expérience personnelle pour appuyer un raisonnement. « Tous les patrons sont des margoulins : je le sais, j'en connais plusieurs » est une généralisation hâtive, tout comme : « L'acupuncture, ça marche : mon frère a arrêté de fumer en consultant un acupuncteur. »

Il est pourtant souhaitable et nécessaire de pouvoir tirer des conclusions concernant un ensemble à partir de l'observation d'un nombre limité de sujets de cet ensemble. Nous voulons en effet pouvoir soutenir des conclusions générales, et cela, même si l'observation de tous les cas est impossible ou que l'observation d'un très grand nombre de cas est impraticable.

Nous voulons, en fait, pouvoir induire des conclusions générales de cas particuliers.

L'art de tirer de telles conclusions de façon légitime est devenu, sous les noms de théorie de l'échantillonnage et d'inférence statistique, une branche des mathématiques et plus précisément de la statistique : nous en traiterons au chapitre suivant. Son étude constitue le meilleur des antidotes à la généralisation hâtive. Dans tous les cas, le penseur critique reste sceptique devant les généralisations et se demande, avant de les accepter, si l'échantillon invoqué est suffisant et représentatif.

Le hareng fumé

On raconte qu'autrefois, dans le sud des États-Unis, les prisonniers en fuite laissaient des harengs fumés derrière eux pour distraire les chiens et les détourner de leur piste. Tel est le principe qu'on applique dans le paralogisme que nous étudions à présent et qui doit son nom à cette ancienne pratique. Le but de ce stratagème est en effet de vous amener à traiter d'un autre sujet que celui qui est discuté, bref, de faire en sorte que vous partiez sur une nouvelle piste en oubliant celle que vous poursuiviez.

Les enfants sont parfois champions à ce jeu :

> — Ne joue pas avec ce bâton pointu, tu pourrais te blesser.
>
> — Ce n'est pas un bâton, papa, c'est un laser bionique.

Mais certains adultes savent eux aussi fort bien jouer au hareng fumé. Imaginez une discussion sur le réchauffement planétaire, où il est débattu de la réalité du phénomène. Un des participants prend la parole :

> — Ce dont il faut se soucier, c'est de ce gouvernement infiniment trop régulateur de l'économie, de ces armées de bureaucrates

> qui édictent sans cesse des règles et des lois
> qui empêchent les gens d'avoir des emplois
> décents et de faire vivre leurs familles.

Ça sent très fort le poisson, ne trouvez-vous pas ?

L'utilisation du hareng fumé est un art difficile et le pratiquer avec talent n'est pas à la portée de tout le monde. Il convient en effet que le hareng soit soigneusement choisi pour présenter de l'intérêt en lui-même, tout en donnant l'impression d'entretenir un réel rapport avec le sujet traité dont il veut divertir. Il est absolument nécessaire de satisfaire ces deux conditions si on veut que les victimes suivent la fausse piste assez longtemps, sans s'apercevoir qu'elles ont été bernées.

Cette stratégie, correctement mise en œuvre, sera particulièrement efficace pour saboter un débat auquel n'est consacré qu'un temps limité et donc précieux. Imaginons un tel débat portant sur la liberté d'expression. Un des participants, mal intentionné, pourrait se lancer dans une longue digression sur Internet : raconter son histoire, expliquer son fonctionnement, décrire ses caractéristiques... sans jamais en venir à la question de la liberté d'expression. Au moment où les autres participants le remarqueront, le temps qu'il restera à consacrer au débat sera considérablement réduit – sinon tout à fait écoulé.

Le penseur critique se prémunit contre les effets néfastes du hareng fumé en restant vigilant et en s'assurant qu'on ne perde pas de vue le sujet discuté, les questions ou les problèmes traités.

L'*argumentum ad hominem*

Cette expression latine signifie littéralement : « argument contre la personne » et désigne un des paralogismes les plus répandus et les plus efficaces. Heureusement, il est aussi, comme on va le voir, un des plus faciles à repérer.

L'*argumentum ad hominem* (ou plus brièvement l'*ad hominem*) consiste à s'en prendre à la personne qui énonce une idée ou un argument plutôt qu'à cette idée ou à cet argument. On cherche ainsi à détourner l'attention de la proposition qui devait être débattue vers certains caractères propres à la personne qui l'a avancée.

Souvent, un *ad hominem* insinue qu'il existe un lien entre les traits de caractère d'une personne et les idées ou les arguments qu'elle met de l'avant ; on souhaite par là discréditer une proposition en discréditant la personne qui l'énonce. On appelle joliment cette façon de faire « empoisonner le puits ». Elle consiste précisément à mettre d'abord en évidence des traits de caractère négatifs de la personne attaquée, que les auditeurs, réels ou putatifs, auront tendance à percevoir négativement (comme un poison), et ensuite à conclure que, pour cela, l'eau du puits (les autres idées et arguments de la personne, et en particulier ceux qui faisaient l'objet de la discussion) est empoisonnée.

On aura compris que le recours à l'*ad hominem* est fortement contextualisé et que l'habileté du sophiste est d'ajuster son tir – c'est-à-dire ses attaques personnelles – en fonction de l'auditoire. Dans certains contextes, le mot *communiste* suffit à empoisonner tout un puits, alors que dans d'autres contextes, il est donné comme une garantie de la pureté de l'eau. Selon la situation, des mots décrivant la nationalité, l'orientation sexuelle, le sexe, la religion et ainsi de suite peuvent tous être utilisés pour attaquer (ou louanger) une personne.

Un petit exemple fera mieux comprendre de quoi il s'agit. Supposons que, dans une discussion à laquelle prennent part des gens de gauche, quelqu'un mette de l'avant comme plausible et relative à la discussion en cours, une idée de l'économiste monétariste Milton Friedman. Supposons ensuite qu'il lui soit immédiatement répondu que Friedman est un économiste de droite et que l'idée ne mérite dès lors aucune considération – au lieu de chercher à comprendre et éventuellement à réfuter l'idée en question. Nous nous trouvons alors devant un *ad hominem* et un empoisonnement de puits.

Notons qu'il est parfois légitime et raisonnable de mettre en doute une proposition, voire de ne pas la considérer comme plausible, en raison de certains traits de caractère de son énonciateur. Par exemple, on comprendra le policier qui ne prend pas au sérieux la plainte de monsieur Glenn qui prétend, pour la huitième fois en trois mois, avoir été enlevé par des extraterrestres. Il est de même des circonstances où certains traits d'une personne qui engagent sa crédibilité peuvent et doivent être sérieusement considérés et évalués. Lors d'un témoignage en cour, par exemple, il est extrêmement utile de savoir si le témoin qui a vu la voiture passer au feu rouge est ou non daltonien et l'avocat qui cherche à le déterminer ne commet pas un *ad hominem*. Mais dans ces deux cas, le lien entre la personne et les idées qu'elle défend est pertinent et mérite pour cela d'être pris en compte. Lorsqu'un *ad hominem* est commis, au contraire, ce lien pertinent n'existe pas.

Notons encore qu'il est nécessaire de distinguer l'*ad hominem* de l'accusation d'hypocrisie (ou *tu quoque*, toi aussi) : si un argument n'est pas invalidé par des traits de caractère de la personne qui l'avance, il se peut que cette personne ne pratique pas ce qu'elle soutient être vrai. En ce cas, on pourra dire que sa pratique est inconsistante avec sa théorie ou qu'elle fait preuve d'hypocrisie.

On comprendra que pour repérer un *ad hominem*, il convient de faire preuve de jugement. Le principe général reste le suivant : des idées ou des arguments valent par et pour eux-mêmes et on ne peut pas les réfuter simplement en attaquant le messager.

L'appel à l'autorité

Napoléon — Giuseppe, que ferons-nous de ce soldat ? Tout ce qu'il raconte est ridicule.
Giuseppe — Excellence, faites-en un général : tout ce qu'il dira sera tout à fait sensé.

La chose est entendue et inévitable, compte tenu du peu de temps dont nous disposons, de nos goûts et de nos aptitudes individuelles : il nous est impossible d'être des experts en tout et nous devons donc, très souvent, sur une grande variété de sujets, consulter des autorités et nous en remettre à elles. Nous le faisons raisonnablement si :

– l'autorité consultée dispose bien de l'expertise nécessaire pour se prononcer ;
– il n'y a aucune raison de penser qu'elle ne nous dira pas la vérité ;
– nous n'avons pas le temps, le désir ou l'habileté nécessaire pour chercher et pour comprendre nous-même l'information ou l'opinion à propos de laquelle nous consultons l'expert.

Même lorsqu'il est raisonnable de s'en remettre à l'opinion des experts, il reste sain de conserver au moins une petite dose de scepticisme : il arrive après tout que les experts se contredisent ou divergent d'opinion, qu'ils se trompent ou qu'ils raisonnent mal.

On peut cependant distinguer au moins trois cas de figure où l'appel à l'autorité est fallacieux et demande la plus grande suspicion.

Le premier est celui où l'expertise présumée se révèle douteuse ou fragile, par exemple lorsque le domaine de savoir invoqué ou bien n'existe pas, ou bien n'autorise pas l'assurance avec laquelle sont avancées les affirmations de l'expert.

Le deuxième est celui où l'expert a lui-même des intérêts dans ce dont il parle. On peut dès lors raisonnablement penser que ces intérêts orientent ou, plus radicalement, commandent son jugement.

Le troisième, finalement, survient lorsque l'expert se prononce sur un sujet autre que celui pour lequel il dispose de connaissances légitimes.

Dans tous ces cas, l'appel à l'autorité constitue un paralogisme et il faut s'en méfier – en se rappelant que l'opinion de l'expert pourrait tout de même être vraie. Bien souvent, on ne parvient que difficilement à exercer cette légitime méfiance, tant l'attrait de l'expertise confère aux propos des experts une aura de respectabilité, y compris lorsqu'elle n'est pas méritée : c'est cela qui rend si pernicieux le paralogisme de l'appel à l'autorité.

Considérons le premier des trois cas que nous avons distingués plus haut, celui où l'expert ne dispose pas d'un savoir qui l'autorise à parler comme il le fait.

Viennent d'abord à l'esprit – et c'est Socrate qui l'a fait remarquer le premier – tous ces domaines où il n'est pas raisonnable de penser qu'il existe une expertise. On se méfierait, avec raison, de prétendus professeurs de bonté, d'experts en gentillesse, d'écoles de générosité et ainsi de suite. On pense ensuite à tous ces cas où il n'y a tout simplement pas de consensus entre les experts et où, dès lors, le fait d'invoquer l'un d'eux pour trancher un débat serait fallacieux. C'est ce qui se produit si, discutant d'un problème moral, on argue que l'utilitarisme en a définitivement fourni la solution.

Les cas les plus délicats sont toutefois ceux où il existe bien un domaine de savoir, mais où celui-ci ne permet pas d'inférer la conclusion qu'on prétend en tirer. Bien des commentateurs de l'actualité économique qui sévissent dans les médias nous en fournissent des exemples parfaits. L'incertitude de la science économique, d'une part, et le fait que les décisions économiques sont des décisions politiques et sociales reposant nécessairement sur des valeurs, d'autre part, interdisent à ces personnes de parler comme elles le font parfois : en le faisant, elles commettent le paralogisme d'appel à l'autorité.

Venons-en au deuxième cas de figure. Ici, on s'en souvient, l'expert a un intérêt dans le sujet sur lequel il se prononce et cet intérêt – il est souvent de nature financière – fausse ou commande littéralement la conclusion qu'il défend. On en trouvera, hélas, de nombreux exemples. C'est ainsi que les compagnies de tabac ont proposé à des chercheurs, contre rétribution financière, de proclamer publiquement, pseudo-recherches à l'appui, que le tabac n'était pas cancérigène, voire qu'il n'était pas nocif pour la santé : ces compagnies ont trouvé des chercheurs acceptant de vendre leur expertise pour un plat de lentilles. Les firmes de relations publiques, les entreprises, d'autres groupes d'intérêt mettent parfois sur pied de prétendus groupes de recherche destinés à promouvoir leurs idées et leurs intérêts en leur donnant l'aura de respectabilité et d'objectivité que procure la science. La présente catégorie peut être étendue pour inclure toutes ces formes d'appel à ce qui confère de l'autorité ; elle comprendrait dès lors bien d'autres choses que le savoir. La publicité l'a compris, en faisant appel à des gens célèbres, riches ou puissants pour faire la promotion d'un produit.

Notre troisième et dernier cas de figure est celui où l'expert, peut-être de bonne foi, se prononce sur un sujet autre que celui sur lequel il dispose d'une légitime expertise. Malgré la bonne foi de l'expert, l'auditoire tendra alors à attribuer à ses propos une autorité qu'ils n'ont pas. C'est ce qui se produit lorsqu'un Prix Nobel de médecine se prononce sur, disons, des questions d'éthique. De même, Einstein était certainement un important physicien, mais ses opinions politiques ne sont pas nécessairement meilleures que celles d'un autre pour autant.

Ici encore, cette catégorie peut être étendue pour couvrir tous ces cas où des personnalités publiques, des vedettes, des gens riches et célèbres sont invités à se prononcer sur diverses questions sociales, politiques ou économiques auxquelles, trop souvent, elles ne connaissent rien.

Proverbes et sagesse populaire

La sagesse populaire s'exprime notamment par des proverbes, qui sont des formules courtes et incisives que l'on invoque couramment pour justifier une décision ou un comportement.

Mais il faut se méfier du raisonnement basé sur les proverbes, qui n'a en général guère de valeur. Il est d'ailleurs amusant de noter à quel point nos proverbes communs se contredisent souvent, de telle sorte que si vous en trouvez un qui assure une chose, vous en trouvez facilement un autre qui dit exactement le contraire. Par exemple : « Mieux vaut être seul que mal accompagné. » Mais la même sagesse populaire assure aussi l'inverse : « Bien mieux à deux que seul. » « Tel père, tel fils », c'est bien connu ; mais cet autre proverbe est tout aussi connu : « À père avare, fils prodigue. » « Qui se ressemble s'assemble », c'est entendu ; mais « Les contraires s'attirent ». Bref, selon les circonstances, la même sagesse populaire pourra facilement être convoquée à la rescousse de deux situations contraires.

La pétition de principe (ou *petitio principii*)

Ce paralogisme est celui du raisonnement circulaire, appelé ainsi parce qu'on suppose déjà dans les prémisses ce qu'on voudrait établir en conclusion. Les anglophones l'appellent d'ailleurs joliment *begging the question*.

L'échange suivant nous en donnera un exemple simple mais répandu :

— Dieu existe, puisque la Bible le dit.
— Et pourquoi devrait-on croire la Bible ?
— Mais parce que c'est la parole de Dieu !

Pour reprendre une image employée par Bertrand Russell dans un autre contexte, ce procédé a tous les avantages du vol par rapport au travail honnête !

On se prémunit contre ce paralogisme en repérant bien les prémisses et en les distinguant des conclusions.

Post hoc ergo procter hoc

Cette expression latine signifie : « après ceci, donc à cause de ceci » et il s'agit cette fois encore d'un paralogisme très répandu.

C'est, par exemple, celui que commettent les gens superstitieux. « J'ai gagné au casino quand je portais tels vêtements, dit le joueur ; je porte donc les mêmes vêtements chaque fois que je retourne au casino. » Le fait d'avoir gagné au jeu ayant suivi le fait de porter tels vêtements est faussement désigné comme la cause de ce gain.

Il arrive que le paralogisme soit plus subtil et moins facile à repérer. La science a bien sûr recours à des relations causales mais, en science, un événement n'est pas donné pour cause d'un autre simplement parce qu'il le précède. On retiendra surtout que le seul fait qu'un événement en précède (ou est corrélé à) un autre ne le rend pas cause du deuxième. Il ne faut pas confondre corrélation et causalité ; c'est d'ailleurs une des premières choses qu'on apprend en statistiques, comme on le verra au chapitre suivant. Dans un hôpital, la présence d'individus appelés médecins est fortement corrélée avec celle d'individus appelés patients : cela ne veut pas dire que les médecins sont cause de la maladie !

L'établissement de relations causales légitimes est une des visées majeures de la science empirique et expérimentale, qui met en œuvre plusieurs moyens de se prémunir contre le paralogisme *Post hoc ergo procter hoc* : nous reviendrons plus loin sur cette question, aussi difficile qu'importante.

Ad populum

Tout le monde le fait, fais-le donc !
(Slogan de la radio CKAC,
1972 environ)

Et si tout le monde allait se jeter dans le canal,
le ferais-tu aussi ?
(Les parents du Québec à leurs enfants)

Le nom latin de ce paralogisme signifie simplement « (en appeler) à la foule », puisqu'il consiste à en appeler à son autorité. Bien sûr, le fait que tout le monde le pense, le fasse ou le croie n'est pas en soi un argument suffisant pour conclure que cela est juste, bien ou vrai. Mais le *ad populum* reste néanmoins un des paralogismes favoris des publicitaires : on affirme qu'une chose est juste, bonne, belle, désirable, etc., puisque c'est l'avis de tout le monde.

> Buvez X, la bière la plus vendue au Canada !
> La voiture Y : n millions de conducteurs ne peuvent pas se tromper.
> La génération Pepsi.

Une variante bien connue en appelle à la tradition pour conclure (faussement) que, comme on a toujours fait de telle ou telle manière bien connue, cela doit donc être la bonne manière de faire.

> Aucune société n'a jamais légalisé le mariage de conjoints de même sexe et la nôtre ne doit donc pas le faire.

> L'astrologie est pratiquée depuis toujours, dans toutes les sociétés et des gens de toutes les classes sociales y ont eu recours.

Évidemment, tout le monde (et la tradition) peut se tromper. Il faut donc évaluer à leur mérite la tradition et ses enseignements, se demander s'ils demeurent valables et vrais aujourd'hui, compte tenu de nos savoirs, de nos valeurs et ainsi de suite.

L'appel à la foule et à la tradition sont des stratégies très efficaces et pour cela très prisées des manipulateurs. Elles offrent notamment l'avantage de flatter les convictions les plus conformistes et donc les plus courantes. Elles peuvent donc s'exercer sans grand risque dans la plupart des milieux. Dans leur forme la plus exacerbée – et la plus dangereuse –, ce type de paralogisme devient un appel à la passion populaire. Sous cette forme, il peut aller jusqu'à susciter la haine et le fanatisme.

Paralogisme de composition et paralogisme de division

— Pourquoi les moutons blancs mangent-ils plus que les moutons noirs ?
— Parce qu'ils sont plus nombreux !
(Devinette enfantine)

Les paralogismes de composition et de division sont habituellement étudiés ensemble parce qu'ils sont tous deux des manières erronées de raisonner sur les parties et le tout.

Le paralogisme de composition consiste à affirmer à propos d'un tout ce qui est vrai d'une de ses parties, sans donner pour cela de justification autre que l'appartenance de la partie au tout. Le paralogisme de division consiste, au contraire, à affirmer que ce qui est vrai du tout doit nécessairement être vrai des parties, toujours sans donner de justification, sinon que ces parties sont celles de ce tout. Le problème, chaque fois, c'est que la raison n'est pas suffisante, puisque le tout possède des propriétés que les parties ne possèdent pas nécessairement.

Ici encore, ce paralogisme est trompeur, parce qu'il ressemble à un raisonnement acceptable où on conclut, pour d'apparentes bonnes raisons, que le tout doit ressembler à ses parties et inversement. Il faut donc porter une grande attention chaque fois qu'on raisonne de la partie au tout et du tout à la partie. On doit examiner à leur mérite les arguments invoqués et se rappeler que la seule appartenance d'une partie à un ensemble ne garantit pas que ce qui est vrai de l'une sera vrai de l'autre.

Voici des exemples :

> 1 et 3 sont impairs : le résultat de leur addition sera donc un chiffre impair.
>
> Consommer du sodium et consommer du chlorure est dangereux pour les humains. Consommer du chlorure de sodium est donc dangereux.
>
> Un cheval boit chaque jour beaucoup plus d'eau qu'un être humain. Les chevaux doivent donc consommer beaucoup plus d'eau que les êtres humains.
>
> Chacune de ces différentes fleurs est superbe ; en les rassemblant, on créera un superbe bouquet.
>
> Cette rose est rouge. Les atomes qui la composent sont donc rouges.
>
> Les atomes sont incolores : cette rose est donc incolore.
>
> Voici les vingt meilleurs joueurs de la LNH : ensemble, ils formeront la meilleure équipe.
>
> Le premier violon du meilleur orchestre symphonique au monde est le meilleur premier violon au monde.
>
> « Comment peut-on aimer son pays sans aimer ses habitants ? » (Ronald Reagan)
>
> « Comme c'est le cas dans le cadre plus général de la mondialisation, c'est la nation la plus pauvre du trio uni par l'ALENA, le Mexique, qui est également la plus désireuse de raffermir les liens nord-américains : vivent au Sud du continent, en effet, 100 millions d'êtres humains dont le niveau de

vie est cinq fois moins élevé que celui des Canadiens – six fois moins que celui des Américains – et qui s'agrippent bec et ongles au rêve d'accéder à la prospérité de leurs voisins du Nord. » (*La Presse*, 1er août 2001, p. A 13.)

Appel à l'ignorance (ou *argumentum ad ignorantiam*)

Lorsque, malgré tous nos efforts pour les réunir, nous ne disposons pas des faits pertinents et des bonnes raisons qui nous permettraient de nous prononcer sur une proposition, ne pas conclure est précisément la solution la plus rationnelle. On reconnaît alors qu'on ne sait pas si la proposition examinée est vraie ou fausse.

L'*argumentum ad ignorantiam* est commis lorsque, en l'absence de faits pertinents et de bonnes raisons, on conclut tout de même à la vérité ou à la fausseté de la proposition examinée.

Ce paralogisme peut prendre deux formes. La première consiste à conclure qu'une affirmation doit être juste, puisqu'on ne peut pas démontrer qu'elle est fausse. La seconde, bien sûr, mène à conclure, du fait qu'on ne peut pas prouver la vérité d'une affirmation, qu'elle doit être fausse.

Une légende médiévale nous donnera un exemple amusant [18]. Une secte religieuse possédait une statue dotée d'une étrange propriété. Une fois par an, à une date fixe, les membres de la secte se réunissaient et, les yeux baissés, priaient devant elle. La statue, alors, s'agenouillait et versait des larmes. Cependant, si un seul membre de la secte la regardait, la statue restait immobile. La réponse des membres de la secte à l'objection évidente que soulevaient les mécréants était

18. Je reprends cet exemple à M. S. Engel, *Fallacies and Pitfalls of Language – The Language Trap*, p. 150.

un superbe et exemplaire *ad ignorantiam* : le fait que la statue est immobile quand on la regarde ne prouve pas qu'elle ne se met pas à genoux pour pleurer quand on ne la regarde pas.

Voici encore un exemple. C'eût été porter gravement atteinte à la gloire et à la divinité du Pharaon que de consigner par écrit le fait que des esclaves juifs avaient réussi à fuir l'Égypte ou d'en garder la mémoire vivante. Et c'est pourquoi la Bible seule en parle et qu'il n'y a aucune autre trace – archéologique, historique, ou autre – de cet événement.

On ne reconnaît cependant pas toujours ces paralogismes aussi facilement, peut-être surtout lorsque nous les commettons. Tout se passe ici comme si nous faisions preuve d'une plus grande indulgence épistémologique devant nos croyances préférées. Nous sommes dès lors tentés de dire qu'il faut bien tenir pour une preuve de leur valeur le fait qu'il soit impossible de conclure à leur fausseté – ou inversement. Par exemple, quelqu'un qui croit aux extraterrestres lancera sentencieusement : « Après tout, on n'a jamais prouvé qu'ils n'existent pas. Il doit donc y avoir quelque chose de vrai là-dedans. » Sur le terrain de la parapsychologie, justement, ces paralogismes sont légion. « Personne n'a pu démontrer que X trichait durant les expériences de voyance : il doit donc avoir un don. » Durant les tristement célèbres auditions du sénateur McCarthy, on pouvait allègrement soutenir que, si le FBI ne disposait d'aucune donnée infirmant qu'une personne était communiste, cette personne devait donc l'être.

Une autre raison qui explique la difficulté à détecter l'*ad ignorantiam* est qu'il existe bel et bien des cas où il est parfaitement légitime de conclure à partir de l'absence de quelque chose. Par exemple, si des résultats d'analyse fiables montrent qu'il n'y a pas de cholestérol dans votre sang, il est raisonnable de conclure qu'il n'y en a pas. On notera ici que l'absence de cholestérol lors d'un tel test fournit justement des faits pertinents et de bonnes raisons pour la conclusion à laquelle on adhère.

La pente glissante

For want of a nail the shoe was lost.
For want of a shoe the horse was lost.
For want of a horse the rider was lost.
For want of a rider the battle was lost.
For want of a battle the kingdom was lost.
And all for the want of a horseshoe nail.
(Comptine)

Sitôt Tongking tombée,
toutes les barrières s'écroulent jusqu'à Suez.
GÉNÉRAL JEAN DE LATTRE DE TASSIGUY, 1951

La pente glissante est un paralogisme qu'on dit de diversion, parce qu'il distrait notre attention du sujet discuté en nous amenant à considérer autre chose – en l'occurrence toute une série d'effets indésirables attribués à un point de départ que défend notre interlocuteur dans un échange. Le raisonnement fallacieux invoqué ici est que si on accepte A, soit le point de départ que prône notre interlocuteur, il s'ensuivra B ; puis C ; puis D ; et ainsi de suite, de conséquence indésirable en conséquence indésirable, jusqu'à quelque chose de particulièrement terrible. L'argument, bien entendu, est destiné à prouver qu'on ne doit pas accepter A. Il peut également être formulé en commençant par une conséquence indésirable plutôt que de finir par elle et remonter progressivement jusqu'au point de départ prôné par notre interlocuteur.

Aux États-Unis, certains disent que si on accepte des lois contre le libre port d'armes à feu, on aura bientôt des lois sur ceci, puis sur cela et qu'on finira par vivre sous un régime totalitaire... Ceux-là se paient une petite balade sur la pente glissante.

La pente glissante tire une part substantielle de son efficacité du fait que les victimes ne remarquent pas que chacun des maillons de la chaîne est fragile et qu'il n'est pas raisonnable de conclure qu'on devrait passer de l'un à l'autre. Dès lors, puisque rien ne garantit la solidité de chacun des maillons de la chaîne, rien n'assure non plus que si l'on accepte A, tout le reste s'ensuivra. Il n'est donc pas garanti, loin de là, que la perte d'un clou fasse celle du royaume.

Sous le nom d'effet domino, c'est pourtant bien sur une manière de paralogisme de la pente glissante que s'est construit une part de la politique étrangère des États-Unis durant la deuxième moitié du XXe siècle. On affirmait alors que si le gouvernement de tel pays passait à gauche, tous les autres pays environnants passeraient également à gauche.

L'écran de fumée

Quand un philosophe me répond,
je ne comprends plus ma question !
Pierre Desproges

Vous perdez un débat ? Votre adversaire a décidément le meilleur sur vous ? Ses faits sont pertinents, solides, établis ? Ses arguments sont valides ? Rassurez-vous : tout n'est pas perdu. Il vous reste encore un tour de passe-passe à déployer : projetez un écran de fumée. Déployez-le correctement et tous les beaux arguments de votre inopportun adversaire disparaîtront derrière lui en même temps que ses précieux faits et tous vos tracas.

Pour cela, rien ne vaut le recours aux jargons évoqués plus haut et l'exemple cité alors aurait pu être cité ici.

L'homme de paille

Si on ne peut vaincre un raisonnement donné, il peut être possible de sortir victorieux d'un débat avec une version affaiblie de ce même raisonnement. Cela sera d'autant plus facile si nous créons nous-même la version affaiblie en la façonnant de manière à garantir qu'elle sera démolie. Telle est, en substance, la stratégie mise en œuvre par le paralogisme dit de l'homme de paille. Il tire son nom de cette ancienne coutume des soldats qui s'entraînaient au combat contre un mannequin fait de paille.

En voici un exemple, où l'interlocuteur du premier intervenant façonne un homme de paille :

> — L'avortement est moralement condamnable, parce qu'il signifie la mort d'un être humain. Un fœtus a droit à la vie, autant qu'un enfant déjà né a droit à la vie. Le fœtus possède en fait, bien avant la naissance, la plupart des propriétés qui font de lui un être humain à part entière ; très tôt, il donne même des coups de pieds à sa mère.
>
> — La vache aussi donne des coups de pieds et cela n'en fait pas un être humain pour autant. Si on vous suit, on devrait arrêter de manger du bœuf. Le fœtus n'est pas plus un être humain qu'une vache et l'avortement est moralement permissible.

L'homme de paille de l'entraînement martial est reconnu pour être tel. Mais, quand on a recours à un homme de paille dans une argumentation, on le tient souvent pour son véritable adversaire et on est donc convaincu de l'avoir défait en le battant. Le stratagème échappe donc à qui le commet. Il nous faut être attentif aussi bien à ne pas le laisser commettre contre nous qu'à ne pas le commettre nous-même. Pour cela, nous devons garder en mémoire le principe de charité argumentative, selon lequel nous devons présenter les idées que nous contestons sous leur jour le plus favorable. Les victoires remportées dans un débat perdent de leur valeur et de leur importance proportionnellement au non-respect de ce principe fondamental.

L’appel à la pitié (ou *argumentum ad misericordiam)*

Ce paralogisme consiste à plaider des circonstances particulières qui susciteront de la sympathie pour une cause ou une personne et à insinuer que, pour cette raison, les habituels critères d’évaluation ne sauraient s’appliquer – ou du moins ne sauraient s’appliquer dans toute leur rigueur.

En voici des exemples :

> La pression qu’a subie X était telle que l’on comprend qu’il en soit venu à cela.
>
> Avant de critiquer le premier ministre, songez à la lourdeur de sa tâche : il doit...
>
> Si vous me faites échouer à cet examen, je devrai le reprendre cet été, mais il faut que je travaille...

Bien entendu, il est parfois légitime d’en appeler à des circonstances particulières et il arrive que celles-ci ne puissent que susciter la sympathie. Le paralogisme d’appel à la pitié survient lorsqu’on invoque illégitimement ces circonstances de manière à provoquer une sympathie qui ne devrait pas entrer en ligne de compte dans notre jugement.

L’appel à la peur

Ce paralogisme est commis lorsque l’on fait naître la peur, que ce soit par la menace ou d’autres moyens, afin de faire valoir une position. Au lieu de prendre en considération le sujet discuté et de peser les arguments invoqués, on déplace ainsi la discussion vers les conséquences de l’adoption de telle position, et en donnant à penser que celles-ci seraient désastreuses à un titre ou à un autre pour notre interlocuteur qui y adhère.

La menace n’a pas à être explicite ; elle peut même n’être perceptible qu’aux partis en présence. C’est justement ce qui rend parfois ce paralogisme difficile à détecter. Nous avons tous des peurs et elles sont parfois très profondément ancrées en nous. Les démagogues ne l'ignorent pas et ils en tirent parti en commettant le paralogisme de l'appel à la peur.

Voici des exemples de ce paralogisme :

— Mécréant ! Tu finiras en enfer !

— Ces militants menacent notre mode vie, nos valeurs, notre sécurité.

— Tu t'opposes à la peine de mort, mais tu changeras d'idée le jour où toi ou tes enfants serez la victime d'un criminel auquel tu auras épargné la chaise électrique.

— Professeur, si vous me faites échouer à cet examen, je devrai le reprendre cet été. Je ne pense pas que mon père, votre doyen, aimerait beaucoup ça.

— Tu ne devrais pas dire des choses pareilles en public : si ça venait aux oreilles du recteur, ça pourrait te coûter cher.

— Monsieur le Directeur, je suis convaincu que vos journalistes savent bien que cette histoire de pneus défectueux ayant entraîné la mort de quelques personnes ne mérite pas qu'on s'y attarde plus longtemps. En passant : il faudra que nous prenions rendez-vous très bientôt pour discuter de notre campagne de promotion annuelle, celle pour laquelle nous achetons tant d'espace publicitaire dans vos pages.

— Vous êtes une personne raisonnable et vous conviendrez avec moi que vous n'avez pas les moyens de faire face à un interminable procès.

La fausse analogie

Nous pensons souvent à l'aide d'analogies, c'est-à-dire en comparant deux choses, le plus souvent une qui nous est connue et une autre qui l'est moins. Ce type de raisonnement est souvent utile et éclairant. Par exemple, au début de la recherche sur les atomes, on s'est représenté ces nouveaux objets de la physique comme des système solaires en miniature. L'analogie, certes imparfaite, a néanmoins permis de comprendre certaines propriétés de ce qui était moins connu (l'atome) à partir de ce qui l'était beaucoup plus (le système solaire).

Mais il existe des cas où une fausse analogie conduit à penser de manière erronée ce qu'on voudrait par elle mieux comprendre. Puisque penser par analogie est aussi courant qu'utile, il est parfois difficile de déceler les fausses analogies. On y parvient en se demandant si les similitudes et les différences entre les deux objets comparés sont importantes ou au contraire insignifiantes. Le caractère fallacieux ou non fallacieux de l'analogie saute alors aux yeux. Voici quelques exemples qui vous permettront d'exercer votre sagacité. Demandez-vous, pour chacun de ces exemples, si l'analogie proposée est ou non légitime.

> Comment peut-on soutenir que la fixation des prix est un crime lorsqu'elle est le fait des gens d'affaires, mais un bienfait pour le public quand elle est le fait du gouvernement ? (Ayn Rand)
>
> La nature elle-même nous enseigne que les plus forts survivent : c'est pourquoi nous devrions légaliser et pratiquer systématiquement l'eugénisme.
>
> La pluie et l'érosion finissent par venir à bout des plus hauts sommets et la patience et le temps viendront à bout de tous nos problèmes.
>
> Une école est une petite entreprise où les salaires sont les notes données aux élèves.
>
> S'opposer à l'Accord multilatéral sur l'investissement, c'est vouloir s'opposer à la pluie et au beau temps.

Le Parti libéral a entrepris d'importantes réformes. Réélisez-le : on ne change pas de monture au milieu d'une course !

On ne peut pas plus forcer un enfant à apprendre qu'on peut forcer un cheval à boire : on ne peut que lui apporter de l'eau.

Il est temps d'en finir avec ce cancer de la société.

La suppression de données pertinentes

Qui ne connaît que sa propre position sur une question donnée, ne connaît que peu de choses sur ce sujet. Ses raisons peuvent être bonnes et il se peut que personne n'ait réussi à les réfuter. Mais si lui-même est également incapable de réfuter les arguments du parti adverse, s'il ne les connaît même pas, alors il n'a pas même de raison de préférer une opinion à une autre.

JOHN STUART MILL

Ce paralogisme est un des plus difficiles à détecter, puisqu'il consiste justement à occulter des données relatives à la conclusion qui est défendue dans une argumentation. Un raisonnement est d'autant plus fort que toutes les données pertinentes ont été prises en compte. Mais il arrive aussi que, volontairement ou non, certaines données pertinentes ne soient pas rappelées.

Ce paralogisme peut être intentionnel : par exemple, la publicité ne précise pas que tous les produits concurrents sont *aussi* efficaces que le produit vanté quand elle nous dit qu'aucun n'est *plus* efficace que lui. Mais il peut aussi être involontaire et tenir à notre propension à ne rechercher, ne voir ou ne retenir que des exemples qui confirment nos hypothèses préférées. Cette forme de pensée sélective est certainement à l'œuvre dans toutes sortes de croyances, dans le domaine du paranormal notamment, et elle consiste en quelque sorte à se cacher à soi-même des données pertinentes.

Nous reviendrons sur cette question au chapitre 3, page 175.

Les règles de la bienséance argumentative

Voici les dix règles du savoir-argumenter proposées par van Eemeren et Grootendorst. Un sophisme (ou paralogisme) est commis chaque fois qu'elles sont transgressées – ce qui constitue une « faute ».

Règle 1 : Les participants ne doivent pas s'empêcher l'un l'autre de soutenir ou de mettre en doute les thèses en présence.

Sophismes : bannissement des thèses ou affirmation de leur caractère sacro-saint ; pression sur l'interlocuteur, attaques personnelles.

Règle 2 : Quiconque se range à une thèse est tenu de la défendre si on le lui demande.

Sophismes : se soustraire au fardeau de la preuve ; déplacer le fardeau de la preuve.

Règle 3 : La critique d'une thèse doit porter sur la thèse réellement avancée.

Sophismes : attribuer à quelqu'un une thèse fictive ou déformer sa position par simplification ou exagération.

Règle 4 : Une thèse ne peut être défendue qu'en alléguant des arguments relatifs à cette thèse.

Sophismes : argumentation ne se rapportant pas à la thèse débattue, thèse défendue à l'aide de ruses rhétoriques (*ad populum*, *ad verecundiam* [argument d'autorité]).

Règle 5 : Une personne peut être tenue aux prémisses qu'elle avait gardées implicites.

Sophismes : l'exagération d'une prémisse inexprimée représente un cas particulier du sophisme de l'homme de paille.

Règle 6 : On doit considérer qu'une thèse est défendue de manière concluante si la défense a lieu au moyen d'arguments issus d'un point de départ commun.

Sophismes : présentation abusive d'un énoncé comme point de départ commun ou dénégation abusive d'un point de départ commun.

Règle 7 : On doit considérer qu'une thèse est défendue de manière concluante si la défense a lieu au moyen d'arguments pour lesquels un schéma d'argumentation communément accepté trouve son application correcte.

Sophismes : application d'un schéma d'argumentation inadéquat [...] en appliquant de manière inadéquate un schème d'argumentation. (« Le système américain ne se soucie pas de ce qui arrive au malade. Je connais un homme qui est décédé après avoir été renvoyé de l'hôpital. » « Tu n'auras pas d'ordinteur ; ton père et moi n'en avions pas quand nous étions jeunes. »)

Règle 8 : Les arguments utilisés dans un texte discursif doivent être valides ou sujets à validation par l'explicitation d'une ou de plusieurs prémisses inexprimées.

Sophismes : confusion entre conditions nécessaires et suffisantes ; confusion entre les propriétés des parties et celles du tout.

Règle 9 : L'échec d'une défense doit conduire le protagoniste à rétracter sa thèse, et la réussite d'une défense doit conduire l'antagoniste à rétracter ses doutes concernant la thèse en question.

Règle 10 : Les énoncés ne doivent pas être vagues et incompréhensibles, ni confus et ambigus, mais faire l'objet d'une interprétation aussi précise que possible.

Voir H. van Eemeren et R. Grootendorst, *L'Argumentation*, p. 174 et suiv.

Chapitre 2

Mathématiques : compter pour ne pas s'en laisser conter

Ne vous inquiétez pas trop de vos problèmes en mathématiques : je puis vous assurer que les miens sont bien pires.

ALBERT EINSTEIN

L'essence des mathématiques, c'est la liberté.

GEORG CANTOR

Sire, il n'y a pas de voie royale.

EUCLIDE *(s'adressant à son élève, le roi Ptolémée, qui trouvait ses leçons difficiles et lui demandait s'il n'y avait pas de manière plus facile de procéder…)*

Introduction

Un jour, c'était au XVIIIe siècle, un instituteur qui devait s'absenter de sa classe donna à ses élèves de sept ans un de ces exercices insipides et routiniers dont certains enseignants semblent avoir, jusqu'à aujourd'hui, gardé le secret. Il s'agissait d'additionner tous les nombres de 1 à 100 : 1 + 2 + 3 et ainsi de suite.

L'instituteur pensait pouvoir tenir ses élèves occupés un bon moment. Mais une minute ne s'était pas écoulée que l'un d'eux se tournait les pouces. Lorsqu'il lui demanda pourquoi il ne travaillait pas, l'élève répondit à l'instituteur qu'il avait terminé son travail. C'était vrai et il le prouva en donnant la bonne réponse : 5 050.

L'élève en question s'appelait Johann Carl Friedrich Gauss (1777-1855) et il deviendrait un des plus productifs et des plus importants mathématiciens de l'histoire. Voici ce que Gauss avait fait : plutôt que s'y attaquer tête baissée, il avait d'abord réfléchi au problème qui lui était posé et cherché quel type de difficulté il mettait en œuvre. Vint ensuite l'éclair de génie. Gauss remarqua une propriété étonnante, qui se généralise d'ailleurs : le premier terme de la série (1) additionné au dernier (100) donne un total (101), qui est le même que celui de l'addition du deuxième terme (2) avec l'avant-dernier (99), du troisième terme (3) avec l'avant-avant-dernier (98) et ainsi de suite. Pour obtenir le résultat demandé, on répétera cette opération 50 fois (la dernière opération est 50+51). La somme finale est donc le résultat de 50 fois 101 : ce qui fait 5 050.

Il n'est pas nécessaire d'avoir fait de hautes mathématiques pour apprécier le raisonnement du petit Gauss. Il est beau, il est juste, il est rapide et... irréfutable. Ce sont ces qualités qui font des mathématiques un si puissant et indispensable outil d'autodéfense intellectuelle. Hélas ! Elles effraient aussi beaucoup de gens, au point où on a récemment créé un mot pour décrire ceux qui les fuient et en ont peur : ce sont, dit-on aujourd'hui, des « mathophobes ».

Nous ne pouvons pourtant pas nous permettre d'ignorer complètement les mathématiques, ne serait-ce que parce que nous sommes constamment bombardés de données chiffrées qu'il nous faut comprendre et évaluer. Fuir les mathématiques a d'ailleurs, comme on va le voir, des conséquences souvent désastreuses. Le drame est précisément que trop de gens souffrent de ce qu'un mathématicien contemporain a baptisé l'innumérisme – l'équivalent pour les nombres de l'illettrisme. Il y a cependant une bonne nouvelle pour les mathophobes : dans une importante mesure, les notions mathématiques essentielles ne sont pas très complexes.

Ce chapitre fait le pari qu'avec de la patience, un brin d'humour et un peu d'attention, la mathophobie se guérit très bien. Je ne prétends évidemment pas transmettre ici toutes les notions mathématiques que chacun devrait idéalement maîtriser : la matière est par trop abondante et je ne la maîtrise pas toute entièrement moi-même, loin de là. Nous allons tout de même faire un assez vaste tour d'horizon des mathématiques citoyennes, d'autant que chacun possède déjà, avec les notions élémentaires apprises à l'école, plusieurs outils d'autodéfense intellectuelle extrêmement efficaces – à condition bien entendu de s'en servir et de faire preuve d'esprit critique. C'est vers ces notions élémentaires que nous nous tournerons d'abord, afin de montrer le parti que peut tirer de son bagage mathématique, même modeste, toute personne déterminée à ne pas s'en laisser conter.

Nous aborderons ensuite deux questions un peu plus difficiles, mais elles aussi indispensables, des mathématiques d'autodéfense intellectuelle : les probabilités et la statistique. Je pense pouvoir assurer qu'en y mettant du vôtre, vous comprendrez sans mal l'essentiel des idées exposées dans cette section.

Ce chapitre complété, vous conviendrez avec moi, je l'espère, que les mathématiques remboursent amplement chacun des efforts investis pour les comprendre.

2.1 Quelques manifestations courantes de l'innumérisme et leur traitement [1]

Il y a trois sortes de personnes : celles qui savent compter et celles qui ne savent pas.
BENJAMIN DERECA

Les nombres gouvernent le monde.
PYTHAGORE

Le problème : souffrir d'une indigestion de nombres qui n'ont strictement aucun sens.
La solution : compter soigneusement avant de décider de les consommer.

Lorsque des chiffres sont avancés, il est indispensable de se demander s'ils sont plausibles. Pour cela, il faut connaître le sujet dont on parle, ce qui suppose parfois un savoir spécialisé. Si on ne possède pas un tel savoir, on ne peut pas évaluer l'affirmation. Si je n'ai pas les connaissances requises en physique, par exemple, je ne suis pas en mesure d'évaluer des affirmations chiffrées concernant, disons, la vitesse du son (Mach 1, soit 331,4 mètres par seconde à O°C.). Mais souvent, notamment dans des discussions portant sur des questions sociales et politiques, le savoir requis est sinon possédé par chacun, du moins relativement facile à obtenir. En général, des opérations arithmétiques élémentaires suffiront alors à démontrer si ce qui est avancé est plausible ou non, sensé ou insensé. Il est donc extrêmement utile de conserver sa vigilance critique devant des données chiffrées. Voici deux exemples des immenses bénéfices qu'on peut

1. Par le docteur Arithmétix, spécialiste en mathophobie chronique.

espérer tirer de l'adoption de cette simple maxime d'autodéfense intellectuelle : « Attendez un moment que je fasse le calcul. »

Un universitaire déclarait un jour devant moi et devant un auditoire d'intellectuels que 2 000 enfants iraquiens mouraient chaque heure depuis dix ans à cause de l'embargo américano-britannique contre ce pays. Vous avez peut-être déjà entendu la même chose, qui a souvent été répétée. Laissons ici de côté la question de savoir si cet embargo était ou non justifié et arrêtons-nous à l'affirmation proposée. Pour cela, nous utiliserons simplement l'arithmétique. Si 2 000 enfants meurent chaque heure, vous ferez facilement le calcul, cela fait 17 520 000 enfants par an, et ce, depuis dix ans ; et cela se passerait dans un pays qui compte 20 millions d'habitants ?

Disons simplement que de telles données n'aident aucune cause, quelle qu'elle soit.

Voici un autre exemple. Cette fois, il est question du nombre de jeunes Américains qui ont été tués ou blessés par armes à feu en 1995.

Joel Best raconte l'anecdote suivante dans le superbe ouvrage qu'il a rédigé sur les mensonges statistiques[2]. Il assistait en 1995 à une soutenance de thèse, durant laquelle le candidat soutenait que, depuis 1950, le nombre de jeunes tués ou blessés par armes à feu aux États-Unis avait doublé chaque année. Une référence à une revue savante était citée à l'appui de ce fait.

Chacun sait que la question des armes à feu est, pour dire le moins, très particulière aux États-Unis. Encore une fois, laissons de côté tous ces débats qui soulèvent la passion. Avec pour seul outil l'arithmétique, réfléchissons un peu à ce qui est avancé ici.

2. J. Best, *Damned Lies and Statistics. Untangling Numbers from the Medias, Politicians, and Activists*, University of California Press, 2001.

Posons généreusement qu'un seul enfant a été tué par une arme à feu en 1950. On aura donc, selon ce qui est affirmé, 2 enfants morts par le fait des armes à feu en 1951, puis 4 en 1952, 8 en 1953... Si vous poursuivez ce calcul, vous arriverez en 1965 à 32 768 morts, ce qui est très certainement bien plus que le nombre total de morts par homicides (enfants aussi bien qu'adultes) aux États-Unis durant toute l'année 1965. En 1980, on aurait en gros un milliard d'enfants tués, soit plus de quatre fois la population du pays. En 1987, le nombre d'enfants morts par armes à feu aux États-Unis dépasserait ce qui constitue, selon les meilleures estimations disponibles, le nombre total d'êtres humains qui ont vécu sur la terre depuis que notre espèce y est apparue! En 1995, le nombre auquel on aboutit est si énorme qu'on ne rencontre de pareils chiffres qu'en astronomie ou en économie.

Ce que notre calcul met ici en évidence s'appelle une suite de nombres en progression géométrique : c'est une suite dans laquelle chaque résultat, appelé terme, est égal au terme précédent multiplié par une constante. Dans notre exemple, nous avons une progression géométrique dont la raison est 2 : 1, 2, 4, 8, 16... De la même manière, la raison de la suite : 3, 15, 75, 375, 1 875, 9 375, 46 875... est 5.

Une simple formule permet de donner très rapidement n'importe quel terme d'une progression géométrique. Appelons U notre suite ; U_1, le nième terme dont nous cherchons la valeur ; R la constante (ou raison) de la suite. Pour calculer le nième terme, on multiplie le premier terme (U_1) par la constante R exposant $n-1$. Notre formule peut donc s'écrire :

$$U_n = U_1 \times R^{(n-1)}$$

Le problème : être victime de « terrorisme » mathématique.

Les solutions : apprendre des mathématiques ; compter ; rester critique ; ne pas craindre de demander des explications.

Ce qui suit est peut-être une légende urbaine, mais peu importe ici. Il semble qu'on entreprit au XVIIIe siècle d'organiser une rencontre entre Leonhard Euler (1707-1783), généralement reconnu comme un des plus grands mathématiciens de tous les temps, et Denis Diderot (1713-1783), le chef de file des Encyclopédistes. Or Euler était profondément chrétien, tandis que Diderot était renommé pour ses positions matérialistes et réputé athée.

Euler, dit-on, consentit finalement à la rencontre, qui eut lieu à la cour du tsar de Russie, au moment où Diderot y séjournait. On se demandait fébrilement comment allait se dérouler le face-à-face de ces deux titans de la pensée et on craignait le pire. L'histoire rapporte qu'en arrivant à la cour, le mathématicien alla droit vers Diderot et lui lança :

— Monsieur, $\frac{(a+bn)}{n} = x$, donc Dieu existe. Répondez !

Diderot avait jusque-là attaqué – et mis en pièces – de nombreux arguments philosophiques ou théologiques avancés en faveur de l'existence de Dieu. Cette fois, cependant, le philosophe fut incapable de répondre quoi que ce soit, pour l'excellente raison qu'il ne comprenait pas ce qu'Euler venait d'affirmer et aussi, il faut le supposer, parce qu'il se sentait humilié d'avoir à l'admettre.

Cette petite histoire est peut-être apocryphe, mais elle nous fournit un exemple parfait de ce que j'appelle le terrorisme mathématique. Celui-ci consiste à utiliser le prestige des mathématiques dans le but de confondre, tromper ou autrement embrouiller les gens à qui l'on s'adresse.

On pourra soupçonner un terrorisme mathématique notamment si on constate que l'auteur lui-même ne maîtrise pas les mathématiques qu'il utilise ou si la formulation mathématique d'une idée n'est au mieux que métaphorique et n'ajoute strictement rien à ce que le langage courant ou spécialisé aurait permis de dire.

Il est utile de s'arrêter un peu à ce phénomène. En effet, et c'est tout à fait déplorable, on le rencontrera souvent et même en des lieux où il ne devrait pas se retrouver – les publications savantes et universitaires. Le sociologue Andreski a consacré plusieurs passages d'un ouvrage sur les sciences sociales à démonter les mécanismes de ces supercheries académiques dont il donnait ironiquement la recette :

> Pour accéder à la qualité d'auteur dans ce genre d'entreprise, la recette est aussi simple que payante ; prenez un manuel de mathématique, copiez-en les parties les moins compliquées, ajoutez-y quelques références à la littérature traitant d'une ou deux branches des études sociales, sans vous inquiéter outre mesure de savoir si les formules que vous avez notées ont un quelconque rapport avec les actions humaines réelles, et donnez à votre produit un titre bien ronflant qui suggère que vous avez trouvé la clé d'une science exacte du comportement collectif[3].

Je vous laisse le soin d'en découvrir des exemples – ce n'est malheureusement pas très difficile – et me contenterai pour finir de rappeler que le théorème d'incomplétude de Kurt Gödel – un résultat métamathématique aussi important que complexe et subtil – connaît depuis toujours une très grande vogue chez les terroristes des mathématiques.

3. S. Andreski, *Les Sciences sociales, sorcellerie des temps modernes*, p. 143.

Le problème : ne pas savoir traiter les grands nombres.
Les solutions : utiliser la notation scientifique et faire de l'exercice.

Nous rencontrons fréquemment des nombres gigantesques, en économie, en astronomie et dans d'autres domaines encore. Prenez par exemple la part du budget américain qui a été consacré en 2004 à ce qui s'appelle, croyez-le ou non, le département de la Défense. Selon une dépêche de l'*Associated Press* (15 mars 2004), la somme était de 402 milliards de dollars.

Prenez encore le coût de la guerre actuellement en cours en Irak : selon des calculs crédibles mais dont nous nous épargnerons ici le détail, il s'établissait, en octobre 2004, à plus de 113 milliards de dollars [4]. Il nous faudrait bien entendu chercher à comprendre ce que signifient politiquement et sur bien d'autres plans de telles dépenses et vérifier ce qui se fait réellement sous ces postes budgétaires. Mais arrêtons-nous ici aux nombres eux-mêmes.

Ce qui est frappant, c'est à quel point la capacité qu'ont bien des gens à comprendre et à se représenter des nombres aussi énormes semble très limitée. Que signifient donc, en fait, 402 ou 113 milliards de dollars ? Si on n'en a aucune idée claire, on est susceptible de se faire raconter (et de répéter) n'importe quoi sitôt que de très grands nombres sont en jeu. Il est donc crucial d'y voir plus clair.

Pour cela, il faut d'abord nous méfier des confusions linguistiques. Un million, chacun le sait, c'est mille fois mille, tandis qu'un milliard, c'est mille millions. Mais quand nous disons en français un milliard (pour désigner mille millions), les Américains, eux, disent *one billion* alors que – faites attention ! –

4. Notez qu'au 2 avril 2005, ce montant attaignait 160 milliards. Source : Cost of war, http://costofwar.com/

pour nous francophones, un billion, c'est mille milliards. On jurerait, mille milliards de mille sabords, que c'est fait exprès ! Voici comment ça marche. Les multiples de mille sont signalés par les Américains par des terminaisons « lion » : million, billion, trillion, quatrillion, etc. Nous, comme les Européens, alternons « liards » et « lions » : million, milliard, billion, billiard, trillion, trilliard, quatrillion, quadrilliard et ainsi de suite.

Mais comme je l'ai dit, ce sont des confusions conceptuelles dont il faut surtout se méfier avec les grands nombres, car passé quelques milliers, on se les représente très mal. Voici donc trois petits trucs bien commodes pour y arriver – ils ont été suggérés par Paulos[5].

Le premier. Il est très utile de ramener à des ensembles qu'on comprend les principaux grands nombres qu'on risque de rencontrer. Mille, par exemple, ce peut être le nombre de sièges de telle section de votre stade préféré ; dix mille, le nombre de briques de telle façade d'immeuble que vous connaissez bien. Un million, un milliard ? Voici une suggestion. Imaginez qu'on vous envoie en voyage de luxe aussi longtemps que vous voudrez, mais à condition que vous dépensiez 1 000 $ par jour. Hôtel, resto, etc. : on arrive à se représenter cela. Au bout de mille jours, soit près de 3 ans (deux ans et neuf mois) vous aurez dépensé un million. Mais pour dépenser un milliard, il faudrait que votre voyage dure plus de 2 700 ans !

À votre tour, à présent : trouvez des façons de vous représenter les grands nombres, disons jusqu'à un quintilliard.

Le deuxième truc. Il est préférable de noter les grands nombres selon la notation scientifique ; c'est

5. J.A. Paulos, *Innumeracy. Mathematical Illiteracy and Its Consequences*, Vintage Paper, 1990.

plus simple et dès lors qu'on en a pris l'habitude, beaucoup plus clair. C'est d'ailleurs facile : 10^n (10 exposant *n*), c'est 1 suivi de *n* zéros. 10^4, c'est donc 10 000.

Le troisième truc. Amusez-vous à compter des choses qui demandent de manipuler de grands nombres. Vous verrez à quel point notre intuition est souvent peu fiable. Voici quelques exemples de calculs, toujours suggérés par Paulos. Combien de cigarettes sont fumées aux États-Unis en un an ? (Réponse : 5×10^{11}). Combien de gens meurent sur terre chaque jour ? (réponse : $2,5 \times 10^5$). Et ne craignez pas d'affronter des nombres immensément... petits : à quelle vitesse les cheveux humains poussent-ils, en kilomètres à l'heure ? (Réponse : $1,6 \times 10^{-8}$). À votre tour. Supposons qu'il y a 15×10^3 grains de sable par pouce cube, combien faudrait-il de grains pour remplir entièrement votre chambre à coucher ?

S'habituer à ce genre d'exercices donne une grande assurance et permet souvent, quand on nous lance au visage de grands nombres, de les évaluer plus correctement, voire, en certains cas, de savoir aussitôt que ce qu'on nous dit n'est pas plausible.

Revenons à la guerre en Irak. Ceux qui ont calculé son coût proposent de l'exprimer de diverses manières, plus compréhensibles. Si l'on veut trouver un équivalent aux 113 milliards de dollars estimés, on peut dire que c'est ce que coûterait l'inscription de 16 099 088 enfants au programme *Head Start*, programme d'éducation destiné aux enfants pauvres. C'est aussi le coût de l'embauche de 2 168 932 enseignants pendant un an dans les écoles publiques. Le coût, durant un an, de l'assurance-maladie pour 48 807 993 enfants. Le coût de 2 888 245 bourses universitaires de quatre années. Le coût de 1 626 701 logements. Ou encore : chaque foyer américain a donné à ce jour plus de 1 600 $ pour cette guerre et chaque Américain 404 $.

Le problème : un gonflement des chiffres par suite de comptage multiple.
La solution : limiter le comptage de façon importante.

Le phénomène sur lequel je voudrais maintenant attirer l'attention se produit lorsque l'on compte plus d'une fois une ou plusieurs des unités, arrivant ainsi à un total plus élevé que la réalité. Les risques que cela se produise augmentent bien entendu quand on ne sait pas clairement ni ce que l'on désire compter ni de quelle manière le cerner.

Le comptage multiple survient par exemple lorsque les médias ou les services publics évaluent de manière erronée le nombre de victimes d'un désastre parce qu'ils ont tenu compte des données fournies par diverses sources : les hôpitaux, la police, la morgue, les équipes para-médicales et ainsi de suite, avec tous les risques de duplication que cela comporte.

C'est ainsi qu'en 1989, le nombre de victimes du tremblement de terre de San Francisco a d'abord été estimé à 255, avant de diminuer progressivement et de se fixer à 64.

Le problème : hallucinations de (supposées) pétrifiantes coïncidences numériques.
La solution : apprendre à se calmer l'esprit par une meilleure connaissance des étonnantes propriétés des grands nombres.

La numérologie, si on peut risquer une définition du fatras d'idées et de pratiques que ce mot recouvre, est l'étude des présumées qualités occultes ou mystiques des nombres ainsi que de leur influence et de leur signification sur les êtres humains.

Le plus souvent, le numérologue prétendra pouvoir déterminer le chiffre auquel correspond le nom d'une personne et ce qu'il signifie. Pour cela, il utilise d'abord un système qui fait correspondre chacune des lettres du nom à un chiffre. Ces chiffres sont ensuite additionnés et le nombre résultant de cette opération est décomposé en chiffres, qui sont additionnés, jusqu'à l'obtention d'un chiffre unique (de 1 à 9). Cette opération s'appelle le calcul du résidu d'un nombre. À ce chiffre correspondraient certains traits de caractère présumés être ceux de la personne. La numérologie est présentée comme une science par ses adeptes, qui feraient donc le même métier que Galilée. (On essaie de ne pas rire, ici.)

Une forme de numérologie est à l'œuvre dans la recherche de ce qu'on pourrait appeler de « pétrifiantes coïncidences », recherche à laquelle certains se livrent avec frénésie. Dans les divers cas de figure, le numérologue traque et met en évidence des données chiffrées d'un ensemble de faits se rapportant à un événement ou à plusieurs – en ce dernier cas, il va les comparer. Si cela en restait là, ce pourrait être simplement amusant. L'ennui est que le numérologue argue ensuite que le hasard seul ne peut pas expliquer ce qu'il donne pour de pétrifiantes coïncidences, avant de les attribuer à une quelconque force occulte, comme une conspiration, le destin ou une force mystique.

Deux exemples permettront de mieux comprendre.

Dans le premier, on énumère des aspects numériques de faits concernant le 11 septembre 2001. Au lendemain de ce drame, Uri Geller, un magicien qui s'est rendu célèbre dans les années 1970 en attribuant à des pouvoirs paranormaux sa capacité à réaliser quelques banals tours de prestidigitation [6], a soutenu que l'événement devait être compris et interprété en relation avec le nombre 11. Ce dernier, assurait-il, « représente une connexion positive et une porte d'en-

6. Sur Geller, on lira avec intérêt et profit, du magicien qui l'a démasqué : J. Randi, *The Magic of Uri Geller*, Ballantine Books, New York, 1975.

trée vers les mystères de l'au-delà »[7].

À l'appui de cette « théorie », Geller citait les faits suivants :

– La date de l'attaque est 9/11, et donc 9 + 1 + 1 = 11 ;
– Le 11 septembre est le 254e jour de l'année Or : 2 + 5 + 4 = 11 ;
– Il restait 111 jours à l'année 2001 le 11 septembre 2001 ;
– Le code téléphonique de l'Irak (et de l'Iran) est 119, soit 1 + 1 + 9 = 11 ;
– Le premier vol à frapper les tours était le vol 11 d'American Airlines – et puisque A est la première lettre de l'alphabet, AA peut s'écrire 11 ;
– L'État de New York a été le 11e à joindre l'Union ;
– New York City se compose de 11 lettres ;
– Le navire USS qui était dans le Golfe durant l'attaque a pour numéro d'identification 65N, soit : 6 + 5 = 11 ;
– Afghanistan se compose de 11 lettres ;
– *The Pentagon* se compose de 11 lettres ;
– L'attaque contre le *World Trade Center* de 1993 avait été organisée par Ramzi Yousef dont le nom se compose de 11 lettres ;
– Il y avait 92 personnes à bord du Vol 11, soit : 9 + 2 = 11 ;
– L'autre vol (le Vol 77) avait 65 personnes à son bord, soit : 6 + 5 = 11 ;
– Zéro n'est pas un chiffre et si on l'ignore, le bâtiment comptait 11 étages ;
– Ceux qui détournèrent les avions habitaient à l'adresse 10 001 – ici encore, il ne faut pas tenir compte des zéros ;

7. Cité par R.T. Carroll, *The Skeptic's Dictionary – A Collection of Strange Beliefs, Amusing Deceptions, and Dangerous Delusions*, p. 197. La liste qui suit provient de la même source.

– Tous les noms suivants comptent 11 lettres : George W. Bush, Bill Clinton, *Saudi Arabia*, *ww terrorism*, Colin Powell, Mohamed Atta (le pilote qui fonça sur le *World Trade Center*).

En conclusion du message faisant état de ces « découvertes », Geller demandait à chacun de prier durant... vous l'avez deviné : 11 minutes.

Notre deuxième exemple montre des similitudes entre diverses données numériques se rapportant à deux événements, en l'occurrence les présidences d'Abraham Lincoln et de John F. Kennedy.

– Lincoln a été élu au Congrès en 1846, Kennedy en 1946 ;
– Lincoln a été élu président en 1860, Kennedy en 1960 ;
– Leurs noms de famille comptent chacun 7 lettres ;
– Leurs assassins, John Wilkes Booth (pour Lincoln) et Lee Harvey Oswald (pour Kennedy) ont trois composantes à leur nom, qui totalisent tous deux 15 lettres ;
– Tous deux furent tués le cinquième jour de la semaine ;
– Le successeur de Lincoln, Andrew Johnson, était né en 1808 ; Lyndon B. Johnson, celui de Kennedy, était né en 1908 ;
– John Wilkes Booth était né 1839 ; Lee Harvey Oswald, en 1939.

Ce qui se produit ici est fort simple et peut s'expliquer facilement. Le phénomène est causé par les événements mêmes dont il est question, et plus encore par la manière (vague) dont ils sont définis. Il existe en effet un nombre virtuellement infini de choses en lien avec ces événements que l'on peut exprimer par des nombres ; on en trouvera donc sans mal autant qu'on voudra où se retrouve le même nombre. On peut donner de ce phénomène une explication et une formulation mathématiques précises à l'aide du calcul de probabilités (voir section suivante), qui permet de montrer comment des phénomènes qui nous semblent d'extraordinaires coïncidences sont en fait très probables et absolument pas hors de l'ordinaire si seulement on tient compte des lois des (très) grands nombres qui les régissent. L'erreur est de sélectionner arbitrairement des récurrences numériques qui n'ont rien d'extraordinaire et de leur attribuer des significations.

Ajoutons pour finir qu'il convient de rester sceptique non seulement devant les interprétations proposées par les chercheurs de telles pseudo-coïncidences, mais aussi devant leurs présumés faits. Par exemple, dans les listes précédentes, l'indicatif téléphonique de l'Irak n'est pas 119, mais 964 ; quant à Booth, il était né en 1838.

Le problème : une illusion de précision extrême.

La solution : se rappeler comment cette prétendue précision a été atteinte.

La température normale du corps humain a longtemps été donnée comme étant 98,6°F, mais on l'a ensuite revue et corrigée, cette fois en compilant des millions de prises de température : on est alors arrivé à 98,2°F, ce qui est une donnée très précise et fiable. Comment était-on parvenu à la première mesure, qui était tout aussi précise mais peu fiable ? La réponse est amusante. On avait établi assez grossièrement la température normale du corps en degrés Celsius et on avait abouti à une moyenne arrondie à 37°C. C'est cette mesure qui avait été convertie en degrés Fahrenheit, soit 98,6°F très précisément.

Cette petite histoire contient un enseignement précieux : lorsque les données sur lesquelles on travaille sont des approximations, des calculs d'une extrême précision sont ridicules et la précision des résultats obtenus est illusoire.

Imaginez que je mesure la longueur de mes six chats, de la pointe du museau à l'extrémité de la queue. Les résultats que j'obtiens sont à l'évidence des approximations. Disons que j'arrive aux résultats suivants, exprimés en centimètres : 98, 101, 87, 89, 76, 76.

Affirmer que la moyenne de la longueur des chats de la maison est 87,8333 n'a pas de sens : cette précision est illusoire et confère à mon travail une aura de rigueur et de scientificité qu'il ne mérite absolument pas.

Le problème : être victime de définitions arbitraires destinées à promouvoir une présentation intéressée d'une situation.
La solution : se demander qui a compté et comment a été défini ce qui est compté.

Nous nous livrerons ici à un petit exercice de comptabilité destiné à montrer qu'il est toujours pertinent de se demander, devant des données chiffrées, qui les a produites, dans quel but et selon quelle méthode et quelle définition. Il peut fort bien arriver que les données qu'on nous présente occultent une partie de la réalité. Alors, ne considérons pas les chiffres comme sacro-saints et rappelons-nous qu'ils sont le résultat de choix et de décisions, parfois arbitraires.

Vous connaissez peut-être cette blague qui circule chez les comptables :

> Une firme veut embaucher un ou une comptable. On demande au premier candidat combien font deux et deux. Il répond : quatre. On fait entrer une deuxième candidate. Même question, même réponse. Puis un troisième candidat est amené. La question lui est posée, il se lève, ferme soigneusement les rideaux et demande à voix basse :

— Combien voulez-vous que ça fasse ?

Il est embauché.

L'exemple (fictif) qui suit, adapté d'un petit livre classique de Darrell Huff[8], concerne justement des procédés comptables.

Considérez les données financières suivantes concernant deux compagnies :

Compagnie A
Salaire moyen des employés : 22 000 $
Salaire moyen et profits des propriétaires : 260 000 $

Compagnie B
Salaires moyens : 28 065 $
Profits moyens des propriétaires : 50 000 $

Pour laquelle de ces deux compagnies préféreriez-vous travailler ? De laquelle voudriez-vous être le propriétaire ?

En fait, votre réponse importe peu, puisqu'il s'agit dans les deux cas de la même compagnie.

Comment cela est-il possible ? C'est en fait fort simple.

Posons que trois personnes sont propriétaires d'une entreprise qui emploie 90 salariés. À la fin de l'année, les propriétaires ont payé aux salariés 1 980 000 $ en salaires. Les trois propriétaires ont pris chacun un salaire de 110 000 $. On constate au terme de l'exercice qu'il reste 450 000 $ de profits, somme à partager entre les propriétaires de l'entreprise.

On peut exprimer ceci en disant que le salaire annuel moyen des employés est de : 1 980 000 $ divisé par 90, soit 22 000 $; tandis que les revenus des propriétaires s'obtiennent en additionnant, pour chacun, son salaire et la part des profits qui lui revient, ce qui donne : 110 000 $+(450 000 $/3) = 260 000 $.

8. D. Duff, *How to Lie with Statistics*, Norton, New York, 1954.

Voici notre compagnie A. Son chiffre d'affaires est excellent, qu'il pourra être avantageux de présenter en certaines circonstances si vous comptez au nombre des propriétaires.

Supposons maintenant que les propriétaires veulent plutôt faire ressortir leur profond humanisme et le sens de la justice qui les habite.

Si les chiffres précédents semblent peu souhaitables pour ce faire, on peut alors prendre 300 000 $ sur les profits et répartir ce montant, en tant que bonus, entre les trois propriétaires. Puis, on calculera la moyenne des salaires en incluant cette fois ceux des trois propriétaires dans le calcul. On a cette fois un salaire moyen de : 1 980 000 $ + 330 000 $ + 300 000 $/93 = 28 065 $. Et les profits des propriétaires sont bien de : 150 000 $/3 = 50 000 $ chacun. Voici notre compagnie B.

Cet exemple est extrêmement simplifié, sans doute. Le premier comptable venu vous confirmera que, dans la réalité, on peut faire bien mieux – ou pire – que cela !

Le problème : la donnée détachée ou semi-détachée.
La solution : rattachez-moi ça à quelque chose !

Des données sont dites détachées ou semi-détachées quand elles ne réfèrent à rien ou lorsque leurs référents sont approximatifs et ne permettent pas de savoir précisément de quoi on parle. Ne sachant pas de quoi un nombre est la quantité, on ne sait plus bien ni de quoi on parle, ni ce qui est affirmé.

Prenez par exemple : « Plus de 80 % des personnes testées ont préféré le chocolat Talou. » Quelle conclusion peut-on tirer de cette affirmation ? Les fabricants du chocolat Talou voudraient qu'on conclue qu'il y a de fortes chances pour que nous préférions aussi son chocolat. Mais il y a d'excellentes raisons de ne pas céder à cette tentation, puisque cette donnée est détachée et que rien de ce qui est affirmé ne permet d'arriver à cette conclusion.

Tout d'abord, bien entendu, ce qui compte, c'est *votre* goût et non pas celui de 80 % des gens. Ensuite, combien de gens ont été testés ? Comment l'échantillon a-t-il été réuni ? Et combien de fois a-t-on testé avant d'obtenir ce résultat ? Ce pourcentage, 80 %, signifie-t-il 800 personnes sur 1 000, 80 personnes sur 100, 8 sur 10 ou même 4 sur 5 – ou autre chose encore ? Enfin, ces personnes ont préféré le chocolat Talou à quoi ? À une seule autre marque, immangeable ? À toutes les autres ? À quelques-unes ? Lesquelles ? On le voit bien : 80 %, ici, est une donnée détachée.

« Deux fois moins de glucides », annonce fièrement cette tranche de pain qui veut faire le bonheur des diabétiques. Fort bien, mais avant de se réjouir, il faut savoir par rapport à quoi. Si on ne le précise pas, la donnée est détachée et ne dit donc rien – sinon le message que le margoulin veut faire passer (achetez-moi, je suis ce qu'il vous faut), mais qui repose sur du néant. Qu'a-t-on considéré comme référence ? Si c'est du pain très riche en glucides, le pain qui en contient deux fois moins reste peut-être très sucré. Si c'est une moyenne, laquelle a-t-on choisie et à quel échantillon l'a-t-on appliquée ? Qu'est-ce encore qu'une tranche de pain ? Compare-t-on des comparables ? En écrivant ces mots, j'ai devant les yeux une tranche de pain qui prétend contenir 7 grammes de glucides, au lieu des 15 grammes habituels des pains de la même marque. Cependant, pour qui regarde attentivement, cela saute immédiatement aux yeux que ces nouvelles tranches sont beaucoup plus petites et plus minces que les autres : je dirais même, à l'œil, qu'elles sont environ... deux fois plus petites !

Le problème : le patient ne sait pas comment ce dont on parle est défini, ou encore, on a changé à son insu la définition en cours de route.
La solution : toujours demander de quoi on parle et s'assurer que la définition n'a pas été subrepticement changée.

Dans les affaires humaines, tout particulièrement, les définitions qu'on utilise pour parler des choses sont des constructions conventionnelles. Changez la définition et vous pouvez donner à penser que le réel a changé. Les données économiques, politiques et sociales doivent donc être examinées avec le plus grand soin, de manière à s'assurer que la définition de ce qui est mesuré est claire, pertinente et constante. Si elle ne l'est pas, cela demande impérativement une justification.

En 1996, aux yeux d'un chroniqueur du *San Francisco Chronicle*, des millions d'Américains sont soudainement devenus obèses sans pourtant prendre un seul kilo. Comment donc ? Le chroniqueur[9] venait d'apprendre que l'obésité est définie par un indice de masse corporelle, ou IMC. Or, selon l'Organisation mondiale de la santé, un IMC de 25 ou plus définit l'obésité, tandis qu'aux États-Unis, pour être considéré obèse, il faut avoir un IMC de 27,6 ou plus.

Voici un autre exemple. En 1998, le taux de chômage fit, en Grande-Bretagne, un bond prodigieux, le nombre de chômeurs augmentant de 500 000 d'un seul coup, faisant passer le taux de chômage de 5 à 7 %. Quelle calamité avait donc frappé ce pays ? Aucune. On venait simplement de changer la définition de « chômeur » – comme on l'avait fait dans ce pays 32 fois en 18 ans. Chaque fois, c'était pour

9. S. Rubenstein, « Millions suddenly became fat without gaining any weight », *San Francisco Chronicle*, 11 octobre 1996, p. A6. Cité par S. Diestler, *Becoming a Critical Thinker : A User Friendly Manual*, p. 73.

diminuer le nombre des exclus du travail ; pour une fois, le but était de l'augmenter.

Un penseur critique fera preuve de jugement en se rappelant qu'une bonne définition est une convention, sans toutefois être complètement arbitraire.

Le fait de ne pas s'en tenir aux définitions usuelles et convenues peut parfois conduire à d'étonnants, voire d'intéressants résultats. Les travaux d'Ivan Illich le montrent bien. Il a développé une critique des sociétés industrielles avancées, centrée notamment sur les notions de progrès et de croissance et mettant l'accent sur la réduction du citoyen au statut de consommateur par des bureaucraties monopolistiques au service du productivisme.

Les analyses d'Illich ont porté sur la médecine, le travail et le chômage, l'éducation, les transports et l'énergie. Prenons ce dernier sujet. Selon Illich, l'automobile individuelle est la solution par excellence que notre civilisation donne au problème de se déplacer de manière efficace d'un point à un autre. Cette solution présente, à côté de certains avantages immédiatement perceptibles, des défauts, voire même des dangers bien réels – pour l'environnement, pour la santé et ainsi de suite – qu'on ne voit d'abord pas ou qu'on préfère ignorer dans l'enthousiasme de la vitesse et de l'efficacité de la voiture. Mais, peu à peu, l'outil devient contre-productif et des problèmes surgissent. Or le système bureaucratique et idéologique qui s'est mis en place entre-temps et qui détient un « monopole radical » est incapable d'envisager de résoudre ces problèmes autrement qu'en augmentant l'offre. Ce faisant, il ne fait au fond qu'accentuer encore la cause des problèmes qu'on cherche à éliminer. La voiture doit permettre d'aller rapidement du point A au point B ; chacun en possédant une, s'ensuivent des embouteillages qui ralentissent considérablement la vitesse des déplacements ; on réagit en construisant encore plus d'autoroutes, plus de ponts et ainsi de suite. Et voilà, affirme Illich, l'engrenage productiviste, et son proche parent qu'il nomme la contre-productivité de l'outil.

Selon Illich, il faut s'efforcer de repenser autrement toute la question. Pour cela, il propose une nouvelle définition de la vitesse, qui demande que l'on considère notamment le coût social de la voiture. Pour énoncer cette nouvelle définition, on tiendra compte de toutes ces heures d'immobilité, au travail, auxquelles chacun de nous doit consentir pour payer la voiture, son essence, son entretien, ses assurances ; de toutes ces heures, également, nécessaires pour payer le coût collectif de l'usage de la voiture – routes, autoroutes, hôpitaux et tout le reste.

Illich fait ces calculs et trouve que la vitesse sociale réelle de la voiture n'est pas significativement supérieure à celle... de la calèche.

Le problème : le patient semble incapable d'apprécier les pourcentages et les données calculées par habitant.
La solution : quelques exercices d'assouplissement.

Il s'est commis l'an dernier 50 homicides dans la ville de Port-qui-Swinge et 50 à Banlieue-Dodo [10]. Que fera la personne qui souhaite habiter dans la ville où il se produit le moins de crimes ?

Elle voudra savoir ce que représente ce chiffre récent par rapport à la situation antérieure – disons, pour simplifier, il y a cinq ans. Cela lui donnera une appréciation du changement de valeur dans le temps de la variable crime pour ces deux villes.

Il y a cinq ans, il y avait eu 42 meurtres à Port-qui-Swinge et 29 à Banlieue-Dodo. Pour déterminer ce que cela représente, on soustrait cette valeur de la nouvelle (50, dans les deux cas), on divise le résultat

10. Cet exemple est repris à http://members.cox.net/mathmistakes/glossary1.htm\#Multiple.

par l'ancienne valeur et on multiplie ce dernier résultat par 100, obtenant ainsi le pourcentage d'accroissement des homicides dans les deux villes. Ce qui nous donne ceci :

Port-qui-Swinge :
$\frac{(50-42)}{42} = 0,19$
$0,19 \times 100 = 19\ \%$

Banlieue-Dodo :
$\frac{(50-29)}{29} = 0,72$
$0,72 \times 100 = 72\ \%$

Est-ce tout ? Je devine que vous ne vous arrêterez pas là, sachant fort bien que ce pourcentage est une donnée semi-détachée : 72 % et 19 % de quoi ? Avant de comparer et de conclure, il faut le savoir.

On voudra à l'évidence tenir compte des populations respectives de nos deux villes.

Disons que Port-qui-Swinge comptait cette année 600 000 habitants et qu'elle en avait 550 000 il y a cinq ans ; disons aussi que Banlieue-Dodo a aujourd'hui 800 000 résidents, tandis qu'elle en avait 450 000 il y a cinq ans. Les deux villes n'ont donc pas grossi au même rythme et nos chiffres doivent en tenir compte. On pourra exprimer le taux d'homicide par habitant, c'est-à-dire en fonction de la population. Comment fait-on ? On divise simplement le nombre d'homicides par la population totale. Ensuite, puisque le nombre minuscule auquel on aboutit n'est pas très commode, on le multiplie par 100 000 pour avoir une donnée valable pour chaque tranche de 100 000 habitants. Voyons cela pour les données de cette année :

Port-qui-Swinge :
$\frac{50}{600\,000} = 8,33 \times 10^{-5}$
$8,33 \times 10^{-5} \times 100\,000 = 8,33$ pour 100 000 habitants

Banlieue-Dodo :
$\frac{50}{800\,000} = 6,25 \times 10^{-5}$

$6,25 \times 10^{-5} \times 100\,000 = 6,25$ pour 100 000 habitants

Il y a cinq ans, la situation des deux villes était la suivante :

Port-qui-Swinge : $\frac{42}{550\,000} = 7,64$ pour 100 000 habitants

Banlieue-Dodo : $\frac{29}{450\,000} = 6,44$ pour 100 000 habitants

Les homicides, exprimés en pourcentages, avaient augmenté de 72 % à Banlieue-Dodo et de 19 % à Port-qui-Swinge. Mais si on prend en compte, comme on le doit, les populations respectives des deux villes, qu'en est-il alors de leurs taux d'homicide ?

2.2 Probabilités et statistique

Toutes les généralisations sont dangereuses,
y compris celle-ci.

ALEXANDRE DUMAS FILS

Il est probable que des choses improbables se produiront.

ARISTOTE

Il y a trois sortes de mensonges : les mensonges ordinaires,
les sacrés mensonges et puis les statistiques.

BENJAMIN DISRAELI

Thou shall not sit with a statistician,
nor commit a social science.

W.H. AUDEN

H.G. Wells, le célèbre auteur de romans de science-fiction, a prédit dans la première moitié du XXe siècle que la connaissance de la statistique deviendrait un jour aussi nécessaire à l'exercice de la citoyenneté que le fait de savoir lire et écrire. Je pense que cette prédiction s'est réalisée et que ce moment est arrivé : les statistiques – et les probabilités, leur inséparable compagne – sont désormais d'indispensables outils citoyens. C'est pourquoi je vous propose dans les pages qui suivent un survol des notions élémentaires de statistiques et de probabilités indispensables à l'exercice de votre autodéfense intellectuelle.

Nous commencerons notre parcours en allant jouer aux dés. C'est que la théorie des probabilités, que nous étudierons pour commencer, est justement née de réflexions suscitées par les jeux de hasard. Mais ces origines, peut-être pas des plus nobles, ne doivent pas faire oublier le grand sérieux de cette théorie et son extrême utilité dans tous les secteurs de la vie et de la recherche scientifique. Devrais-je ou non acheter de l'assurance ? Quelle chance ai-je de gagner à la loterie 6/49 ? Quelle probabilité ai-je de devenir malade en fumant un paquet de cigarettes par jour ? Quelle est mon espérance de vie ? Toutes ces questions et des milliers d'autres trouvent réponses grâce aux calcul des probabilités.

2.2.1 Les probabilités

La théorie des probabilités est née pour l'essentiel de questions posées par le Chevalier de Méré à son ami Blaise : permettez-moi donc de vous les présenter...

Une énigme posée par Méré à Pascal

Reportons-nous en France, au XVIIe siècle. Le Chevalier de Méré (Antoine Gombaud, vers 1607-1684) est plutôt libertin, grand amateur de vin, de femmes et de jeux de hasard. Quant à Blaise, c'est Blaise Pascal, un philosophe, physicien et mathématicien fort brillant qui est encore, au moment où il côtoie Méré, dans cette phase mondaine de sa vie à laquelle il va bientôt mettre fin pour se consacrer exclusivement à la religion – en renonçant dès lors à tout le reste, y compris aux mathématiques.

Méré joue surtout aux dés. C'est un joueur scrupuleux, qui a attentivement étudié le jeu et soigneusement pris des notes sur ses parties. Il en a tiré des règles de base, qu'il applique méthodiquement.

D'abord, il vérifie toujours les dés avant de jouer. Joueur méfiant, Méré a remarqué qu'il y a des tricheurs qui utilisent des dés truqués, lestés d'un poids qui fait qu'ils ont tendance à tomber plus souvent sur une de leurs six faces. On devine l'avantage que possède celui qui le sait ! Méré ne joue donc qu'avec des dés justes, c'est-à-dire des dés qui tombent par hasard et avec les mêmes chances sur une ou l'autre de leurs six faces.

Quand un dé juste est lancé, on ne peut évidemment pas savoir sur quelle face il va tomber. Mais Méré sait que, pour un dé juste, chacune des six faces tend à revenir une fois sur six.

Bien sûr, Méré sait qu'il lui arrivera de tirer le même chiffre, par exemple, le 6, deux, trois ou même quatre fois de suite. Mais il a constaté qu'à long terme, le 6 revenait une fois sur six, comme chacune des autres faces qui revenaient, elles aussi, une fois sur six. Il a tiré de cette observation une règle qu'il trouve très utile.

Si je lance un dé, j'ai une chance sur six de sortir un 6, une chance sur six de sortir un 5, une chance sur six de sortir un 4 et ainsi de suite. Supposons que ce soit le 6 qui m'intéresse et supposons aussi que je lance mon dé quatre fois de suite. Eh ! bien, en ce cas, pense Méré, j'ai quatre fois une chance sur six de tirer un 6. Ce que cela représente est facile à calculer : $4 \times \frac{1}{6} = \frac{2}{3}$.

J'ai donc, conclut Méré, deux chances sur trois de tirer un 6 en lançant un dé quatre fois de suite.

Cependant, Méré joue presque toujours à des jeux qui se jouent avec non pas un seul dé, mais deux dés distincts, de couleurs différentes, disons un blanc et un noir. Il s'est donc demandé quelles chances il avait de tirer deux 6 en lançant ces deux dés. Pour le découvrir, il a raisonné comme suit.

Quand je lance deux dés, le premier dé peut donner, disons, un 1, et le deuxième un 1, un 2, un 3, un 4, un 5 ou un 6. Ce qui fait six possibilités avec un 1 sur le premier dé. Mais ce premier dé peut aussi donner un 2, et le deuxième, encore un 1, un 2, un 3, un 4, un 5 ou un 6. On a maintenant douze possibilités. Mais le premier dé peut aussi donner un 3, pendant que le deuxième dé... Et ainsi de suite. Au total, vérifiez, on arrive à 36 possibilités.

On peut représenter le résultat auquel est arrivé Méré de la manière suivante :

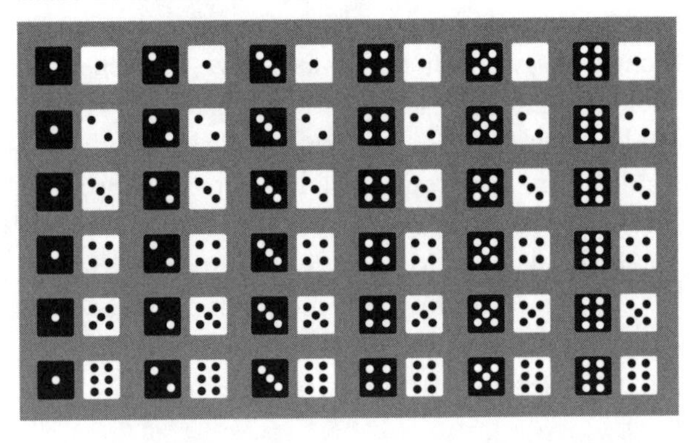

Une seule de ces 36 possibilités intéresse le Chevalier : celle où le premier dé donne un 6 pendant que le deuxième donne également un 6. Cette possibilité-là n'est qu'une des 36 issues de notre tableau. Quelle est ma chance de sortir un double 6 avec deux dés lancés une fois ? Réponse : 1 sur 36. Mais supposons maintenant que je lance mes deux dés 24 fois. Méré raisonne comme tout à l'heure et conclut avoir 24 fois 1 chance sur 36 de sortir le double 6. Il calcule donc : $24 \times \frac{1}{36} = \frac{2}{3}$.

Ce que cela veut dire, conclut notre Chevalier, c'est qu'on a très exactement les mêmes chances (2/3) de sortir un 6 en lançant quatre fois un dé que de sortir un double 6 en lançant 24 fois deux dés. Le Chevalier est bien fier de lui, le raisonnement lui semble impeccable.

Pourtant, quand il parie en se fiant à son inattaquable raisonnement, les dés, ces traîtres, refusent de se comporter comme le raisonnement le prédit : notre Chevalier perd plus souvent avec les deux dés qu'avec un seul. Cela le met hors de lui. Il perd de l'argent. Le problème l'obsède, il n'en dort plus.

Incapable de s'en sortir, Méré se décide à aller consulter son ami Blaise, à qui il va soumettre ce problème – ainsi qu'un autre qu'on pourra se permettre d'ignorer ici. C'est de la réflexion de Pascal sur ces problèmes et de la correspondance avec Pierre de Fermat (1601-1665) qui s'ensuivit qu'est née la théorie des probabilités. Ce que Pascal a trouvé et expliqué à Méré, nous pouvons le comprendre à notre tour : cela nous ouvrira toute grande la porte du calcul des probabilités et des statistiques. Ce que nous allons y découvrir est extrêmement précieux.

Quelques notions de probabilités

Revenons à notre tableau qui représente l'ensemble des 36 issues possibles d'une expérience aléatoire (lancer deux dés de couleurs différentes). On supposera que chacune de ces issues a la même chance que toutes les autres d'apparaître. Prenons-en donc une au hasard : tirer 1 sur le dé noir et 1 sur le dé blanc. Quelle est sa probabilité ? Ce résultat apparaît une seule fois sur les 36 cas de notre univers de possibilités. Il a donc 1 chance sur 36 de survenir. On exprime souvent les probabilités de cette façon, c'est-à-dire par une fraction dont le numérateur est le cas favorable et le dénominateur l'ensemble des cas possibles.

Ici, la probabilité de l'événement : *obtenir 1 sur le dé blanc et 1 sur le dé noir* est 1/36. La probabilité d'un événement est toujours comprise entre 0 (l'événement est en ce cas impossible et on est certain qu'il ne peut pas survenir) et 1 (l'événement est certain). La probabilité que la somme des deux faces supérieures de nos deux dés donne 13 est 0 ; celle de tirer deux chiffres dont la somme est entre 2 et 12 est de 1 (ou 36/36). On aura deviné que chacune des 36 issues que nous avons dessinées a une probabilité de 1/36 et que leur somme est 1, puisque $36 \times \frac{1}{36} = 1$.

Allons un peu plus loin. Soit cette fois ce que nous appellerons un événement, qui peut être réalisé par différents cas possibles. Considérez par exemple le fait de lancer un total de 3. C'est un événement. Quelle est sa probabilité ? Pour le savoir, il faut se demander combien de cas possibles réalisent l'événement. Regardons notre tableau. La somme de 3 peut être obtenue quand le dé noir est tombé sur 1 et le dé blanc sur 2 ; mais aussi quand le dé blanc est tombé sur 1 et le dé noir sur 2. Donc, deux cas composent l'événement. La probabilité de chacun de ces cas est de 1 sur 36. Cet événement a donc 2 chances sur 36 de se produire.

Notons cela un peu plus clairement.

Soit un événement A ; pour indiquer sa probabilité, on écrira : $P(A)$. Pour l'événement A : le total des dés est 3, on a : $P(A) = \frac{2}{36}$.

Il est également possible de combiner les événements, et c'est justement ce que permet le calcul des probabilités. Prenons les événements E et F. On peut les combiner de diverses manières pour obtenir de nouveaux événements. On peut chercher à déterminer la probabilité de les obtenir tous deux, autrement dit la probabilité de *E et F* ; on peut encore chercher la probabilité d'obtenir *E ou F* ; on peut enfin chercher non E (ou non F), c'est-à-dire la probabilité de ne pas obtenir E (ou F). Essayons-nous à ce nouveau jeu.

Disons que l'événement E, c'est que le dé blanc donne 1 et l'événement F que le dé noir donne 1. Disons que nous voulons calculer la probabilité d'obtenir soit l'un ou soit l'autre, c'est-à-dire de faire 1 avec un des dés. Pour y réfléchir, revenons à notre tableau. Il y a six issues où E se réalise et aussi 6 où F se réalise. Noircissons toutes ces issues. Remarquez-vous quelque chose ? Nous avons noirci deux fois l'issue où les deux dés donnent 1. Pourquoi ? C'est que les deux événements ont un élément commun et on devra faire attention de ne pas le compter deux fois. Cela nous donne la règle pour l'opération « ou » lorsque les événements ne sont pas mutuellement exclusifs. C'est notre règle d'addition. La voici (pour E et F non exclusifs) :

$$P(E \text{ ou } F) = P(E) + P(F) - P(E \text{ et } F)$$

Dans notre exemple, on aura :

$$\frac{6}{36}+\frac{6}{36}-\frac{1}{36}=\frac{11}{36}$$

Si les événements sont mutuellement exclusifs, on additionnera les probabilités de chacun, tout simplement, sans être obligé de soustraire. Ce qui nous donne notre deuxième règle :

$$P(E \text{ ou } F) = P(E) + P(F)$$

Introduisons une autre règle. Soit l'événement E. On a, par définition :

$$P(E) = 1 - P(\text{non } E)$$

Soit par exemple l'événement D, qui consiste à lancer un double 1 et qui a une probabilité de 1/36. On peut la retrouver en disant qu'il a une probabilité de $1 - P(\text{non } D)$, c'est-à-dire $1 - \frac{35}{36}$. Cette règle, on va le découvrir, sera bien commode pour résoudre le problème posé par Méré à Pascal.

Ne reste plus qu'à comprendre les règles qui concernent $P(E \text{ et } F)$, c'est-à-dire les probabilités que les deux issues surviennent. Ici, il faut introduire une petite subtilité : les événements qu'on veut combiner peuvent être dépendants ou indépendants.

Reprenons notre événement $P(A)$ = lancer un total de 3. Il a une probabilité de 2/36. Supposons maintenant qu'on lance d'abord le dé blanc ; on observe son résultat et ensuite seulement on lance l'autre. Supposons que le dé blanc est tombé sur 1. $P(A)$ a-t-il encore une probabilité de 1/36 ? Bien sûr que non. Si le premier dé a donné 1, la probabilité d'avoir 3 a évidemment augmenté : elle est maintenant de 1/6. L'issue du lancer du premier dé (blanc) a en ce cas une influence sur la probabilité recherchée. Appelons B l'événement avoir 1 avec le premier dé. La probabilité de B influe sur la probabilité de A. On appelle cela la probabilité conditionnelle et on la note comme ceci : $P(A|B)$.

Si deux événements sont combinés avec « et » et qu'ils sont dépendants en ce sens, alors (événements dépendants) :

$$P(A \text{ et } B) = P(A|B) \times P(B)$$

S'ils sont indépendants – ce qui voudrait dire que le fait que l'un survienne n'a aucune incidence sur la probabilité de l'autre – on aura (événements indépendants) :

$$P(A \text{ et } B) = P(A) \times P(B)$$

Ces règles sont les seules qu'il est absolument nécessaire de connaître pour commencer à jouer avec les probabilités, ce que je vous propose de faire immédiatement.

La probabilité d'un événement, comme on l'a vu, est exprimée par le rapport entre les cas favorables et l'ensemble des cas possibles. Lorsqu'on sait ou qu'on a des raisons de croire qu'il existe X cas également probables – on dit qu'ils sont équiprobables – on peut déterminer *a priori* la probabilité d'un événement. C'est le cas des lancers d'un dé, à condition que le dé ne soit pas pipé, bien entendu. Dans les autres cas, il faut expérimenter, faire des essais, réunir des données pour trouver *a posteriori* la probabilité d'un événement. Les probabilités qu'un joueur de baseball frappe en lieu sûr, qu'il pleuve demain, d'avoir tel type de cancer en fumant X cigarettes par jour sont toutes déterminées *a posteriori* et sont des estimations, plus ou moins fiables selon différents facteurs, en particulier le nombre de cas qui ont été observés.

La loterie 6/49

À la loterie 6/49, la personne gagnante est celle qui a choisi les six chiffres (sur 49) qui correspondent aux six chiffres qui sont choisis au hasard par un mécanisme quelconque le jour du tirage. Quelle probabilité a-t-on de gagner à ce jeu ? Des règles dites d'arrangement et de combinaisons sont nécessaires pour le déterminer.

Prenons un ensemble de trois lettres : A, B et C. Nous voulons savoir de combien de manières on peut arranger ces lettres en groupe de deux sans répéter de lettre et en considérant que AC est différent de CA. Ce qu'on cherche, ce sont des arrangements par deux sur un ensemble de trois. Vous en trouverez six :

AB BC BA CB AC CA

Mais quand les ensembles sont plus grands, on arrive mal à les compter ainsi. Vous avez deviné qu'il existe une règle de calcul. La voici. On note A_k^n, soit n pour le nombre d'éléments de l'ensemble, A pour l'opération d'arrangement et k pour le nombre d'éléments qu'on regroupe. La formule est :

$$A_k^n = \frac{n!}{(n-k)!}$$

Le $n!$ se lit : factorielle de n et il est le produit de n nombres. Dans notre exemple :

$$A_2^3 = \frac{3!}{1!} = \frac{3 \times 2 \times 1}{1} = 6$$

Revenons à la 6/49. On aura :

$$A_6^{49} = \frac{49!}{43!} = 10\,068\,347\,520$$

Ce qui nous ferait, en gros, une chance sur dix milliards de gagner avec un billet. Il y a cependant un petit hic. Rappelez-vous que l'ordre des éléments a de l'importance, autrement dit que AC et CA sont considérés comme deux arrangements différents. Ce n'est pas le cas à la loterie, puisque si vous aviez choisi : 1, 2, 3, 4, 5, 49, vous gagneriez si on tirait, dans cet ordre : 49, 5, 4, 3, 2, 1. Ce que nous voulons trouver, cette fois, ce sont les combinaisons. La formule est alors :

$$C_k^n = \frac{n!}{k!(n-k)!}$$

Pour la 6/49, on aura :

$$C_6^{49} = \frac{49!}{6!X43!} = 13\,983\,816$$

On voit que notre probabilité de gagner s'est grandement améliorée. Mais que vaut-elle vraiment ? Arrondissons-la à 1 sur 14 millions. Si les 7 millions de Québécois achetaient chacun un billet différent, il y aurait encore une chance sur deux que le prix ne soit pas gagné. On peut se faire une idée de la signification d'une telle probabilité en se représentant de manière plus familière ce que représente une chance sur un million. En voici quelques exemples, proposés par McGervey [11]. Vous avez une chance sur un million de mourir : en conduisant sans porter la ceinture de sécurité sur une distance de 96 kilomètres ; en conduisant une moto sans casque durant cinq minutes ; en étant 10 minutes à bord d'un avion commercial ; en fumant 2 cigarettes. Si vous partez du centre-ville de Montréal et allez à Belœil sans attacher votre ceinture, vous avez 12 fois plus de risques de mourir d'un accident de voiture que de chances de gagner à la 6/49.

Le tableau qui suit, qui reprend des données proposées par Paulos [12], permet également de se représenter ce que veut dire « la chance de gagner à la 6/49 ».

11. J.D. McGervey, *Probabilities in everyday life*, p. 229.

12. J.A. Paulos, *Innumeracy. Mathematical Illiteracy and Its Consequences*, p. 7, 97.

Mourir d'un accident de voiture	1 sur 5 300
Mourir noyé	1 sur 20 000
Mourir étouffé	1 sur 68 000
Mourir d'un accident de bicyclette	1 sur 75 000
Mourir d'un attentat terroriste en pays étranger	1 sur 1 600 000
Mourir de la foudre	1 sur 2 millions
Mourir d'une piqûre d'abeille	1 sur 6 millions

Pour finir : diriez-vous que le tirage fictif que j'ai proposé (1, 2, 3, 4, 5, 49) est plus, moins ou aussi probable que celui qui a gagné cette semaine ?

Le Triangle de Pascal

Les difficultés qu'on rencontre avec les probabilités tiennent souvent à ce qu'on a du mal à définir et à considérer les cas à envisager et à décider s'ils sont ou non exclusifs ou indépendants. Le triangle de Pascal – il s'agit bien du même Pascal – pourra être utile à certains calculs.

Ce fameux triangle se présente comme ceci :

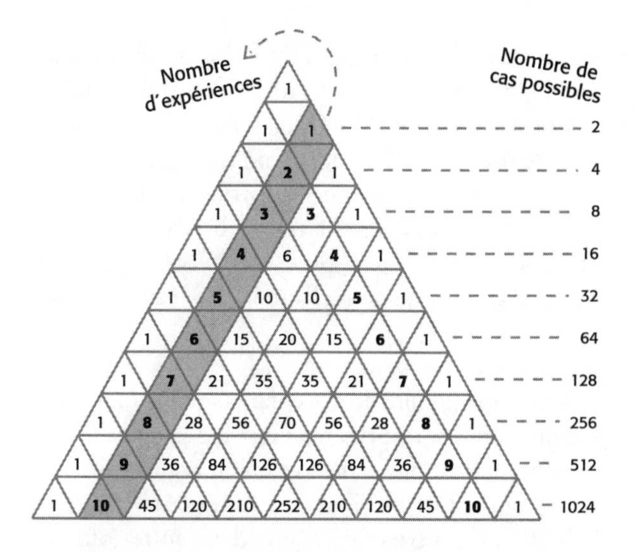

Il est très facile de fabriquer un Triangle de Pascal. On inscrit d'abord, dans la première cellule, le chiffre 1. La ligne suivante est la ligne 1 et elle comprend deux cellules : dans chacune on inscrit la somme des chiffres qui se trouvent immédiatement au-dessus. Comme il n'y en a qu'un, on inscrit donc deux fois 1.

La ligne suivante, la deuxième ligne du triangle, comporte trois cellules, avec les chiffres 1, 2 et 1. Et ainsi de suite. La dixième ligne est celle qui se lit : 1, 10, 45, etc.

Considérons n'importe quelle ligne, et appelons-la N. Ce qu'elle nous donne, c'est la distribution de N expériences comportant deux issues. La ligne 10, par exemple, nous indique les probabilités de dix lancers d'une pièce de monnaie (où il y a deux issues possibles : pile ou face), de dix naissances (où il y a deux issues possibles : garçon ou fille), etc. Considérons cette ligne. Le total des nombres qu'on y trouve est de : 1+10+45+120+210+252+210+120+45+10+1 = 1 024. Si on lance dix fois une pièce de monnaie, il y a une chance (c'est le premier chiffre de la ligne) sur 1024 (le total des chiffres) que tous les lancers donnent pile. Il y a 10 chances sur 1024 d'obtenir une distribution de 1 pile et 9 faces ; 45 chances sur 1024 d'obtenir 2 piles et 8 faces. Et ainsi de suite.

Quelle est la probabilité qu'il y ait 5 piles et 5 faces ? Avec le triangle de Pascal, la réponse saute aux yeux : 252/1024. Notez aussi que la distribution 6-4 ou 4-6 (c'est-à-dire 6 piles et 4 faces ou 6 faces et 4 piles) est celle qui est la plus probable (avec 420 chances sur 1 024), bien qu'on ne l'aurait peut-être pas pensé intuitivement.

À vous, maintenant.

Dans une famille de dix enfants, quelle est la probabilité que 3 soient des filles et 7 des garçons ?

Nous conclurons cette section en examinant deux autres outils fort précieux que notre étude des probabilités nous permet de ranger dans notre coffre de pensée critique.

Le sophisme du joueur

Cette erreur de jugement est aussi appelée le sophisme de Monte-Carlo, justement parce qu'il est très courant chez les joueurs. Il est commis lorsque le parieur est persuadé qu'une série de résultats d'un genre donné est une indication qu'un résultat d'un autre genre est à prévoir pour le prochain tirage. Par exemple, ayant obtenu 4 piles de suite, le joueur croira que le prochain lancer de la pièce doit donner face. C'est faux, pour la simple raison que les événements (les lancers de la pièce) sont indépendants : les pièces n'ont aucune mémoire du côté sur lequel elles sont déjà tombées et les résultats qui précèdent n'ont pas d'influence sur celui qui va survenir. La probabilité d'obtenir face est, à chaque lancer, de 1/2 ou 50 %.

Extraordinaire ? Pas si vite...

Une autre retombée très importante de la maîtrise des probabilités pour la pensée critique est que, grâce à elles, on n'est pas tenté de trouver extraordinaires des événements dont on comprend qu'ils devaient se produire, par le seul jeu du hasard. On n'a donc pas besoin de faire intervenir quoi que ce soit d'autre pour les expliquer.

J'en donnerai deux exemples.

Exemple 1 : Les fils aînés

Une enquête a montré que la plupart des médiums célèbres sont des fils aînés. Les partisans de la parapsychologie sont très émus de cette donnée et ils avancent les hypothèses les plus audacieuses pour l'expliquer. Ont-ils raison de s'émouvoir ? Un simple raisonnement nous montre que non.

Dans une population donnée, surtout lorsque le nombre d'enfants par famille est peu élevé (2, 3 ou 4), il y a toujours plus de fils aînés [13]. Donc, la plupart des ce-que-vous-voulez sont des fils aînés. Considérons une population fictive de 100 familles de deux enfants chacune. On aura, à proportion égale, les compositions suivantes (F veut dire fille et G, garçon) :

G, G
G, F
F, G
F, F

Dans trois cas sur quatre, un fils est un fils aîné. Vérifiez qu'il en va de même pour des familles de 3 enfants : les fils (mais aussi les filles) aînés sont en majorité. Bref : il n'y a pas ici de mystère à éclaircir et, pour parler comme Marcel Duchamp, il n'y a pas de solution, puisqu'il n'y a pas de problème !

13. On entend par fils aîné « le premier fils de la famille ».

Exemple 2 : Prémonition ?

M. Paul est tout excité. Il pensait à une connaissance, madame Y, et, dans les cinq minutes qui suivirent, le téléphone sonna : son correspondant l'informait du décès de madame Y. Avouez qu'il y a de quoi croire aux prémonitions !

On entend souvent des raisonnements de ce type, en particulier en faveur du paranormal. Ici encore, notre outil sera très efficace, puisqu'il nous montrera qu'il n'y a pas de mystère à expliquer.

Supposons, ce qui est très modeste, que M. Paul connaisse 1 000 personnes (au sens très large, comme il connaît par exemple Jean-Paul II), dont il apprendra le décès durant les 30 prochaines années. Supposons aussi, ce qui est très, très modeste, que M. Paul ne songe à chacune de ces 1 000 personnes qu'une fois en 30 ans. La question est la suivante : quelle est la probabilité qu'il pense à une de ces personnes et que, dans les cinq minutes qui suivent, il apprenne son décès ? Le calcul des probabilités permet de déterminer cette probabilité compte tenu de ces conventions. Cette probabilité est faible : un peu plus de 3 chances sur 10 000. Mais M. Paul habite un pays de 50 millions d'habitants. Pour cette population, il y aura 16 000 « mystérieuses prémonitions » en 30 ans. Ce qui fait tout de même environ 530 cas par an, donc plus d'une par jour. Bref, comme l'écrit Henri Broch à qui j'emprunte cet exemple : « Le simple hasard permet ainsi amplement d'écrire sur les “fantastiques prémonitions parapsychiques en France” de nombreux ouvrages qui se vendront très bien. »

À présent, et avant de passer aux notions de statistiques que je voudrais présenter, revenons si vous le voulez au problème de Méré.

Comment l'énigme posée par Méré a été résolue par Pascal

Les calculs du Chevalier ne valent pas un clou, vous l'avez compris. Nommons E ce qu'on cherche (obtenir un six en quatre lancers). Le problème de Méré se résout plus facilement par l'inverse, c'est-à-dire en cherchant à calculer $1 - P(\text{non } E)$.

Le calcul est un peu complexe. Les lancers sont indépendants et $P(\text{non } E) = (\frac{5}{6})^4$ pour un dé lancé quatre fois, ce qui donne 0,482. Or

$$P(E) = 1 - P(\text{non } E) = 1 - 0,482 = 0,518$$

Pour deux dés lancés 24 fois,

$$P(\text{non } E) = (\frac{35}{36})^{24} = 0,509$$

$$P(E) = 0,491$$

Ces résultats sont très instructifs, notez-le. Certes, on comprend pourquoi le Chevalier gagnait avec un dé, mais perdait avec deux. Mais les différences sont si minimes que cela veut aussi dire que notre brave Chevalier jouait beaucoup et tenait un scrupuleux compte de ses parties !

2.2.2 Notions de statistique

On utilise le mot *statistique* en deux sens. Au pluriel, il désigne des données quantifiées – par exemple, les statistiques du divorce au Québec. Au singulier, il désigne une branche des mathématiques qui utilise et développe des méthodes permettant de réunir, présenter et analyser des données. C'est de cela dont il sera question ici, mais pour l'essentiel, nous ne traiterons, à vrai dire, que d'une branche de la statistique, dite descriptive. Comme son nom l'indique, elle permet de décrire des observations concernant tout ce que vous voulez – personnes, objets, événements – et qu'on appelle « population ».

Nous commençons notre parcours en étudiant une courbe qu'il est essentiel de connaître.

La courbe de Laplace-Gauss

Si vous le voulez, reprenons nos lancers de deux dés différents. Nous pourrons représenter les résultats théoriques de nos lancers à l'aide d'un graphique. Sur l'axe des Y (vertical), nous exprimerons en pourcentage la probabilité d'obtenir les différentes sommes de 2 à 12, qu'on aura indiquées sur l'axe des X (horizontal). Nous élèverons ensuite des rectangles appelés histogrammes pour représenter les probabilités de chaque total. Voici le graphique que nous obtiendrons :

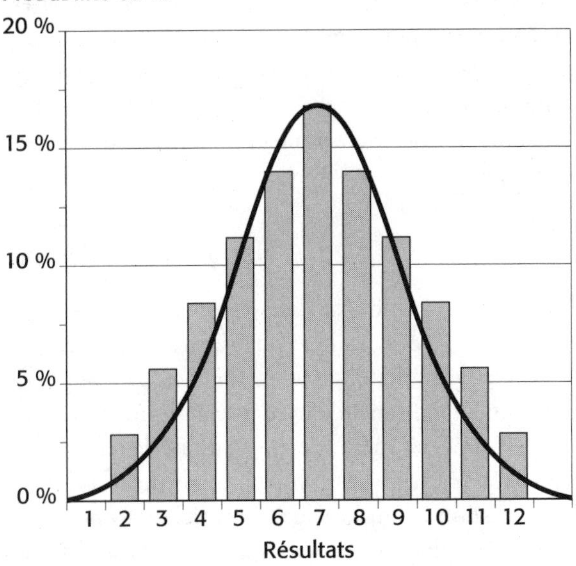

L'histogramme est une représentation approximative de la courbe de Laplace-Gauss – justement le Gauss dont il a été question dans l'introduction de ce chapitre. Cette courbe est appelée la courbe de distribution normale et elle représente les distributions de bien des phénomènes humains ou naturels aléatoires. Il est important de la connaître et de la reconnaître.

Moyenne, médiane et mode

Il existe divers moyens de réduire un ensemble de données à une seule valeur, laquelle vous permet de saisir ce qui est caractéristique de vos données et donc de conserver une part de ces caractéristiques. Les mesures qui permettent de faire cela s'appellent mesures de tendance centrale, puisqu'elles indiquent, justement, la tendance centrale ou typique de nos données. Elles sont très utiles et très répandues ; il faut donc les connaître, d'autant plus que ces trois mesures de tendance centrale ne donnent pas nécessairement la même valeur. Dès lors, elles peuvent être utilisées pour tromper : il suffit de choisir la mesure que l'on veut voir apparaître, laquelle peut fort bien ne pas être réellement représentative de nos données.

Les mesures de tendance centrale sont la moyenne, la médiane et le mode.

La moyenne est simplement la valeur moyenne de toutes les données incluses dans l'ensemble. On l'obtient en additionnant toutes les valeurs des données et en divisant par le nombre de données. On la note ainsi :

$$\overline{X} = \frac{\sum x_i}{n}$$

où $\overline{X}$ est le symbole mathématique conventionnel de la valeur moyenne de x_i ;

x est une valeur observée ;

$\sum_{x_i}$ la somme de toutes les valeurs de x observées ;

et *n*, le nombre d'observations que comprend l'ensemble des données.

Si vous ordonnez vos données de la plus petite valeur à la plus grande, vous trouvez facilement la médiane : c'est tout simplement la valeur telle que la moitié des données sont au-dessus d'elle et la moitié des données au-dessous. Si le nombre d'observations est impair, la médiane se trouve exactement au milieu ; si le nombre d'observations est pair, on obtient la médiane en faisant la moyenne des deux observations centrales.

Le mode, finalement, est la valeur la plus fréquente à l'intérieur de l'ensemble.

Donnons un exemple permettant de comprendre tout cela. Voici les prix de la matraque Bang chez huit fournisseurs du Service de la Police de Montréal :

109 $
129 $
129 $
135 $
139 $
149 $
159 $
179 $

La moyenne se trouve facilement :

$$\frac{109 + 129 + 129 + 135 + 139 + 149 + 159 + 179}{8} = 141$$

Pour trouver la médiane, on ordonne simplement nos données :

109+129+129+135+139+149+159+179

Comme il y a ici un nombre pair de données (8), on prend les deux du milieu (135 $ et 139 $), on les additionne, on divise par deux et on obtient notre médiane : 137 $.

Le mode, finalement se détermine d'un simple coup d'œil : 129 $ est le montant qui revient le plus souvent.

On aura remarqué que nos trois mesures de tendance centrale donnent ici des valeurs qui ne diffèrent pas substantiellement. C'est ce qui se produit généralement dans une distribution normale, où moyenne, médiane et mode ont des valeurs presque identiques. Vous pouvez le vérifier en les calculant pour les 36 issues de lancers de deux dés présentées plus haut. Mais faites attention ! Ce n'est pas toujours le cas. Il arrivera que le recours à l'une des mesures de tendance centrale soit trompeur, en ce sens que la mesure choisie ne donnera pas une idée juste de ce qui est typique dans un ensemble de données ; or c'est précisément ce que nous voulons exprimer par ces mesures.

Imaginez par exemple un département universitaire de création littéraire annonçant fièrement que le revenu annuel moyen de ses diplômés est de 242 000 $. C'est là un résultat très impressionnant... En fait, trop impressionnant. Si on vous assène une telle moyenne, vous devriez demander à voir les données. Supposons qu'un des diplômés joue également au hockey et ait été embauché à la fin de ses études par une équipe professionnelle. Son revenu, disons de 4 millions de dollars, fausse le jeu. En effet, la moyenne est une mesure de tendance centrale très sensible aux données extrêmes. En un cas semblable, il est préférable d'avoir recours à une autre mesure de tendance centrale. Laquelle choisir et pourquoi ? On peut résumer ce qu'il y a à savoir sur ces questions dans l'encadré suivant :

Récapitulatif : Les mesures de tendance centrale

Moyenne. C'est la mesure de tendance centrale la plus utilisée. Elle existe toujours (il y a toujours une moyenne) et elle prend en compte la valeur de toutes les données. Elle est cependant sensible aux valeurs extrêmes.

Médiane. Elle aussi est communément utilisée, mais moins que la moyenne. Elle existe toujours, mais ne prend pas en compte toutes les valeurs (sinon pour compter combien il y en a). Elle n'est pas sensible aux valeurs extrêmes. Lorsqu'il y a une telle valeur, elle peut donc être plus représentative que la moyenne de ce qui est typique des données.

Mode. Il est plus rarement utilisé et il s'emploie surtout pour décrire des variables nominales (décrites par un nom) ou discrètes (qui prennent uniquement un nombre limité de valeurs réelles). Il peut y avoir un mode ou plusieurs, ou même pas de mode du tout. Il ne prend pas en compte les valeurs de toutes les données.

Pour faire comprendre l'importance de bien connaître ces mesures de tendance centrale et de les utiliser judicieusement, voici un petit exemple simple, adapté de Martin Gardner[14].

La compagnie ZZZ fabrique des Schpountz. La direction est constituée d'un patron, de son frère et de six parents ; le personnel compte cinq contremaîtres et dix ouvriers. Les affaires vont bien et la direction doit embaucher un nouvel employé. Paul est candidat au poste. Le patron de ZZZ lui explique que le salaire moyen dans la compagnie est de 6 000 $ par mois. Il ajoute qu'au début, durant la période d'essai, Paul touchera 1 500 $ par mois. Puis, son salaire augmentera vite.

Paul est embauché. Mais après quelques jours, en colère, il demande à voir le patron.

— Vous m'avez menti ! Aucun des ouvriers de ZZZ ne gagne plus de 2 000 $ par mois, se plaint-il.

— Pas du tout, réfuta le patron.

Et il lui tend une feuille sur laquelle figurent tous les salaires que paie ZZZ chaque mois :

Patron : 48 000 $
Son frère : 20 000 $
Chacun des six parents : 5 000 $
Chacun des cinq contremaîtres : 4 000 $

14. M. Gardner, *Gotcha. Paradoxes to Puzzle and Delight*, p. 114-115.

Chacun des dix employés : 2 000 $

— Au total, ZZZ paie 138 000 $ par mois en salaires, et ce, à 23 personnes. Le salaire moyen est donc de : $\frac{138\,000\ \$}{23} = 6\,000\ \$$. Vous voyez bien, conclut le patron : je ne vous ai pas menti.

Mais Paul est un penseur critique informé. Il peut donc rétorquer :

— La moyenne que vous utilisez est une mesure de tendance centrale. Il y en a d'autres. Vous auriez été plus honnête en me disant la médiane : pour cela, on dresse la liste de salaires de l'entreprise en valeur décroissante et celle juste au milieu est la médiane. Dans le cas de ZZZ, le salaire médian est de 4 000 $: cela m'aurait été une indication plus précieuse. Mais c'est le mode qu'il aurait fallu me donner si vous aviez voulu être parfaitement honnête. Le mode, dans une collection, c'est le nombre qui revient le plus souvent. Chez ZZZ, le salaire modal est de 2 000 $ par mois. C'est ce que vous auriez dû me dire.

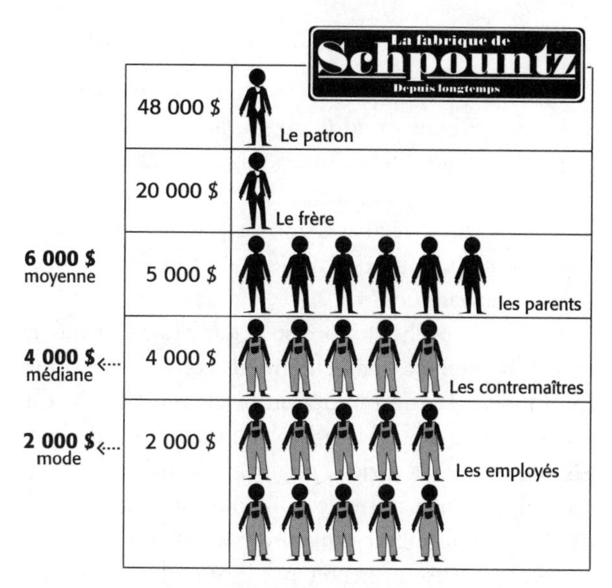

Salaires mensuels par personne

Il faut donc faire attention quand on utilise des mesures de tendance centrale, et toujours se demander laquelle a été utilisée et si ce choix se justifie.

Écart-type

En plus de ces mesures de tendance centrale, un penseur critique voudra absolument connaître la dispersion d'une distribution, en d'autres termes sa variation autour de la moyenne. La plus importante de ces mesures de dispersion est l'écart-type. Pour vous donner une idée de ce dont il s'agit, imaginez le scénario suivant.

Vous avez pêché des poissons dans une eau qu'on vous dit polluée, laquelle rend certains poissons impropres à la consommation. Mais on vous dit du même souffle que certains poissons sont sans danger. Supposons que la toxicité de nos poissons se distribue selon une courbe normale. On vous dit qu'à compter de 7 mg de Cecicela – un produit toxique qui était autrefois déversé en secret par l'usine de Schpountz voisine, avant qu'elle ne soit transformée en coopérative autogérée – il devient dangereux de manger un poisson. La moyenne des quantités de Cecicela retrouvées dans les poissons de ce cours d'eau est de 4 mg. Allez-vous en manger ?

Avant de vous prononcer, vous feriez bien de vous renseigner sur l'écart-type, qui vous dira si les valeurs de toxicité varient beaucoup ou peu autour de cette moyenne. Si la variation est énorme, vous prenez un grand risque en mangeant votre poisson ; si, au contraire, elle est toute petite, ce qui voudrait dire que les valeurs de toxicité tendent à se regrouper près de cette moyenne, alors vous courez un risque beaucoup moins grand.

En termes plus précis, l'écart-type est une mesure de la dispersion des données par rapport à la moyenne. Techniquement, il s'agit de la racine carrée d'une autre mesure appelée variance. On l'appelle sigma (σ) et on le note ainsi :

$$\sigma = \sqrt{\frac{\sum(x_i - \overline{x})^2}{n}}$$

Voici trois manières de calculer un écart-type.

La première est la plus simple : il suffit d'avoir recours à une calculatrice, qui vous la donne sur la simple pression d'une touche.

Si vous devez la calculer manuellement, voici une façon commode de procéder.

1. Déterminez l'écart de chacune de vos valeurs par rapport à la moyenne, que vous aurez préalablement calculée ;
2. Élevez au carré chacune de ces différences et faites le total de ces carrés ;
3. Divisez par le nombre de valeurs : c'est votre variance ;
4. La racine carrée de cette variance vous donne l'écart-type.

Vérifiez si vous maîtrisez la technique en essayant de trouver l'écart-type (et au passage, la variance) des données suivantes : 2, 2, 3, 5, 7, 9, 14.

Vous trouverez une variance de 16,57 et un écart-type de 4,07.

La troisième manière de procéder ne donne qu'une grossière approximation, mais il peut être utile de la connaître parce qu'elle se calcule aussi vite que facilement.

1. Prenez la plus haute valeur de votre population, puis soustrayez-en la plus petite : vous venez de trouver l'intervalle de variation numérique des résultats, qui s'appelle l'étendue ou la fourchette ;
2. Divisez ensuite le nombre obtenu par quatre. Encore une fois, rappelez-vous que cela ne donne qu'une grossière approximation de l'écart-type.

L'utilité de cette mesure est immense. En particulier, lorsque la distribution des données tend à ressembler à une courbe de distribution normale, une précieuse règle empirique s'applique, par laquelle on obtient, avec la moyenne et l'écart-type, des informations importantes. En effet, environ 68,2 % de vos données seront comprises dans un intervalle équivalent à l'écart-type, soit au-dessus, soit en dessous de la moyenne. De plus, environ 95,4 % de vos données seront comprises dans un intervalle de deux écarts-types par rapport à la moyenne. Enfin, 99,8 % de vos données seront comprises dans un intervalle de trois écarts-types.

Ce qu'on peut représenter ainsi :

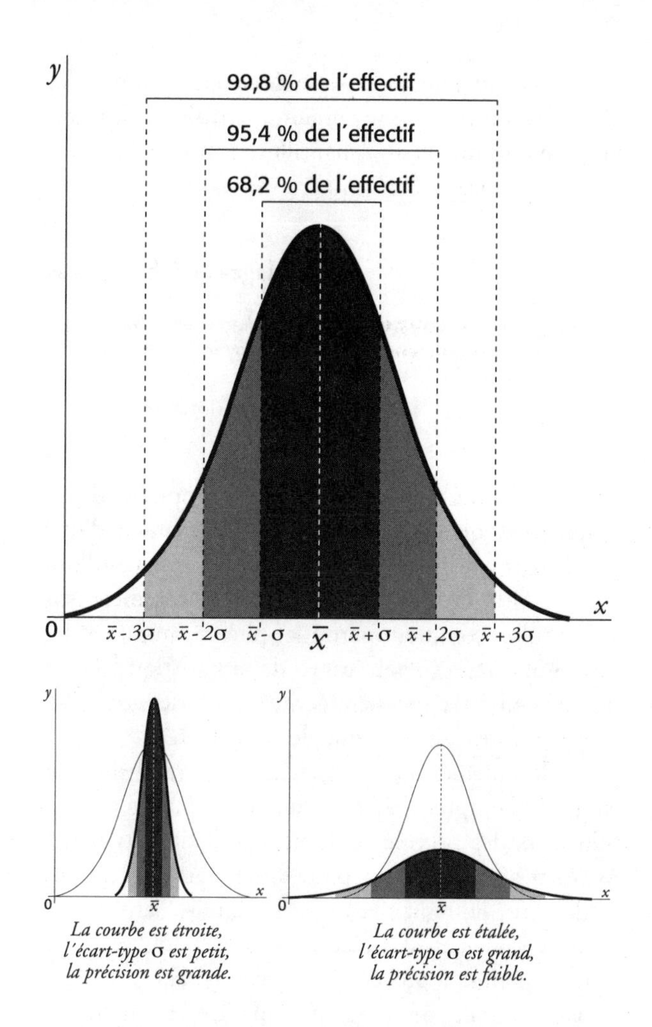

La courbe est étroite,
l'écart-type σ est petit,
la précision est grande.

La courbe est étalée,
l'écart-type σ est grand,
la précision est faible.

En d'autres termes, si la moyenne est de 12 et l'écart-type de 3, environ 68,2 % des observations ont des valeurs comprises entre 9 et 15.

Revenons à présent à vos poissons. Si l'écart-type est de 1 mg, en mangerez-vous ? S'il est de 4 mg, en mangerez-vous ?

La statistique permet non seulement de décrire, mais aussi d'analyser des données. Deux aspects de ce travail nous intéressent particulièrement. Nous allons à présent étudier quelques outils qui y sont mis en œuvre et qui sont indispensables pour apprécier les données qui nous sont présentées : d'abord, les sondages et jugements sur échantillons ; ensuite, l'analyse de la dépendance statistique.

Sondages et échantillons

Utilisant des méthodes connues de lui seul, notre enquêteur nous a rapporté de fort intéressantes statistiques.

Marcel Gotlib (*Dingodossiers*)

La statistique permet d'inférer des propriétés d'une population quelconque à partir de l'examen d'une petite partie de cette population, appelée échantillon. La constitution des échantillons et le jugement sur échantillon comptent parmi les plus répandues et les plus importantes applications de la statistique. Nous les rencontrons régulièrement, en particulier, vous l'avez deviné, sous la forme des sondages.

Le problème que ces techniques résolvent est simple à comprendre : on souhaite connaître une ou plusieurs des propriétés d'une population, typiquement très grande, mais, pour toutes sortes de raisons – de coût, de temps et ainsi de suite –, sans devoir examiner chacun des éléments de la population, ce qui reviendrait à procéder par recensement.

Par exemple, on aimerait connaître les intentions de vote des électeurs du pays, mais sans interroger chacun d'eux. Ou encore, on aimerait savoir combien de matraques produites à l'usine sont défectueuses, mais on ne veut pas, et on ne peut pas, les examiner une à une. Dans ces cas, comme dans tous les autres que vous voudrez imaginer, la statistique permet de porter un jugement sur la population (tous les électeurs, l'ensemble de matraques produites à l'usine) à partir de l'examen de seulement quelques-uns de ses représentants. Ceux-là constituent l'échantillon.

Lorsque nous jugeons de la soupe en en prenant une cuillérée, nous jugeons sur échantillon. Lorsque le chroniqueur du Bulletin de la Police de Laval évalue quelques modèles de matraques, il évalue sur échantillon.

La constitution des échantillons est un chapitre important, mais aussi complexe, de la statistique. On comprend facilement pourquoi. Pour que le jugement porté sur la population soit valable, l'échantillon qu'on analyse doit être représentatif de cette population. Ce critère est crucial et pour le satisfaire, notre échantillon devra être suffisamment grand et non biaisé. Si vous prenez une goutte de soupe pour juger de tout le chaudron, on peut penser que votre échantillon est trop petit ; si vous prenez une bonne cuillérée de soupe, mais précisément là où le cuisinier vient de poivrer abondamment, votre opinion sera que la soupe est trop poivrée, mais ce jugement ne sera pas valide, parce que votre échantillon était biaisé.

Il peut donc arriver qu'un échantillon soit quantitativement très important, mais que les données qu'on en infère soient tout de même peu fiables, parce que cet échantillon est qualitativement biaisé. La célèbre mésaventure du *Literary Digest* l'illustre fort bien. D'ailleurs, cette histoire est avec raison contée dans tous les manuels de statistique.

Le *Literary Digest* était une revue américaine très lue en son temps, qui menait depuis les années 1920 des sondages lors de la tenue d'élections présidentielles. Elle avait obtenu un certain succès dans ses prédictions. Sa méthode était celle des « votes de paille » (*straw votes*) : avant la tenue de l'élection, la revue envoyait de faux bulletins de vote à des personnes qui, si elles le désiraient, pouvaient remplir le bulletin (en indiquant le candidat pour lequel elles votaient) et le retourner. On comptabilisait ensuite ces votes pour faire la prédiction.

Les résultats obtenus par la revue s'avéraient justes (la revue annonçait chaque fois le gagnant) mais aussi imprécis : à l'élection de 1920, la différence entre la prédiction de la revue et le résultat officiel avait été de 6 % ; en 1924, de 5,1 % ; en 1928, de 44 % ; en 1932, la meilleure année, de 0,9 %.

Ces résultats, finalement médiocres, étaient pourtant obtenus par l'envoi d'un nombre très élevé de bulletins de paille : 11 millions en 1920, 16,5 millions en 1924, 18 millions en 1928 ; 20 millions en 1932. Cette dernière année, 3 millions de personnes avaient renvoyé leur bulletin.

À l'élection de 1936, sur la base des 2,3 millions de votes de paille retournés sur les 10 millions qu'elle avait envoyés, la revue avait annoncé l'élection de Alfred Mossman Landon, l'adversaire républicain du démocrate Franklin Delano Roosevelt. Un jeune psychologue, George Gallup, avait pour sa part interrogé 4 500 personnes et, sur cette base, prédit l'élection de F. D. Roosevelt. C'est ce dernier qui l'avait effectivement emporté, avec 60,8 % des voix, contre seulement 36,6 % pour son adversaire, soit l'une des plus importantes majorités de toutes les présidentielles américaines.

La raison de l'échec du *Literary Digest* fut vite trouvée. On en tira une leçon qu'on n'allait pas oublier : son échantillon, pourtant énorme, était biaisé, tandis que celui de Gallup – le fondateur de la célèbre maison de sondages –, bien que considérablement plus petit, ne l'était pas. La revue choisissait en effet les gens à qui elle envoyait un bulletin de paille parmi ses abonnés et au hasard dans le bottin de téléphone. Par ces deux manières, elle sur-sélectionnait des gens plus fortunés et plus enclins à voter pour le candidat républicain (puisqu'ils avaient choisi de s'abonner à cette revue plutôt conservatrice ou qu'ils avaient, en 1936, les moyens de se payer le téléphone).

Retenons de ce qui précède qu'un bon échantillon représentatif d'une population sera suffisamment grand (c'est sa vertu quantitative) et non biaisé (c'est sa vertu qualitative). La détermination de la taille de l'échantillon est un sujet complexe, où doivent être prises en compte des considérations mathématiques, mais aussi économiques, sociales et techniques. Quelle est la taille d'un bon échantillon ? Il n'y a pas de réponse unique et simple à cette question. Tout dépend de multiples facteurs, comme la population étudiée, le degré de précision que l'on souhaite obtenir, l'argent dont on dispose, les questions à propos desquelles on enquête et bien d'autres encore. La plupart de sondages d'opinion portent sur des échantillons de 1 000 à 2 000 personnes, ce qui est en général suffisant, pour des raisons techniques qu'on ne pourra pas expliciter ici. Au-delà, la précision obtenue, qu'on peut chiffrer, ne vaut pas la dépense, en général.

Pour que l'échantillon ne soit pas biaisé, le processus de sélection est crucial : on doit choisir au hasard les individus qui en feront partie. La méthode la plus sûre est l'échantillonnage simple au hasard. Imaginez une population P et une procédure qui permet de sélectionner n éléments de P. La procédure qui garantit que tous les échantillons de n éléments sont également possibles est une procédure d'échantillonnage simple au hasard. En ce cas, chaque élément a la même chance que n'importe quel autre d'être retenu et le fait qu'un élément soit choisi n'a aucune incidence sur la sélection des autres. Si on dresse la liste de tous les éléments de la population et qu'on sélectionne l'échantillon à l'aide d'une liste de chiffres aléatoires, on aura réalisé un échantillonnage simple au hasard. En pratique, toutefois, il est difficile de procéder conformément à cet idéal théorique. C'est pourquoi différentes méthodes d'échantillonnage ont été développées – par stratification, par grappes, par quotas, notamment. Chaque fois, cependant, un même principe de base doit être respecté, à savoir que les éléments de l'échantillon doivent être sélectionnés au hasard. Ce principe, s'il est respecté, garantit que les analyses statistiques inférées de cet échantillon autorisent des généralisations concernant la population. S'il n'est pas respecté, il interdit alors de telles généralisations. Connaître ce principe est donc très utile au penseur critique, pour qui l'art de la détection de biais dans les jugements sur échantillons doit devenir une seconde nature. Il lui faut pour cela être attentif à tout ce qui, dans le mode de sélection, pourrait faire en sorte que l'échantillon ne soit pas sélectionné au hasard et, dès lors, qu'il ne représente pas la population.

Quelques exemples aideront à comprendre.

Exemple 1

Une station de radio a fait un sondage sur la question de la légalisation de la marijuana. Un total de 3 636 auditeurs ont répondu et 78 % d'entre eux se sont prononcés en faveur. La radio affirme donc que l'heure est venue de légaliser la marijuana et presse le gouvernement d'agir.

Dans ce cas, à l'évidence, l'échantillon n'est pas constitué au hasard, puisqu'il est tiré uniquement des auditeurs de cette station et, qui plus est, de ceux parmi eux qui ont choisi de téléphoner pour faire connaître leur avis (peut-être parce que ce sujet leur tient à cœur). On ne peut donc rien conclure de ce sondage pour la population en général.

Exemple 2

Il y a quelques années, un sondage Gallup avec échantillon stratifié concluait que 33 % de la population américaine ayant fréquenté l'université ne connaissait pas le système métrique. Un sondage mené en Californie par un quotidien établissait que

98 % de ses lecteurs le connaissaient. Les participants à ce dernier sondage étaient invités à découper, remplir et renvoyer un coupon-réponse.

On a ici toutes les raisons de penser que le sondage du journal est biaisé et que les personnes qui ne connaissent pas le système métrique s'en sont autoexclues.

Exemple 3

On interroge 2 000 personnes au Québec pour leur demander de répondre par oui ou par non à une question d'opinion précise et claire. Le sondage se fait par téléphone et les numéros appelés ont été sélectionnés au hasard par un ordinateur sur la liste de tous les numéros de téléphone en fonction.

On se trouve ici devant ce qui se fait couramment de mieux en matière de sondage d'opinion. Il y a pourtant encore un biais, puisque les plus démunis – qui n'ont pas tous le téléphone – et les sans-abri ne sont pas correctement représentés.

Un bon sondage vous dira qu'il est précis à tel degré tant de fois sur 100 (ou sur 20). Par exemple, que 19 fois sur 20 (ou 95 fois sur 100), ce sondage a ce qu'on appelle couramment une « marge d'erreur » de 5 %. Ces chiffres réfèrent à l'erreur d'échantillonnage et à l'intervalle de confiance du sondage. Ce que cela veut dire, concrètement, c'est que les résultats de 95 % de tous les échantillons d'une population donnée à laquelle est posée la même question au même moment seront les mêmes, à l'erreur d'échantillonnage près. Vous saurez alors que 95 fois sur 100, les résultats de ce sondage ont des valeurs comprise entre celles qui sont données, plus ou moins 5 %.

Supposons que le degré de popularité du premier ministre ait été établi en janvier, par un tel sondage, à 53 % et qu'il est établi en mars, par le même sondage, à 56 %. On pourrait donc affirmer qu'en janvier, 95 fois sur 100, la popularité du premier ministre serait située entre 48 % et 58 % et qu'en mars, toujours 95 fois sur 100, sa popularité serait située entre 51 % et 61 %. De quoi méditer sur un gros titre qui assurerait, à la suite du deuxième sondage, que la popularité du premier ministre est à la hausse...

La marge d'erreur dont il est ici question dépend de deux facteurs : le prélèvement de l'échantillon et la formulation des questions. C'est ce dont nous allons maintenant traiter.

Une bonne question n'est ni ambiguë, ni biaisée ; posée de la même manière à tous les sondés, elle est comprise par chacun de la même façon ; tous peuvent y répondre et consentent à y répondre sincèrement. Ce sont là des conditions plus faciles à énoncer qu'à satisfaire, comme vous le constaterez facilement en essayant de formuler des questions d'opinion. Les bons sondages testent d'ailleurs leurs questions sur un échantillon réduit, avant de les reformuler au besoin. Détecter les biais possibles d'une question est un art que le penseur critique doit maîtriser. Un syndicat de policiers pourra trouver du réconfort dans un sondage montrant que 86 % des répondants sont favorables à l'achat de nouvelles matraques Bing, mais le penseur critique demandera à voir la question, craignant qu'elle ne soit formulée ainsi :

> Compte tenu de l'augmentation du nombre de dangereux anarchistes et de l'efficacité démontrée des matraques Bing pour les ramener à la raison d'État, approuvez-vous le remplacement des matraques désuètes de la Police par les économiques et ergonomiques matraques Bing ?

Hélas, les biais des questions ne sont en général pas aussi faciles à déceler. Ils peuvent tenir à de très nombreux facteurs, dont l'ambiguïté de la question, les termes employés, la nature de l'information recherchée, voire même l'identité du sondeur. Donnons quelques exemples. « Lisez-vous *Le Devoir* ? » peut sembler clair et précis, mais peut s'interpréter de différentes façons : le lisez-vous parfois ? Souvent ? Tous les jours ? En entier ? Quelques textes seulement ? Et d'autres manières encore, sans doute.

La réponse donnée à la question « Consommez-vous beaucoup d'alcool ? » dépend évidemment de ce que la personne interrogée entendra par alcool et par beaucoup, mais aussi de ce qu'elle souhaitera dire ! C'est une bien mauvaise question, qui donnera sans doute des résultats étonnamment faibles si on les compare aux chiffres officiels des ventes d'alcool. Darrell Huff raconte de son côté qu'un sondage avait établi qu'un plus grand nombre de foyers américains recevaient le très sérieux magazine *Harper's* que le très léger *True Story*. Cependant, les statistiques des ventes des deux magazines contredisaient ce résultat.

Concluons sur les sondages en rappelant que depuis quelques années, et par-delà les querelles méthodologiques que nous venons d'esquisser, un débat est en cours concernant leur légitimité, notamment politique. Ce débat concerne les sondages d'opinion – il existe aussi des sondages portant sur le comportement, les connaissances et les caractéristiques socio-démographiques – et parmi eux, tout particulièrement, les sondages préélectoraux. Le fond du débat, c'est notamment la place qui est désormais accordée aux sondages et aux « sondocrates » dans notre vie politique. À ce sujet, Pierre Bourdieu fait remarquer que les présupposés de ces sondages sont contestables, puisqu'ils présument que chacun peut avoir une opinion ; que toutes les opinions se valent ; et qu'il y a « consensus sur les problèmes, autrement dit qu'il y a accord sur les questions qui méritent d'être posées ». Bourdieu conclut que l'opinion publique que dévoilent les sondages est « un artefact pur et simple, dont la fonction est de dissimuler que l'état de l'opinion, à un moment donné du temps, est un système de forces, de tensions et qu'il n'est rien de plus inadéquat pour représenter l'état de l'opinion qu'un pourcentage »[15].

Une fois ces données recueillies, la statistique, on l'a dit, permet de les analyser et notamment de chercher des liens entre certains caractères. Des méthodes sophistiquées ont été développées pour exprimer rigoureusement le degré de liaison entre tel caractère et tel autre – par exemple, le tour de la poitrine et la taille. Ces techniques sont extrêmement utiles, mais aussi très complexes et nous ne pourrons pas en traiter ici. Deux idées doivent pourtant être maîtrisées par tous : la première est qu'il y a une importante différence entre corrélation et causalité ; la deuxième est un phénomène statistique étonnant et amusant appelé régression vers la moyenne.

La dépendance statistique et les corrélations

« Corrélation » est le mot savant utilisé en statistique pour dire que deux variables sont liées, que leurs valeurs sont associées ou, si vous voulez, dépendantes l'une de l'autre. Le tour de poitrine, je suppose, est corrélé à la taille et après avoir réuni suffisamment de données, on pourra peut-être exprimer précisément et mathématiquement cette corrélation. Une part importante du travail de la statistique est de cet ordre : elle aide à établir de telles relations, permet d'assurer qu'elles sont bien réelles et les quantifie. Mais, et vous allez reconnaître ici notre *Post hoc ergo procter hoc* du chapitre précédent, le fait d'avoir constaté et établi une corrélation ne signifie pas qu'on ait trouvé une relation de causalité. La confusion entre les deux est une des principales sources de délire irrationnel. Répétons-le donc : lorsque la statistique établit que deux variables A et B sont corrélées, cela ne signifie

15. Cité par J. Rose, *Le hasard au quotidien : Coïncidences, jeux de hasard, sondages*, p. 87-88.

pas nécessairement qu'il y a entre elles une relation de causalité.

Un moment de réflexion montrera que, quand il est avéré que A et B sont corrélés, cela peut signifier différentes choses :

Que A cause B ;

Que B cause A ;

Que A et B sont accidentellement liés sans avoir entre eux de lien de causalité ;

Que A et B dépendent d'un troisième facteur C.

Établir des causalités est l'une des tâches les plus difficiles de la recherche scientifique ; nous aurons l'occasion de revenir sur ce sujet. Pour le moment, notons simplement quelques exemples de cas où A et B sont corrélés sans avoir entre eux de relation de causalité.

Imaginez qu'une étude auprès des étudiants et étudiantes des cégeps et des universités montre que la consommation de cannabis (A) est corrélée avec des résultats scolaires inférieurs à la moyenne (B). Il se peut que le pot soit la cause de ces moins bons résultats. Mais il se peut aussi que le fait d'avoir de moins bons résultats conduise à faire la bamboula et à fumer du pot. Ou encore que les gens plus sociables tendent à la fois à fumer du cannabis et à prendre leurs résultats moins au sérieux.

Le prix du café au Québec est peut-être corrélé avec la quantité de pluie dans une région du monde donnée : mais on y chercherait sans doute vainement une relation de causalité.

La présence de cigognes sur les toits des maisons est dans certains pays fortement corrélée avec le nombre d'enfants qu'on y trouve. Mais les cigognes ne sont pas la cause des enfants ! C'est plutôt que les toits abritant des familles nombreuses tendent à être plus grands et donc à pouvoir accueillir plus de cigognes.

Il existe peut-être une corrélation entre la quantité de cheveux qu'un homme possède et l'âge de sa grand-mère : après tout, notre densité capillaire tend à diminuer avec l'âge pendant que, par définition, l'âge de nos grands-mères augmente. Mais on rirait avec raison d'un groupe qui baptiserait ce degré de corrélation l'indice Pipou, croirait la relation causale au point de fonder des groupes de pipoulogues qui s'acharneraient à se préserver de la calvitie pour garder leurs grands-mamans vivantes !

Bertrand Russell raconte avoir visité des moines en Chine qui étaient persuadés que la cause des éclipses lunaires était qu'un chien céleste essayait d'avaler la lune. Pour l'en empêcher, les moines devaient se livrer à un rite consistant à frapper sur un gigantesque gong. Cela s'était d'ailleurs avéré efficace depuis des temps immémoriaux : les coups sur le gong étaient présumés causer la fuite du chien céleste et faire cesser l'éclipse. Tout cela nous permet de comprendre que la confusion entre corrélation et causalité peut être la source de bien des superstitions. C'est également ce que produit le phénomène de la régression vers la moyenne, que nous allons maintenant examiner.

La régression vers la moyenne et la superstition

Il s'agit ici d'un classique d'entre les classiques de la statistique appliquée à la pensée critique. L'idée est la suivante : lorsque deux variables dont les valeurs respectives dépendent d'un grand nombre de facteurs sont imparfaitement corrélées, des valeurs extrêmes de l'une tendront à être corrélées avec des valeurs moins extrêmes de l'autre. Le phénomène est tout à fait normal, mais si on l'ignore, on peut lier fallacieusement l'un à l'autre dans une relation de cause à effet. Cela explique bien des superstitions.

Ne reste plus qu'à éclaircir cette ténébreuse – mais exacte – définition.

Tout commence aux origines de la statistique, avec Francis Galton (1822-1911), un de ses illustres pionniers. Galton a voulu étudier la relation entre la taille des pères et celle des fils. Il en a trouvé une, ce qui n'étonnera personne : des pères de grande taille tendent à avoir des fils de grande taille et des pères de petite taille tendent à avoir des fils de petite taille. Mais il a aussi trouvé une chose plus étonnante : des pères particulièrement grands tendent à avoir des fils moins grands qu'eux et, inversement, des pères de très petite taille tendent à avoir des rejetons moins petits qu'eux. Qu'est-ce que cela veut dire ?

Voilà justement une de ces corrélations imparfaites entre deux variables – la taille des pères et celle des fils – dont parle notre définition. C'est que de très nombreux facteurs entrent en ligne de compte pour définir la taille d'une personne : la taille de son père, certainement, mais aussi celle de sa mère, les nombreux gènes qui commandent la taille de chacun de ses membres, celle de ses vertèbres, de son crâne, de que sais-je encore... Elle dépend également de l'environnement, de la nourriture, de l'exercice et ainsi de suite. Il faut le concours heureux d'un très grand nombre de ces facteurs pour qu'une personne soit exceptionnellement grande (ou petite) : voilà la valeur extrême dont parle notre définition. En vertu des lois du hasard, un tel concours est exceptionnel. C'est ce qui explique que lorsqu'il survient, il tendra à être corrélé avec un événement moins exceptionnel : voilà ces valeurs moins extrêmes de notre définition, qui sont les enfants très grands mais moins grands que leurs papas. C'était prévisible. C'est ce qu'on appelle la régression vers la moyenne.

Un exemple fera facilement comprendre tout le parti qu'un penseur critique peut tirer de la connaissance de ce phénomène, notamment pour se prémunir de la supersitition.

Les sportifs de haut niveau, paraît-il, redoutent comme la peste la proposition de faire la première page du *Sports Illustrated*. On comprend aisément pourquoi. Être invité à y figurer fait suite à des performances sportives exceptionnelles qui, naturellement, tiennent à l'heureuse combinaison d'une grande variété de facteurs. Ces résultats tendront donc à être suivis par de moins exceptionnelles performances. Ce n'est donc que pure superstition de la part de ces sportifs que d'attribuer cette baisse de performance à leur apparition sur la couverture du célèbre magazine.

Vous constaterez très vite que le champ d'application de cette idée est immense.

Le moment est maintenant venu d'aborder les derniers thèmes de notre survol des mathématiques citoyennes : les illustrations et les graphiques, avec lesquels, vous le constaterez, on peut commettre de bien peu pieux mensonges.

2.2.3 Illustrations et graphiques : ça vaut parfois mille maux...

Établissez d'abord soigneusement les faits.
Après quoi, vous pourrez les déformer
comme bon vous semble.

MARK TWAIN

Pour permettre de visualiser des données, on utilise volontiers des illustrations et des graphiques, notamment dans les articles scientifiques, les rapports financiers et les médias. Il faut être très attentif à la manière dont ils sont construits, car ces illustrations ou graphiques, sciemment conçus pour transmettre rapidement de l'information, peuvent aussi être trompeurs. Dès lors, ils donneront une fausse impression dont il sera par la suite d'autant plus difficile de se défaire qu'on aura la conviction de l'avoir en quelque sorte vue de nos propres yeux.

Périls des illustrations

Commençons par l'illustration suivante [16] :

16. Cette illustration est une adaptation, tirée de l'ouvrage désormais classique d'Edward Tufte sur la présentation visuelle de l'information quantitative, *The Visual Display of Quantitative Information*, Graphics Press, Cheshire, 2e édition, 2001.

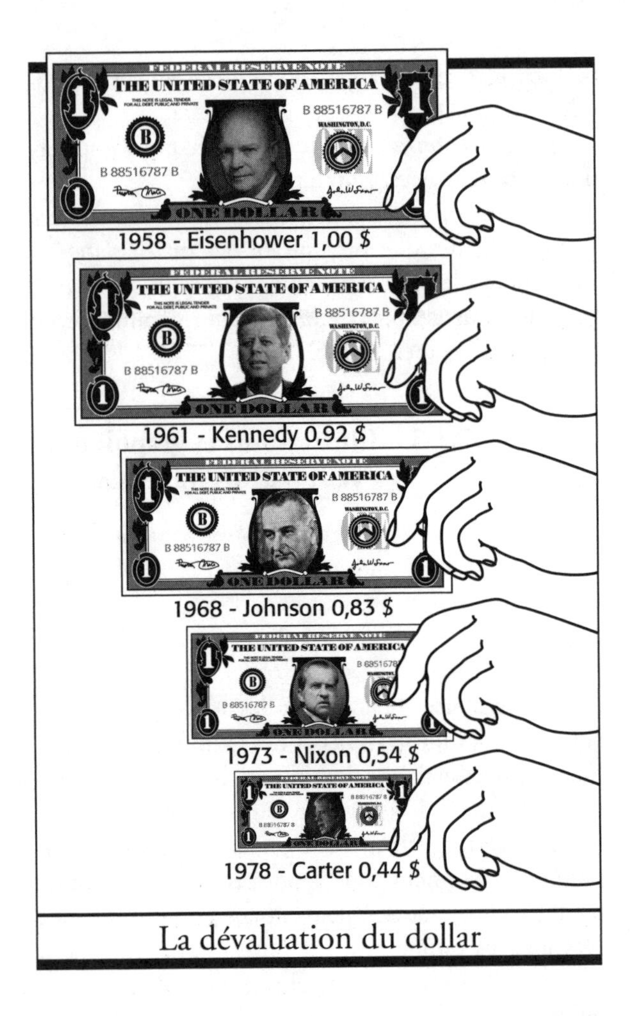

La dévaluation du dollar

Ici, on voudra s'assurer que les images rapetissent à proportion de la diminution qu'elles illustrent. Or ce n'est absolument pas le cas, même s'il est difficile de le constater. Le lecteur pressé risque donc fort de tirer une conclusion erronée – plus encore s'il se contente de survoler le texte et son illustration.

Voyons cela de plus près.

La longueur du billet de un dollar est utilisée pour représenter la valeur déclinante du dollar, de 1,00 $ en 1958 à 44 cents en 1978, où il fallait un peu plus de deux dollars pour acheter ce qu'on achetait en 1958 avec un seul. Mais l'artiste a aussi réduit la largeur des billets, de telle sorte que la surface du billet de 1958 est non pas deux mais... cinq fois plus grande ! Il aurait fallu tenir soigneusement compte de ce que le dessin utilise deux dimensions.

Tufte a proposé la loi suivante : « La représentation des nombres par des grandeurs physiques mesurées sur la surface de l'illustration elle-même devrait être directement proportionnelle aux quantités représentées. » Chaque fois qu'une illustration s'écarte de ce principe, elle commet un mensonge et plus elle s'en écarte, plus ce que Tufte appelle son « indice de mensonge » s'accroît. Tufte exprimerait l'indice de mensonge de l'exemple précédent comme étant de 5 sur 2.

À votre tour. Que pensez-vous de l'illustration suivante ?

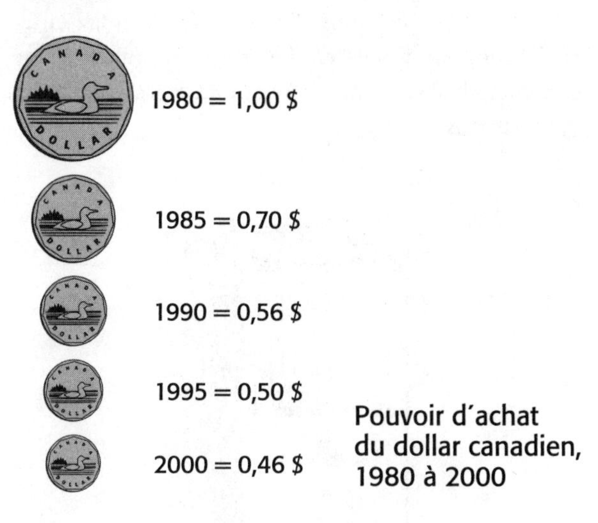

Adapté de « Pouvoir d'achat du dollar canadien, 1980 à 2000 ». Source : Statistiques Canada, http://www.statcan.ca/francais/edu/power/ch9/pictograph/picto_f.htm.

On aura sans doute deviné que faire des illustrations adéquates et justes, qui transmettent exactement l'information que l'on désire véhiculer et pas autre chose, est un art très exigeant, qui demande à la fois du savoir scientifique, du talent artistique et une bonne dose de jugement.

On pourra le constater – et découvrir d'autres pièges contre lesquels il faut se prémunir – avec l'exemple suivant, adapté de l'ouvrage de Stephen K. Campbell [17].

Imaginons qu'en 1999, une recherche a établi que le montant total des dépenses en santé par le gouvernement d'un pays fictif appelé Tralala était de 7,2 milliards de dollars, alors qu'au même moment, il était de 30,4 milliards dans un autre pays appelé Molvania. Laissons de côté toutes les légitimes questions que je devine se bousculer en votre bouillonnant cerveau de penseur critique et concentrons-nous uniquement sur les nombres, qu'il s'agit de représenter à l'aide d'une illustration. Comment procéderons-nous ?

Admettons que nous ayons choisi de représenter la situation en Tralala en dessinant un hôpital à une certaine échelle qui, par convention, représenterait les 7,2 milliards. Le voici :

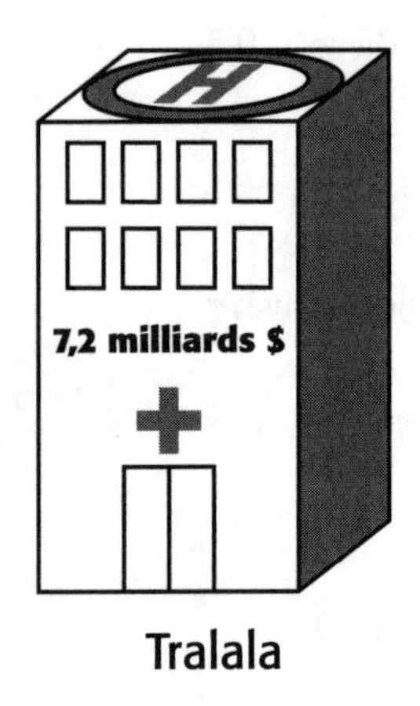

17. S. K. Campbell, *Flaws and Fallacies in Statistical Thinking*, p. 60-65.

Comment, à partir de ce point de repère, représenter la situation en Molvania ? Nous cherchons en fait à illustrer un montant (30,4 milliards) qui est 4,2 fois plus grand que le premier (7,2 milliards). On pourrait donc dessiner autant d'hôpitaux qu'il le faut, soit un peu plus de quatre. La solution serait en ce cas de dessiner ce qui suit :

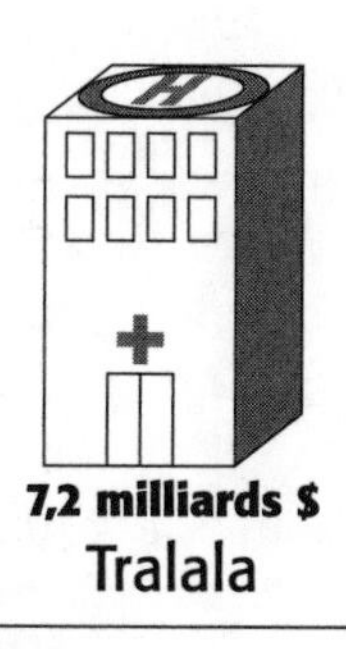

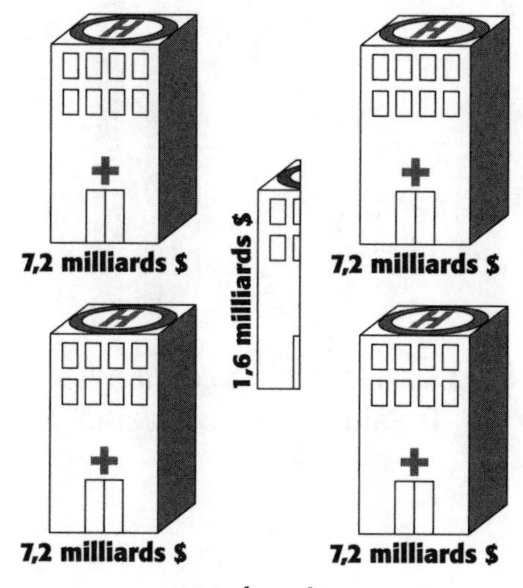

Est-ce satisfaisant ? Pour en juger, il faut penser aux lecteurs et lectrices. Ils vont peut-être en tirer la conclusion (erronée) qu'il y a un hôpital en Tralala pour quatre en Molvania. Ce serait déplorable.

On pourrait alors être tenté de dessiner un seul hôpital pour représenter la situation en Molvania, mais le faire 4,2 fois plus haut que le premier. Voici ce qu'on aurait :

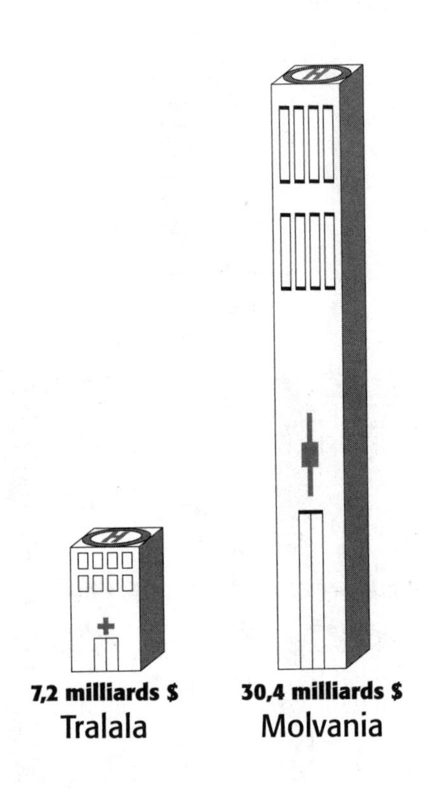

Dans cette représentation, le deuxième hôpital a l'air bizarre et le lecteur se demandera ce qui arrive à sa largeur. Si la hauteur est multipliée par 4,2, ne vaut-il pas mieux que la largeur le soit aussi ? En ce cas, on pourrait suggérer l'illustration suivante :

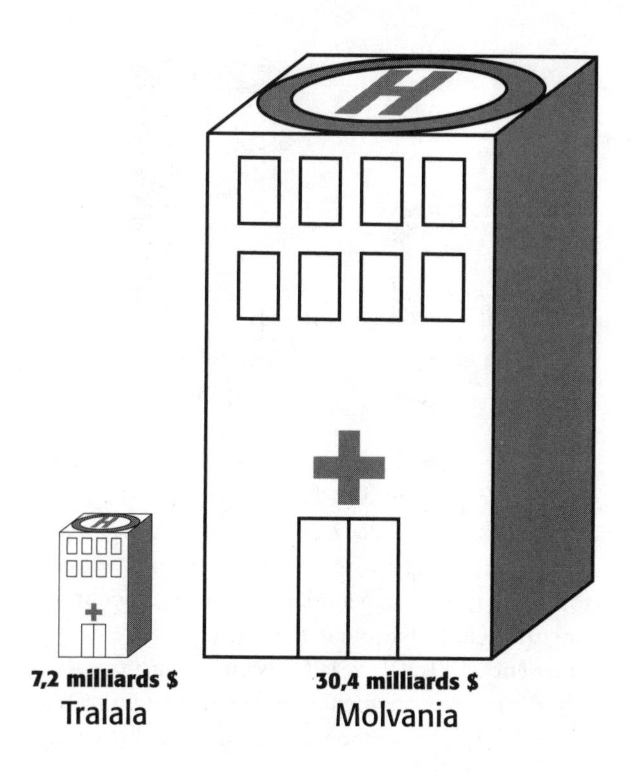

Mais cette fois encore, nous avons un problème majeur. Puisque notre nouvel hôpital est 4,2 fois plus large et 4,2 fois plus haut, il est donc 17,64 fois plus grand ($4,2 \times 4,2$) que le premier. Le texte aura beau dire que les chiffres sont 7,2 milliards et 30,4 milliards et expliquer soigneusement que le facteur d'accroissement est de 4,2, l'illustration parle haut et fort et elle dit tout autre chose : elle dit 17,64 fois plus grand. On devine tout le parti que des idéologues désireux de faire passer une thèse peuvent tirer de cette stratégie. Pour corriger le tir, il faudrait donc augmenter le deuxième hôpital par un facteur de 2,049, soit la racine carrée de 4,2. Ce qui nous donnera l'illustration qui suit :

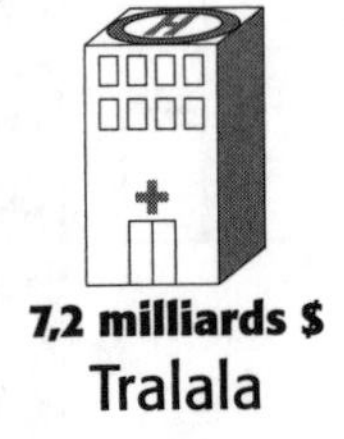

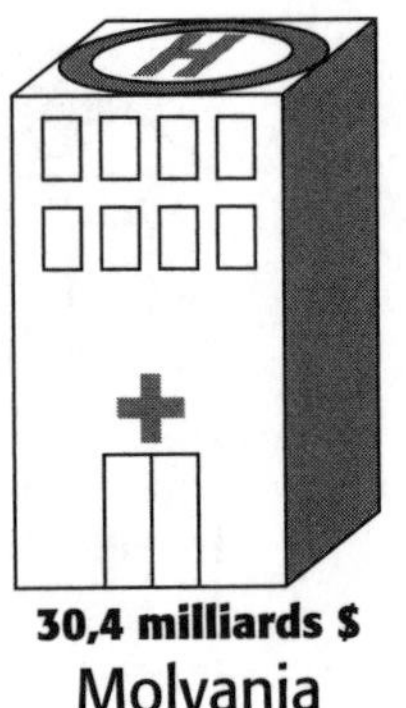

Mais ce n'est pas tout, hélas. Les lecteurs, en général, ne pensent pas facilement à des hôpitaux comme des objets à deux dimensions, et ils vont sans doute interpréter l'illustration proposée comme ayant trois dimensions : largeur, hauteur et profondeur. En conséquence, le bâtiment représenté exagère encore l'écart entre le Tralala et la Molvania. Une illustration juste devra donc augmenter le deuxième d'un facteur de 1,432, soit la racine cubique de 4,2. En ce cas, voici ce qu'il aurait fallu proposer :

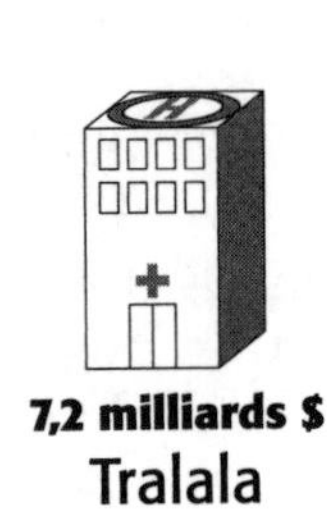

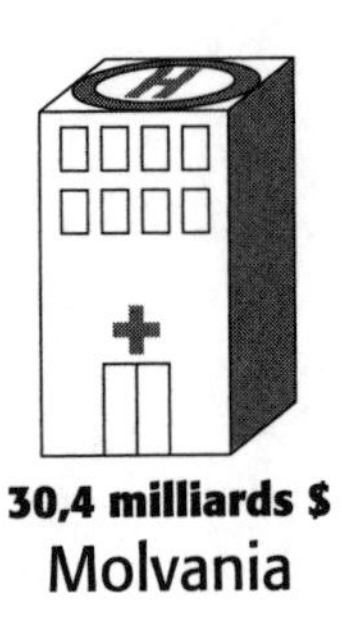

Une bonne illustration rend un texte vivant et peut transmettre, rapidement et de manière efficace, une grande quantité d'informations. Mais c'est aussi une arme redoutable et le penseur critique se demandera toujours si l'illustration est adéquate, si l'échelle est juste et pertinente, si les deux ou trois dimensions représentées ne donnent pas une fausse impression, voire une impression contraire au texte et aux données.

Dans l'exemple que nous venons d'examiner, il aurait sans doute été plus simple de proposer un histogramme :

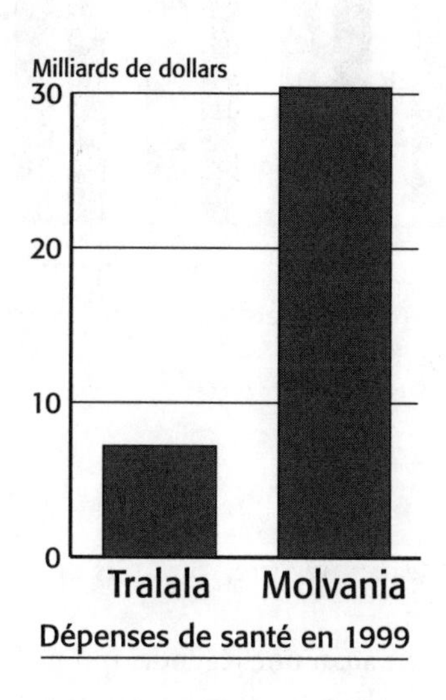

Mais les histogrammes, comme les graphiques en général, doivent eux aussi être examinés avec soin, sinon avec suspicion. Il est temps de nous y attarder un peu.

Graphiques et tableaux

On peut présenter des données de manière précise et synthétique grâce à des graphiques et à des tableaux, dont il existe divers types.

Commençons par donner un exemple de ce qu'est un bon tableau et des caractéristiques qu'on y trouve.

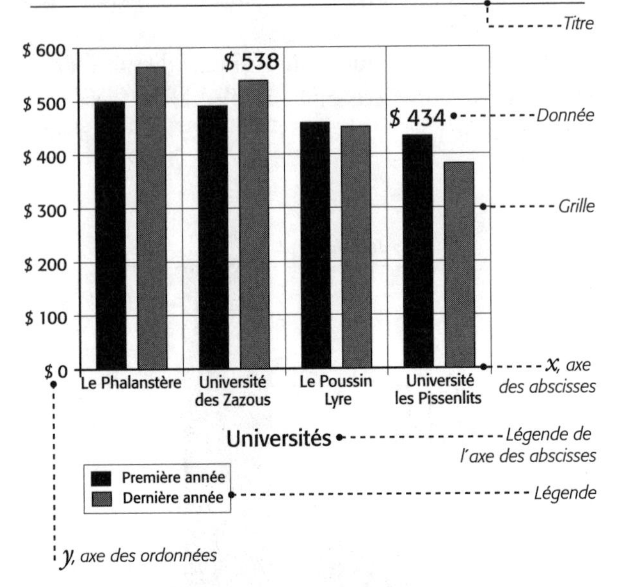

- Ce tableau a un titre, qui nous dit de quoi il est question.
- Il possède aussi une légende, qui nous dit à quoi correspondent les barres verticales. Ici, ces dernières sont opportunément de couleurs (ou de teintes) différentes.
- L'axe des Y comprend une échelle claire, qui commence à zéro ; celle des X est également claire et les unités concernées sont correctement et clairement indiquées.

Si un tableau ou un graphique s'écarte de ces normes, il tendra à être moins clair et pourra dès lors être mal interprété ou donner de fausses impressions.

Il existe aussi des moyens de parvenir à tromper sciemment les lecteurs. Le penseur critique se doit d'en connaître les principaux.

La courbe normale personnalisée Quand il s'agit d'un phénomène représenté par une courbe normale, on pourra, au choix et selon notre besoin, étirer ou compresser la courbe.

Il faut savoir que, par convention, la hauteur d'une courbe normale est équivalente aux trois quarts de la longueur de sa base. Une telle courbe donne une représentation juste de ce qu'est une distribution normale, et en particulier de son écart-type.

Si on suit cette convention, on obtient alors une courbe qui ressemble à ceci [18] :

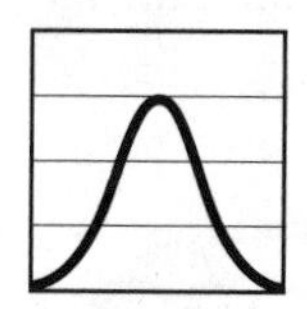

On peut cependant donner l'impression, en certains cas très utiles mais malhonnêtes, que l'écart-type est plus petit : on y parvient simplement en changeant ces proportions et en lui donnant une hauteur supérieure aux trois quarts de la base.

On propose alors une distribution normale qui ressemble à ceci [19] :

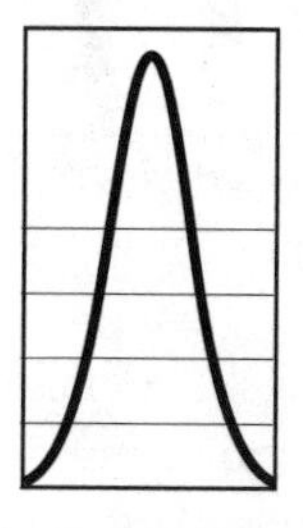

Veut-on produire l'impression inverse ? Rien de plus facile, vous l'avez deviné. La courbe proposée ressemble alors à ceci [20] :

18. D. Huff, *How to Figure it*, p. 404.
19. *Ibid.*, page 405.
20. *Ibid.*

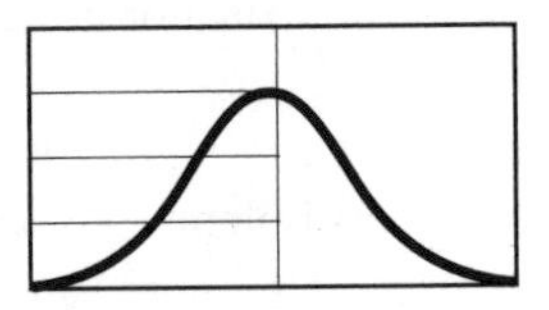

Les graphiques trafiqués par l'axe des Y Voici un graphique tout à fait honnête, qui représente les dépenses en éducation dans un pays donné sur une période de 12 ans[21].

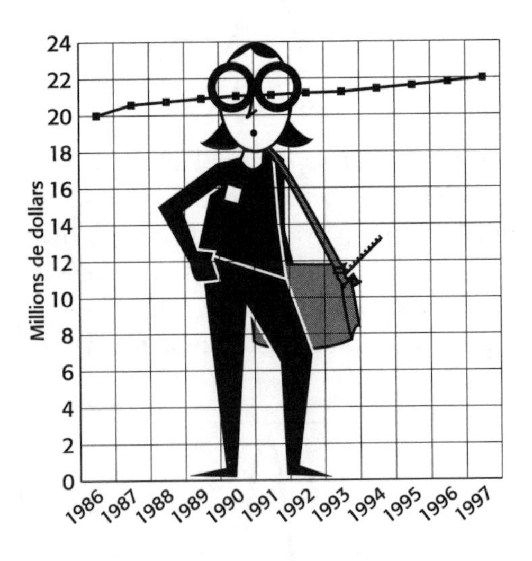

À présent, nous allons tricher et donner au lecteur non averti une tout autre impression de ce qui s'est passé. Pour cela, nous allons simplement faire disparaître tout le bas de l'axe des Y de notre graphique. L'origine de l'axe des Y n'est alors plus zéro et c'est ce qui va tout changer. Voyez plutôt[22] :

21. Adapté de Huff, *How to Lie*, p. 61.
22. *Ibid.*, p. 62

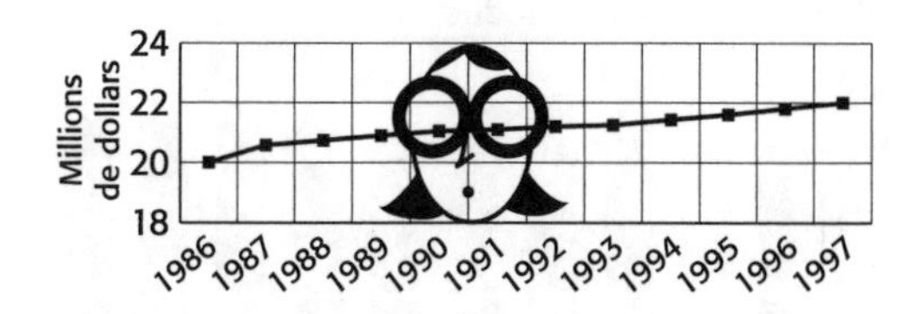

On peut faire encore mieux – ou pire. Il suffit en effet de multiplier les intervalles sur l'axe des Y ainsi amputé pour produire un effet encore plus important, un effet que ne dédaigneront pas certains idéologues, vous pensez bien. Voici le résultat que l'on peut obtenir[23] :

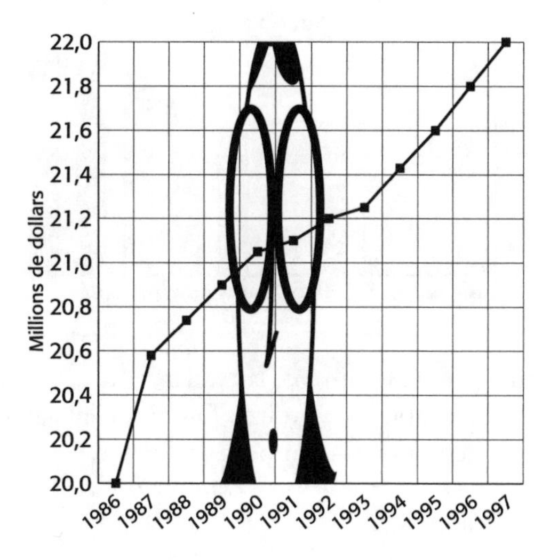

Ce tour de passe-passe, qui est un des grands favoris des états financiers des entreprises, peut bien évidemment se faire de différentes manières et avec diverses représentations graphiques. En voici d'autres exemples ; les données sont ici réduites à leur plus simple expression.

L'accroissement de la production de cette compagnie semble bien modeste et la direction pourra être gênée de présenter un tel résultat aux actionnaires :

23. *Ibid.*, p. 63.

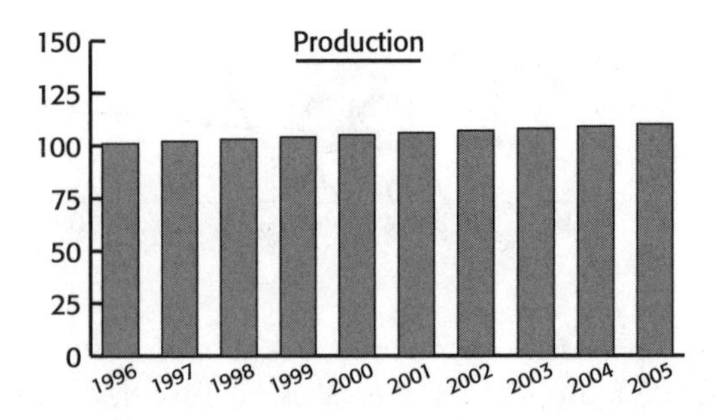

Mais un seul coup de ciseaux dans l'axe des Y peut tout arranger. La preuve :

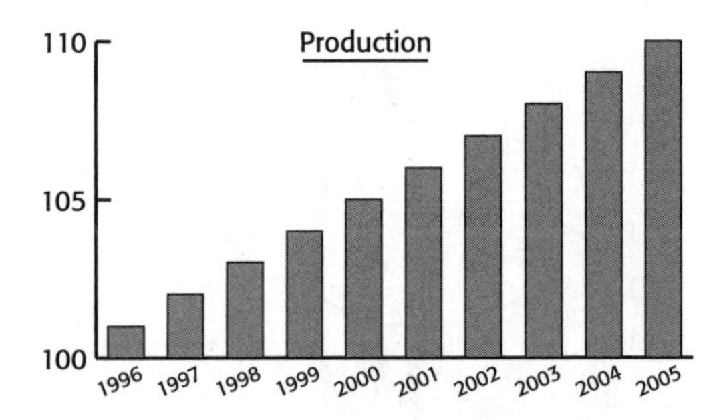

Dans l'exemple suivant, la tendance de la variable concernée semble au beau fixe. Disons qu'il s'agit des résultats des ventes sur une période donnée. Ces résultats, on peut le craindre, ne plairont pas au Conseil d'administration.

Mais voici exactement les mêmes résultats, un simple coup de ciseaux plus tard. Cette fois, qui refuserait aux vendeurs leur augmentation de salaire ?

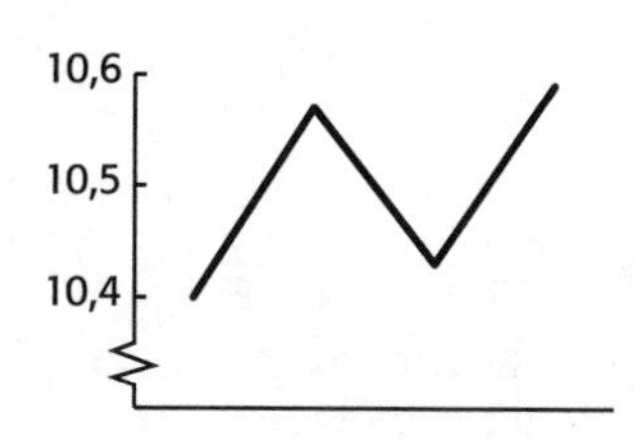

Notez, sur cette dernière illustration, les lignes brisées à la base de l'axe des Y. Elles avertissent le lecteur que le point d'origine n'est pas 0. C'est là le strict minimum que devrait vous indiquer un graphique honnête. Ces lignes brisées sont comme un signal qui dit : faites attention, il y a quelque chose d'inhabituel. Lorsque ce signal n'est pas donné et que l'axe des Y a été trafiqué, des feux rouges devraient s'allumer. Vous devriez alors être très soupçonneux devant ce qu'on vous propose et surtout lire avec le plus grand soin le texte qui accompagne le graphique suspect.

Résumons maintenant par quelques règles de conduite ce que nous avons appris dans ce chapitre.

Quelques règles d'or

La source de l'information

Qui a produit ces données ?
La personne qui les présente elle-même ?
Quelqu'un d'autre ?
En son nom personnel ou au nom d'un organisme ?
Quelle est la réputation de cet organisme ?
A-t-il ou non des intérêts dans la question discutée ou encore un agenda plus ou moins caché ?
A-t-il fourni les données, leur interprétation, ou les deux ?
En ce dernier cas, nous propose-t-on une interprétation des données distincte de celle avancée par l'instance qui les a produites ?
Quels biais, conscients ou inconscients, pourraient affecter la présentation des données ?
Combien de cas ont été étudiés ?

Comment les a-t-on réunis ?
Est-ce suffisant ?

Le contexte

Les données sont-elles contextualisées ou non ?
Si c'est le cas, est-ce que cela est pertinent ?
Que savez-vous du sujet dont il est question ?
Serait-il souhaitable d'en avoir plus de connaissances afin de juger des chiffres ?
Connaissez-vous d'autres données se rapportant au même sujet qu'il serait utile de garder en mémoire pour fins de comparaison (des données sur le même sujet mais sur une autre période de temps, ou pour un autre pays ou une autre province, par exemple) ?

Les données : aspects qualitatifs

Sont-elles plausibles ?
Semblent-elles complètes ou quelque chose de potentiellement important est-il absent ?
A-t-on omis de fournir certaines informations qui pourraient être en faveur d'une interprétation plutôt que d'une autre ?
Quels mots sont utilisés pour décrire ce qui est chiffré ?
Ces mots sont-ils fortement connotés dans un sens ou dans l'autre, en faveur d'une interprétation plutôt qu'une autre ?
Pourrait-on raisonnablement faire dire aux mêmes chiffres autre chose que ce qui est affirmé ?
A-t-on tenu compte de tout ce qui doit raisonnablement être considéré pour aboutir au chiffre qu'on nous fournit et à l'interprétation qu'on en propose (par exemple, l'inflation) ?
Si on compare des données sur une période de temps, la définition de ce qui est comparé est-elle constante ?
Si on la change, ce changement est-il raisonnable, pertinent, justifié, pris en compte dans les calculs ?
La définition de ce qui est mesuré est-elle raisonnable et pertinente ?
Peut-on raisonnablement conclure que l'instrument de mesure utilisé est fiable ? Valide ?
Propose-t-on un résumé des conclusions ?
Semble-t-il équitable ?
Ces conclusions semblent-elle acceptables compte tenu des données ?
Sont-elles plausibles et conformes à ce qui est d'ordinaire admis dans la littérature ?

Sinon, le raisonnement est-il à la hauteur du caractère hors de l'ordinaire de ce qui est avancé ?
Le cas échéant, les conclusions répondent-elles à la question qui était posée ?

Les données : aspects quantitatifs

Si on donne des pourcentages, donne-t-on aussi les nombres absolus afférents concernés ?
Si on fait état d'une augmentation ou d'une diminution en pourcentages, précise-t-on aussi, chaque fois, à partir de quel nombre on a calculé ?
Les explications données de ces changements sont-elles les seules possibles ?
A-t-on tenu compte de ce que d'autres explications sont possibles ?
Y a-t-il seulement quelque chose à expliquer ou se trouve-t-on plutôt devant un phénomène qui ne demande pas d'explication ?
Comment, éventuellement, l'échantillon a-t-il été constitué ?
Quelle mesure de tendance centrale a été utilisée ?
Est-ce le bon choix ?
Quel est l'écart-type ?
Les limites supérieures et inférieures des données sont-elles précisées ?
Une relation de cause à effet est-elle avancée ?
Comment l'a-t-on établie ?
D'autres facteurs auraient-ils dû être considérés ?
La précision à laquelle on aboutit est-elle plausible compte tenu de l'instrument de mesure utilisé ?

Les graphiques, schémas, illustrations

Sont-ils clairs ?
Conformes au texte ?
Les illustrations, éventuellement, sont-elles proportionnées ?
L'axe des Y a-t-il été trafiqué ?

Un sondage

Quel sujet aborde ce sondage ?
Ce sujet intéresse-t-il ou préoccupe-t-il vraiment les gens ?
Quel public a été étudié ?
Quelles méthodes d'échantillonnage, d'enquête, d'analyse ont été retenues ?

À quelle(s) date(s) l'enquête a-t-elle été faite ?
Quel est le taux de réponse ?
Combien de personnes ont été interrogées ?
Quelles questions leur ont été posées ?
Ces questions sont-elles claires ?
Sont-elles tendancieuses ?
Comment, dans quelles conditions et dans quel ordre les questions ont-elles été posées aux sondés ?
Comment la question des indécis a-t-elle été abordée ?
Qui a commandé cette enquête et qui en a rembourser les coûts ?
Combien de personnes ont refusé de répondre à chacune des questions ?
Quelles sont les limites de l'interprétation des résultats obtenus ?
Selon les réponses que vous obtiendrez, vous pourriez aussi avoir envie de poser les questions suivantes : Ces questions – ou des questions similaires – ont-elles déjà fait l'objet d'un sondage ? Quels étaient alors les résultats ?

Deuxième partie

La justification des croyances

Introduction

POUR EXERCER notre autodéfense intellectuelle, il nous faut bien entendu connaître et maîtriser des outils comme ceux que nous venons de voir (la langue, les mathématiques) ; mais il faut aussi apprendre à nous en servir pour évaluer la crédibilité de ce qui est soumis à notre jugement. Un penseur critique voudra que ses opinions soient rationnelles ; il s'efforcera donc de tirer des inférences valides de faits connus ou présumés. Comment y parvenir ? Cela demande d'indispensables connaissances des sujets discutés et une maîtrise des normes et des critères de rationalité qui y sont liés.

Dans le présent chapitre, je voudrais examiner trois « sources » de connaissances putatives et préciser, pour chacune d'elles, ce que signifie un jugement rationnel. Ces trois exemples n'épuisent évidemment pas tout ce qu'il y aurait à dire, loin de là ; mais ce tour d'horizon montrera néanmoins comment se pose la question de la justification des croyances dans les secteurs extrêmement importants de la vie intellectuelle et citoyenne, où les jugements irrationnels sont particulièrement lourds de conséquences.

Ces trois sources de connaissances sont l'expérience personnelle, la science et les médias. Chaque fois, je me placerai du point de vue inauguré par

Platon, dont l'analyse du concept de savoir a littéralement servi de paradigme de référence à la plupart des discussions ultérieures en épistémologie – à tout le moins en Occident.

Platon avait observé que nous prétendons tous savoir une grande quantité de choses sur une variété de sujets. Par exemple : il y a là, en ce moment précis, un rouge-gorge ; la Terre tourne autour du Soleil ; Paris est la capitale de la France ; 2 plus 2 font 4 ; l'ADN a une structure en forme de double hélice ; et ainsi de suite. La question posée par Platon, désarmante mais cruciale, est la suivante : que signifie précisément *savoir* ? Platon ne se contente pas d'une pseudo-réponse, du genre : « Je le sais parce que c'est évident » ou, pire encore : « Je le sais parce que je le sais bien ». Ce qu'il demande, c'est une réponse claire définissant le concept de « savoir » et donnant les conditions nécessaires et suffisantes de son usage légitime.

Sa réponse ? Trois conditions doivent être satisfaites pour que l'on puisse prétendre savoir P (P étant une proposition quelconque, disons : *La terre est ronde*).

Premièrement, savoir P suppose une certaine attitude intellectuelle à l'endroit de P, que l'on peut exprimer ainsi : *Je crois que P* ou *Je suis de l'avis que P*. Il serait bien sûr illogique de dire : *Je sais que la Terre est ronde, mais je ne le crois pas.*

Ensuite, cette opinion ou cette croyance doit être vraie. Cette précision est importante, parce que toute croyance n'est pas un savoir et que seule une croyance vraie peut être un savoir. Ainsi, on ne pourrait pas dire : *Je sais que la Terre est carrée.*

Enfin, l'opinion ou la croyance vraie doit être justifiée. En effet, une opinion vraie n'est un savoir que si elle repose sur de bonnes raisons. Supposons que quelqu'un ait fait correspondre à chaque jour de la semaine une figure géométrique. La forme ronde est attribuée au lundi. Par ailleurs, cette même personne prétend que la Terre est de telle ou telle forme selon le jour de la semaine. Si on lui demande de quelle forme est la Terre, il arrivera (les lundis) qu'elle affirme : « La Terre est ronde » ; et il se peut qu'elle le croie sincèrement. Mais cette opinion, même vraie, ne serait pas un savoir, puisqu'elle ne repose pas sur de bonnes raisons.

Voici donc la définition du savoir proposée par Platon : le savoir est l'opinion vraie justifiée. Cette définition fondamentale permet de comprendre qu'il y a un monde entre le fait de croire quelque chose et le fait de le savoir. La différence tient aux raisons et aux arguments qui seuls font qu'on peut légitimement tenir une croyance pour vraie. Qu'une proposition soit crue vraie par moi ou par un grand nombre de personnes, voire par toute une société, ne la rend pas vraie et justifiée pour autant, ni le fait que je désire la croire, que je l'aie toujours crue, que j'aie besoin de la croire ou que ce soit dans mon intérêt de la croire.

Toute la difficulté est bien entendu de préciser ce qui constitue une bonne justification. Il n'y a pas de réponse simple et, en certains cas, il n'y a même pas de réponse universellement admise. Qui plus est, selon les sphères cognitives considérées, les critères pourront varier. Pour ne donner qu'un exemple, la pensée rationnelle en matière de moralité est une entreprise importante, voire cruciale, mais elle met en œuvre des concepts et des critères de validation des propositions différents de ceux qu'on utilise en physique – et cela, même si le penseur critique utilise dans les deux cas la logique, le langage et donc des critères de rationalité communs.

Les pages qui suivent aideront à mieux comprendre comment se forgent des croyances vraies et justifiées dans le cadre de l'expérience personnelle, de la science et des médias.

Chapitre 3

L'expérience personnelle

Le vrai penseur critique admet ce que peu de gens sont disposés à reconnaître : à savoir que nous ne devrions pas nous fier de manière routinière à nos perceptions et à notre mémoire.

JAMES E. ALCOCK

Introduction

« Je l'ai vu, de mes yeux vu ! »

Nous en appelons souvent ainsi à notre expérience personnelle pour justifier une croyance : telle chose existe (ou s'est bien produite) comme je le dis et la preuve en est que je l'ai vue. Plus généralement, on arguera que telle chose est bien telle qu'on la donne parce qu'on en a fait l'expérience à travers nos sens (je l'ai vue, entendue, sentie, touchée, goûtée).

Il n'y a pas de doute que l'expérience personnelle (et son souvenir) soit une des sources de notre connaissance empirique et immédiate, pas de doute non plus qu'elle entre en jeu dans l'élaboration du savoir scientifique. D'ailleurs, il est raisonnable de penser que le fait de pouvoir s'orienter correctement dans le monde par nos sens en distinguant le réel de l'illusoire, le vrai du faux, nous confère un énorme avantage évolutif. Dès lors, il n'est pas étonnant que nos organes de perception soient de si formidables machines, assez fiables pour nous permettre d'agir efficacement sur le monde.

Souvent, il n'est donc pas *a priori* absurde, loin de là, d'invoquer notre expérience personnelle pour justifier des croyances. « Il a pris du poids. Je le sais, puisque je l'ai vu. » « Le village est à 50 kilomètres de la ville. Je le sais, j'en viens. » « Ils ont installé une usine de pâtes et papiers. Si tu savais l'odeur ! » « Les nouvelles matraques Bing ! font plus mal que les anciennes. Je le sais, j'ai tâté des deux ! »

Pourtant, le recours à l'expérience personnelle pour justifier nos croyances n'est pas sans dangers. La connaissance qu'on en tire est limitée, surtout si on la compare à des formes de savoirs plus systématiques, en particulier la connaissance scientifique. En fait, l'expérience personnelle est loin de toujours conférer à nos croyances le degré de certitude qu'on voudrait fonder sur elle. Chacun de nous sait d'ailleurs très bien que nos sens peuvent nous tromper, notre souvenir ne pas correspondre à ce qui s'est vraiment passé, notre jugement s'avérer erroné. Il est donc important de connaître et de comprendre les limites du recours à l'expérience personnelle pour justifier les croyances.

Il y a même lieu de penser que la prolifération de tant de croyances irrationnelles trouve dans la méconnaissance de ces limites un de ses terreaux privilégiés. Nous en examinerons ici un certain nombre, présentées sous trois rubriques : percevoir, se souvenir, juger. Notons toutefois que ces distinctions sont plutôt arbitraires, dans la mesure où, comme nous allons le constater, percevoir et se souvenir, c'est aussi juger.

3.1 Percevoir

La perception est une construction. C'est là un des plus précieux enseignements que les penseurs critiques ont appris de la psychologie.

Depuis longtemps, en effet, les psychologues ont mis en évidence le caractère construit de nos perceptions, nous permettant de mieux saisir comment et dans quelle mesure notre savoir, nos attentes et nos désirs, notamment, sont mis en jeu dans nos perceptions. Dès lors, il vaut mieux comprendre ces perceptions comme des modèles du monde extérieur, hautement abstraits et construits, plutôt que comme des copies toujours fiables de celui-ci.

Pour le montrer, attardons-nous brièvement à la perception visuelle [1].

Voici un premier exemple, emprunté à Terence Hines. Il concerne la perception d'une pomme rouge [2].

Dans des conditions normales, les longueurs d'onde qui correspondent au rouge sont renvoyées de la pomme à l'œil et la pomme est perçue comme étant rouge. Mais en faisant varier ces conditions, par exemple en changeant l'éclairage, on peut modifier la composition de la lumière qui est envoyée de la pomme à l'œil. Ce qui se passe alors est étonnant : on continue de percevoir la pomme comme étant rouge, pour la bonne raison qu'on sait qu'elle est (habituellement) de cette couleur et que ce savoir colore – c'est le cas de le dire ! – ce qu'on perçoit.

Hines rapporte une autre expérience qui confirme ce rôle du savoir dans la perception de la couleur. On place une pomme dans une boîte. Un trou est percé dans cette boîte, à travers lequel les sujets peuvent

1. Le site Web de Bruno Dubuc sur le cerveau contient de nombreux exemples. Voir : http://www.lecerveau.mcgill.ca.

2. T. Hines, *Pseudoscience and the Paranormal : A Critical Examination of the Evidence*, p. 168.

observer la pomme, mais sans savoir qu'il s'agit d'une pomme, puisqu'ils n'en voient qu'un échantillon de couleur. Si on change la lumière dans la boîte, la couleur de cet échantillon est perçue comme ayant changé aussi. L'ignorance du fait qu'il s'agit d'une pomme permet de percevoir correctement les nouvelles couleurs. En effet, privé de ce savoir, notre cerveau ne peut pas introduire dans notre perception ce que nous savons de la couleur normale de la pomme.

De la même façon, le fait que nous percevions comme constante la taille des objets qui s'approchent ou s'éloignent est le résultat d'une construction élaborée. Notre cerveau juge que ces objets restent de taille constante, même si les images reçues par la rétine ne le sont pas. Bruno Dubuc résume :

> On appelle *constance perceptuelle* cette tendance que nous avons de voir des objets familiers comme ayant une forme, une taille ou une couleur constante, indépendamment des changements de perspective, de distance ou d'éclairage que subissent ces objets. Notre perception de l'objet se rapproche alors bien davantage de l'image générale mémorisée de cet objet que du stimulus réel qui frappe notre rétine. La constance perceptuelle est donc ce qui nous permet de reconnaître par exemple une assiette de légumes, que celle-ci soit vue de haut sur une table, devant nous dans un restaurant sombre ou en plein jour de profil sur un immense panneau-réclame situé à plusieurs dizaines de mètres de nous[3].

De nombreuses et parfois assez spectaculaires illusions sont expliquées par ce phénomène – ce qui n'a pas échappé aux illusionnistes, bien sûr.

3. http://www.lecerveau.mcgill.ca/

Voir du coin de l'œil une porte orange

La recherche a mis en évidence de manière très convaincante le fait que le savoir joue un rôle crucial dans la perception de la constance non seulement des couleurs et des grandeurs, mais aussi des positions et des formes. « Le cerveau prend en compte ce qui est connu de l'objet et construit une perception fondée à la fois sur l'input sensoriel et le savoir », écrit Terence Hines, qui donne l'exemple suivant de la constance des couleurs.

« Pendant que je suis assis ici en train d'écrire, il y a une porte orange ouverte à ma gauche. Je ne vois cette porte que du coin de l'œil et je la perçois distinctement comme étant colorée, et cela, même si la lumière qui est réfléchie de la porte à ma rétine aboutit à une partie de la rétine où on ne trouve pas de récepteurs de couleurs. Comme je connais la couleur de cette porte, qui m'est très familière, mon cerveau construit une perception de la couleur. [...] ce phénomène montre la grande importance du savoir même dans les perceptions les plus simples. »

Source : T. Hines, *Pseudoscience and the Paranormal : A Critical Examination of the Evidence*, p. 170.

Les illusions d'optique, connues depuis longtemps et systématiquement étudiées par les peintres dès la Renaissance, fournissent d'autres exemples, amusants et éclairants, du caractère construit de la perception.

On sait bien aujourd'hui, en particulier grâce à la psychologie de la forme, que nous tendons à mettre de l'ordre dans nos perceptions et à les organiser, par exemple, comme fond et forme. Lorsque le contenu et la forme sont instables, nous percevons alternativement deux choses dans une même image – le contenu devenant la forme et la forme le contenu – lorsque nous passons de l'une à l'autre.

L'image que voici, bien connue, en donne un très bon exemple. On apercevra alternativement une jeune fille et une vieille dame.

C'est encore au caractère construit des perceptions qu'on devra de comprendre comment apparaît le triangle dans l'image qui suit (c'est notre cerveau qui le construit) [4] :

Sachant tout cela, nous admettrons que nos perceptions, quoique fiables en général, peuvent aussi nous induire en erreur. Les exemples abondent. En voici quelques-uns.

Un disque produisant des couleurs subjectives

Le phénomène des couleurs subjectives est connu depuis le XIXe siècle ; Fechner l'a étudié dès 1838. À ma connaissance, il n'est pas encore complètement élucidé, mais on peut facilement en faire l'expérience. Photocopiez ce disque, collez-le sur un carton et percez-le au centre par une punaise. Faites-le

4. Exemples tirés du site Web *Le Cerveau à tous les niveaux*, voir lien ci-dessus. On y trouvera également un exposé très clair sur les illusions d'optique et on pourra notamment observer une des plus remarquables d'entre elles, l'Échiquier d'Adelson, que je ne peux pas reproduire ici parce qu'elle demande de la couleur.

ensuite tourner assez rapidement. Vous ne tarderez pas à apercevoir des couleurs variées, pâles et pastel mais bien présentes.

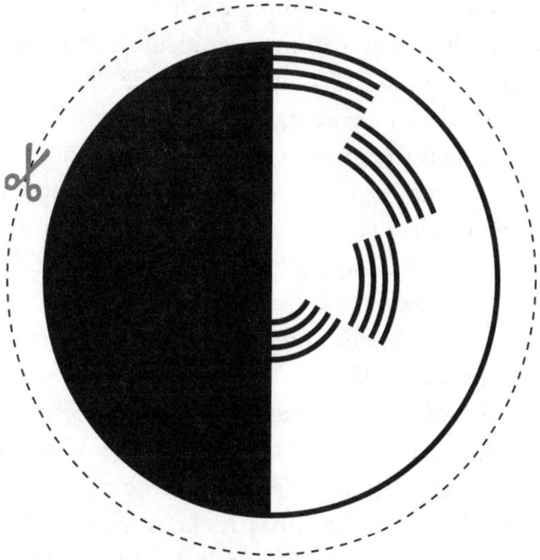

3.1.1 Pareidolia : le visage sur Mars

Gregg et Diana Duyser, un couple de la Floride, ont vendu sur *E-Bay*, fin 2004, un sandwich au fromage grillé vieux de dix ans. Le montant de la vente ? 28 000 $, américains bien entendu[5]. Aux yeux du couple, toutefois – et des enchérisseurs, sans doute – il ne s'agissait pas d'un *grilled-cheese* ordinaire : il s'y trouvait en effet l'image d'un visage supposé être celui... de la Vierge Marie.

L'anecdote fait sourire (ou pleurer). Cependant, elle nous rappelle aussi la puissance de cette capacité humaine à reconnaître des images dans des formes aléatoires et des stimuli imprécis. On l'a baptisée pareidolia. Il n'est pas besoin d'aller bien loin pour la rencontrer : chacun de nous en a fait l'expérience

5. J. Nickel, « Holy Grilled Cheese ? » dans *Skeptical Inquirer*, vol. 29, n° 2, mars-avril 2005, p. 9.

en s'amusant, enfant, à repérer des formes dans les nuages.

En voici un autre exemple célèbre. En 1977, une photographie prise l'année précédente par la sonde Viking, qui venait d'orbiter autour de Mars, attire l'attention d'un ingénieur, Vincent DiPietro. Il y avait remarqué la forme d'un visage. La NASA explique que ce phénomène est dû à l'érosion naturelle, et à des effets de lumière et d'ombre. Mais DiPietro n'en est pas convaincu. D'autres tiennent même les déclarations de la NASA pour la preuve qu'on essaie de cacher au public une importante découverte (reconnaissez-vous ce paralogisme ?).

Bientôt, des gens émettent des hypothèses plus audacieuses encore : ils voient dans le visage sur Mars la preuve qu'une vie intelligente s'y est développée. Voilà que des amas rocheux situés près du fameux visage sont donnés pour des pyramides, des avenues, voire les vestiges d'une cité. Une véritable petite industrie de publications, de conférences et de « recherches » s'est ainsi constituée autour du visage sur Mars. La Bible elle-même est parfois appelée à la rescousse.

Disons sobrement que si on est au fait du caractère construit de nos perceptions, on est moins pressé de voir dans « le visage sur Mars » l'indice d'une civilisation martienne. Concluons. Dans toute masse de données chaotiques, il est très facile de noter des phénomènes qui nous semblent remarquables à un titre ou à un autre, sans qu'ils le soient nécessairement : cela nous fournit une explication très plausible du mystérieux visage sur Mars, ainsi qu'un précieux outil de pensée critique.

3.1.2 Les rayons N du docteur Blondlot

— Je n'arrive pas à croire ça, dit Alice.
— Tu n'y arrives pas ? répondit la Reine, sur un ton qui montrait bien qu'elle la prenait en pitié. Essaie encore, en prenant une grande respiration et en fermant les yeux.
LEWIS CARROLL

Les scientifiques ne tomberaient pas dans un aussi piètre panneau, dites-vous ? Effectivement, la science offre, comme on va le voir, des garanties importantes et nécessaires contre les illusions perceptives. Pourtant, lorsque des scientifiques abusent de la validation par les perceptions subjectives, ils peuvent également en être victimes. Considérez le cas du docteur Blondlot.

La fin du XIXe et le début du XXe siècle marquent une période particulièrement féconde de l'histoire de la physique. D'éminents physiciens de l'époque – comme Henri Becquerel (1852-1908) ou Wilhelm Conrad Röntgen (1845-1923) – découvrent et étudient de nombreux types de radiations : les rayons X et les rayons cathodiques, aujourd'hui bien connus, en sont des exemples.

René Prosper Blondlot, un physicien de grande réputation, professeur à l'Université de Nancy, annonce quant à lui en 1903 la découverte des rayons N, ainsi baptisés en l'honneur de sa ville et de son université. Toutefois, si vous n'avez jamais entendu parler du docteur Blondlot et de ses rayons, rassurez-vous : ces rayons N n'existaient tout simplement pas !

Cet épisode de l'histoire des sciences est riche d'enseignements pour le sujet dont nous discutons, puisqu'il montre à quel point l'expérience personnelle peut être une source peu fiable de justifications de nos croyances.

En voici les grandes lignes [6].

6. On peut lire à ce sujet : P. Thuillier, « La triste histoire des rayons N » dans *Le petit savant illustré*, p. 58-67.

Blondlot pensait avoir découvert ces rayons N, émis par certains métaux; il les voyait à l'œil nu. Il avait mis au point un dispositif assez simple, par lequel ces rayons étaient envoyés sur des objets recouverts d'une peinture d'aluminium qui les rendait plus lumineux. Mais la difficulté des autres physiciens à reproduire ces effets et donc à observer ces rayons fait bientôt naître une vague de scepticisme. C'est alors qu'entre en jeu un jeune Américain appelé Robert Wood, qui se rend au laboratoire de Blondlot, lequel l'invite à participer à ses expériences. Essayons d'imaginer la scène.

Un dispositif permet l'émission des supposés rayons N. Ils sont réfléchis sur de la peinture, dont la luminosité est augmentée par les rayons. Blondlot constate, de visu, l'augmentation ou la non-augmentation de cette luminosité et, de cette observation, conclut à la présence ou à l'absence de rayons N.

L'expérience incluait aussi l'utilisation d'une feuille de plomb pouvant être manuellement insérée dans le dispositif. Blondlot croyait qu'elle avait pour effet de bloquer les rayons N.

Blondlot confie à Wood la tâche de placer ou de retirer cette feuille de plomb. Vous avez sûrement deviné la suite. Lorsque Wood lui dit que la feuille de plomb est présente, Blondlot n'observe pas la présence de rayons N – même lorsque Wood ne dit pas vrai ! Car celui-ci déclare placer la feuille quand il ne le fait pas, et inversement. Mais Blondlot, lui, observe ses rayons ou dit ne pas les voir selon qu'il les croit ou non visibles !

La lettre que Robert Wood fait paraître dans *Nature* – c'était déjà, à l'époque, une des plus prestigieuses revues scientifiques au monde – le 29 septembre 1904, reste un texte classique de la pensée critique. Il y raconte l'expérience que je viens d'expliquer ainsi que d'autres expériences qu'il a menées dans le laboratoire de Blondlot : toutes pointent vers la même conclusion, à savoir que celui-ci a été victime de « distorsion perceptive ».

De l'utilité d'apprendre un peu de magie

Éclairez les dupes, il n'y aura plus de fripons.
ROBERT-HOUDIN (MAGICIEN)

La plus simple à corriger, mais peut-être aussi la plus répandue, de toutes les erreurs commises par des scientifiques ayant testé des personnes qui affirmaient posséder des pouvoirs paranormaux est justement d'avoir eu une excessive confiance dans leurs propres perceptions sensorielles. Autrement dit, ils n'ont pas pris en compte le fait que, chaque fois, leur jugement pouvait être teinté par leurs attentes, leurs désirs, leurs savoirs et leurs croyances. Ajoutez à cela le fait que la nature, qui peut être infiniment complexe, ne trompe pas sciemment ceux et celles qui l'étudient, tandis que des êtres humains peuvent parfaitement tricher, et vous avez une explication plausible de la déconcertante facilité avec laquelle des chercheurs, parfois éminents, se sont laissé berner par des charlatans. Étudier un peu de magie devient ainsi un geste d'autodéfense intellectuelle ; et si vous êtes un chercheur examinant des personnes assurant posséder des pouvoirs paranormaux, vous assurer du concours d'un magicien est une précaution méthodologique absolument indispensable.

Quelques exemples montreront clairement qu'on aurait tort de se fier à nos seules observations pour tirer la conclusion qu'on nous invite à tirer.

Le mentaliste distribue à chacun des participants un bout de papier sur lequel il lui demande d'écrire une chose connue de lui seul. Les papiers sont réunis par un participant, qui les plie soigneusement pour qu'on ne puisse pas voir ce qui y est écrit. Le mentaliste s'assied alors devant les spectateurs. Sans le déplier ni même le regarder, il porte à son front le premier billet, qu'il prétend pouvoir lire par la seule force de sa pensée. Il se concentre.

Au bout d'un certain temps, à la suite d'un effort visible, il annonce :

— Il y a parmi nous une personne qui avait durant son enfance un chien appelé Popy.

Le mentaliste demande si c'est bien le cas. Une personne lève la main, étonnée : elle avait bien écrit cela sur son papier. Le mentaliste déplie le papier qui confirme sa prédiction, le dépose sur la table et s'empare d'un autre papier, lui aussi soigneusement plié. Le même scénario se répète et le mentaliste lit de la même manière chacun des billets.

Ce tour, bien exécuté, pourra sembler très convaincant. Il y pourtant un truc, qui repose sur un des plus efficaces et précieux principes des mentalistes. On l'appelle « un d'avance ». Le mentaliste sait en effet d'avance ce qu'il y a sur un des billets – il pourra l'avoir lu subrepticement, avoir un complice dans la salle, peu importe. Disons ici qu'il a un complice. Il faut aussi que ce billet soit reconnaissable. À partir de là, tout devient simple. Quand il s'empare du premier billet, le mentaliste prend soin de ne pas choisir le billet de son complice. Il porte un billet à son front puis *déclare y lire ce que son complice a écrit sur un autre billet* – dans notre exemple, ce sera : « J'avais, étant enfant, un chien appelé Popy. » Pendant que son complice parle en faisant l'étonné et que toute l'attention est dirigée sur lui, le mentaliste dépose le billet sur la table et y lit ce qui y est écrit – disons : « Je possède des actions dans une fabrique de matraques. » Puis il retourne le billet. Il s'empare d'un nouveau billet, le porte à son front et prétend y lire : « Quelqu'un parmi nous possède des actions dans une usine de... quelque chose... ce n'est pas encore très clair. Ah ! ça y est : des matraques. » Et ainsi de suite, jusqu'au dernier billet qui sera celui de son complice. Si quelqu'un demande à voir les billets après l'expérience, ceux-ci confirmeront que le mentaliste a bien lu chacun d'eux. Si vous faites ce tour, il peut être sage de vous tromper une fois ou deux : cela ajoute à sa crédibilité...

Pour notre exemple suivant, allons en France. Nous sommes le vendredi 27 janvier 1989 et le quotidien français *Nice-Matin* titre : « Incroyable : un mystérieux devin prédit les numéros gagnants du Loto. Dans une lettre postée mardi et ouverte à *Nice-Matin* par un huissier, l'inconnu annonce les résultats du tirage du lendemain ». On devine l'émoi que cause bientôt cette extraordinaire nouvelle. Pressé de questions, le quotidien explique ce qui s'est passé. La veille, un journaliste avait reçu une enveloppe avec la mention : « Expérience de voyance, à n'ouvrir qu'en présence d'un huissier. » Convoqué, celui-ci avait constaté que le cachet de la poste portait bien la mention : « 16h30, 24-01-1989 ». On avait donc ouvert l'enveloppe ; la lettre expliquait qu'il s'agissait d'une expérience destinée à prouver les dons de voyance de l'expéditeur, dons qu'il ne voulait en aucun cas utiliser à des fins bassement pécuniaires. Suivaient les numéros du Loto : c'étaient effectivement ceux qui avaient été tirés le lendemain.

Pourtant, malgré la croissance de l'intérêt public pour cette affaire, le mystérieux devin ne se manifestait pas. Jusqu'au jour où Henri Broch, professeur de physique à l'université de Nice, s'avança en déclarant être l'auteur de ce qui n'était qu'une malicieuse – et pédagogique – facétie destinée à montrer combien nous pouvions succomber facilement aux sirènes de l'irrationnel.

Voici comment il s'y était pris.

Sur une enveloppe que vous ne cachetez pas, vous collez une de ces étiquettes adhésives qui s'enlèvent sans laisser de traces ; sur cette étiquette, vous inscrivez vos nom et adresse. Puis, vous vous *postez à vous-même* cette enveloppe.

Nous sommes le 25 et vous voici en possession d'une enveloppe timbrée avec un cachet officiel qui assure qu'elle a été postée le jour précédent. Vous attendez de connaître les résultats du Loto tirés le soir même, puis vous rédigez la lettre expliquant vos dons de voyance, vos scrupules, l'expérience que vous tentez et votre « prédiction » désormais bien facile à faire. Vous retirez ensuite l'étiquette adhésive et inscrivez l'adresse de votre journaliste préféré sur l'enveloppe en ajoutant la mention : « Expérience de voyance, à n'ouvrir qu'en présence d'un huissier. » Vous insérez enfin la lettre dans l'enveloppe, vous la cachetez et allez vous-même la porter dans la boîte aux lettres de votre correspondant.

Ce que Broch a voulu mettre en évidence ici, c'est ce qu'il appelle joliment « l'effet paillasson », qui joue chaque fois que nous utilisons un mot, par habitude ou pour toute autre raison, pour désigner autre chose que ce à quoi il renvoie. « Essuyez vos pieds sur le paillasson », dit l'affiche ; mais personne n'essuie littéralement ses pieds, seulement ses chaussures ! Notre huissier a été victime d'un double effet paillasson : il pouvait constater la date à laquelle l'enveloppe (et non la lettre ; premier effet paillasson) avait été tamponnée (et non expédiée : deuxième effet paillasson).

Pour notre dernier exemple, faisons un peu de télépathie. Vous annoncez à votre auditoire que vous communiquez par télépathie avec votre ami Pierre, qui habite à des kilomètres d'ici. Pour le prouver, vous proposez de lui transmettre le nom d'une carte. Le paquet est fourni par l'auditoire, la carte est sélectionnée par une personne au-dessus de tout soupçon et les gens sont invités à exercer tous les contrôles qu'ils veulent sur la sélection de la carte. Disons qu'on a sélectionné le trois de trèfle. Vous vous concentrez et vous « émettez télépathiquement » ; vient le moment de téléphoner à votre récepteur. Un membre de l'auditoire sera chargé de le faire. Vous lui dites de demander Pierre Auger. Qui répond aussitôt : « Trois de trèfle ». Fantastique ? Pas du tout.

Votre récepteur n'avait jusque-là été identifié que par son prénom ; vous ne donnez de nom de famille qu'*après* la sélection de la carte. C'est votre code. Votre récepteur et vous avez en effet appris par cœur 52 noms de famille, correspondant aux 52 cartes. Pierre Auger ? Trois de trèfle. Pierre Lafleur ? Trois de cœur. Et ainsi de suite.

Voici une étonnante variante de ce truc, où le supposé télépathe téléphone lui-même à son récepteur. Les spectateurs voient ceci.

Le combiné est décroché et le numéro est composé. Le mentaliste dit :

— Pierre ? Un instant.

Il remet ensuite le combiné à un membre de l'auditoire à qui la personne au bout du fil dit quelle carte avait été choisie.

Avez-vous une idée de la manière dont le mentaliste s'y est pris ? La voici.

Dès qu'il a fini de composer le numéro, le téléphone sonne chez Pierre, qui le décroche aussitôt (prévenu de l'« expérience » en cours, il attend ce coup de téléphone).

Sitôt qu'il a décroché, il commence à dire les noms des cartes, dans l'ordre usuel et en marquant une brève pause entre chacun : un, deux, trois, et ainsi de suite, jusqu'au roi. Lorsque le nom de la bonne carte est prononcé, la personne qui appelle dit :

— Pierre ?

Pierre commence alors à réciter les symboles des cartes, toujours en marquant une brève pause entre chacun : cœur, carreau, pique, trèfle. Lorsque la bonne couleur est prononcée, la personne qui appelle dit :

— Un instant.

Bien des gens seront persuadés qu'ils ont vu de leurs yeux une personne faire de la télépathie.

Les magiciens ont joué un rôle très important dans l'examen des prétentions des paranormalistes, des pseudo-scientifiques et de leurs semblables. Ce fut d'abord le cas de Robert-Houdin, puis de Houdini lui-même. Aujourd'hui, James Randi et Penn & Teller, entre autres, poursuivent cette riche tradition. Les trois premiers ont publié de nombreux ouvrages sur leurs recherches. Des derniers, on pourra regarder l'amusante et instructive série télévisée *Bullshit*, disponible en DVD.

L'art étonnant du *cold reading*

L'art de la lecture à froid, ou *cold reading,* est un ensemble de techniques qui *semblent* conférer à celui ou celle qui les utilise efficacement des capacités étonnantes, voire tout à fait spectaculaires, par exemple : connaître intimement des personnes jamais rencontrées auparavant ; deviner certaines de leurs plus intimes pensées ; prédire avec une remarquable précision leurs projets et intentions ; décrire avec acuité leur personnalité ; communiquer avec des personnes décédées qui étaient proches des personnes pour qui est faite la lecture à froid ; et ainsi de suite.

Vous pourrez voir ces remarquables artistes dans les salles de spectacle, où ils travaillent sous le nom de magiciens ou de mentalistes. Sans dévoiler leurs trucs, bien entendu, ils admettront facilement donner un simple spectacle et avoir recours à des techniques pour créer l'illusion qu'ils réalisent vraiment les étonnantes prouesses qu'on leur prête.

Vous trouverez aussi des personnes qui produisent les mêmes effets en vous assurant qu'il n'y a pas de truc. Elles diront par exemple, invoquant un don qui reste mystérieux même à leurs yeux, qu'elles peuvent réellement parler aux morts, ou connaître vos pensées intimes. Ceux-là sont présents là où exercent les diseurs de bonne aventure, les astrologues, les chiromanciens et les cartomanciennes : en un mot, tous ceux et celles qui font commerce de la crédulité – et souvent de la misère – humaine. Mais ont-ils vraiment ce mystérieux pouvoir ? Notez qu'on nous demande ici de prouver une proposition existentielle négative (*il n'y a pas de X* ou *X n'existe pas*) et que cela est très difficile et même, au sens strict, logiquement impossible. Cependant, il est tout à fait possible de montrer que les mêmes effets peuvent être produits sans invoquer des « pouvoirs » spéciaux et par des moyens tout à fait ordinaires. Qui plus est, il est possible de tester ces personnes en les mettant dans des conditions où elles ne peuvent plus recourir aux moyens usuels que nous connaissons pour produire leurs effets. Si elles les produisent tout de même, ce sera une indication qu'elles n'ont pas recours à ces moyens... ce qui ne prouverait pas encore qu'elles ont des pouvoirs surnaturels, certes, mais pourrait inviter à des investigations plus approfondies.

Justement ! Toutes les personnes qui prétendent réaliser réellement les effets que les magiciens réussissent à produire avec le *cold reading* et qui prétendent donc, par exemple, communiquer vraiment avec les morts, n'ont qu'à le prouver pour devenir instantanément millionnaires ! Qu'attendez-vous ? En effet, le magicien Randi, par l'intermédiaire de la James Randi Foundation, offre depuis des années la somme d'un million de dollars (américains, s'il vous plaît) à quiconque pourra prouver, dans des conditions d'observation adéquates, posséder un pouvoir paranormal, occulte ou surnaturel quel qu'il soit – y compris celui de communiquer avec les morts et autres effets semblables habituellement produits par des techniques de lecture à froid. Les tests sont élaborés avec la participation des candidats et approuvés par eux. Sur son site, Randi explique :

> Dans la plupart des cas, on demande aux candidats d'accomplir une épreuve préliminaire simple montrant à l'œuvre ce qui est affirmé : en cas de succès, le test à proprement parler suivra. Ces épreuves préliminaires sont habituellement conduites par des associés de la Fondation, là où résident les candidats. [...] À ce jour, personne n'a encore jamais franchi l'étape de l'épreuve préliminaire.
>
> [L'adresse Internet de la James Randi Foundation est : http://www.randi.org/. Un équivalent francophone du travail de Randi peut être consulté à : http://www.zetetique.ldh.org.]

Revenons à la lecture à froid.

Son principe est le suivant. Le lecteur énonce d'abord des propositions vagues, voire contradictoires. Il va ainsi à la pêche, et puise pour cela dans ses importantes réserves de faits (il connaît, par exemple, les prénoms masculins et féminins les plus répandus pour telle ou telle année, des listes d'objets qu'on retrouve typiquement dans chaque domicile, etc.), de thèmes chers aux personnes qui consultent (l'argent, l'amour, la santé, la mort, etc.) et dans ce que lui indiquent divers indices comme l'apparence du sujet, ses manières, son langage et ainsi de suite. Ensuite, grâce à une savante perception des réactions du sujet, il raffine ses énoncés. Au total, le client, qui ne se souvient de toute façon que des prédictions qui se réalisent et oublie les échecs, *aura fourni lui-même les bonnes réponses* par lesquelles le charlatan aura « démontré » ses dons. Notons qu'il peut arriver que le « lecteur » ait obtenu d'avance les informations qu'il prétend lire, soit en circulant parmi les sujets avant la séance, soit en ayant un assistant qui aura écouté leurs conversations ou par divers autres moyens. En ce cas, on parlera de lecture à chaud.

Randi, analysant une lecture à froid de communication avec des morts, propose les exemples suivants – je paraphrase ici les explications du célèbre magicien.

Le lecteur lance :

– J'ai un homme plus âgé.

Notez d'abord qu'il s'agit d'une (pseudo) question, d'une suggestion et d'un lancer de ligne à pêche qui vise à susciter une réaction de la part du sujet. Celui-ci pourra opiner, donner un prénom ou un nom, ou identifier une personne (c'est mon père, mon frère, etc.) Mais ce sera lui-même qui fournira ces informations.

Le lecteur :

– On me dit Bob, ou Robert. Ça vous dit quelque chose ?

Ici encore, il s'agit d'un hameçon. S'il y a bien un Robert, le sujet va bonifier l'information. S'il n'y en a pas, le lecteur poursuit sur sa lancée, en assurant au sujet qu'il finira bien par l'identifier.

Le lecteur :

– Votre mari est-il mort après un long séjour à l'hôpital ou est-il décédé rapidement ?

Le sujet :

– Il est mort presque sur le coup.

Le lecteur :

– Oui. Parce qu'il me dit en ce moment même : « Je n'ai pas souffert. La douleur m'a été épargnée. »

Habile et efficace, non ? Surtout quand on s'adresse à des gens fragilisés par la perte d'un être cher.

Source : J. Randi, « The art of Cold Reading », http://www.randi.org/library/coldreading/.

Le *Cold Reading* met notamment en œuvre l'effet Forer (voir p. 205), ainsi qu'une forme de pensée sélective qui ne retient que ce qui confirme l'hypothèse privilégiée à laquelle le sujet désire ardemment croire. Cette technique semble très simple, elle est facile à décrire, mais il est ardu de la pratiquer de manière convaincante. Son efficacité est cependant si grande qu'on peut penser que nombre de ses praticiens sont réellement persuadés d'avoir un don.

De bons ouvrages existent pour qui voudrait en savoir plus. Par exemple, *The Full Facts Book of Cold Reading*, du mentaliste Ian Rowland, disponible à l'adresse suivante : http://www.ianrowling.com. L'auteur, un spécialiste de ces techniques, y dévoile quelques-uns de ses secrets. Mais vous pouvez aussi parler directement avec quelqu'un qui produit ces remarquables effets. Il vous suffit d'appeler l'un ou l'autre de ces services téléphoniques de « voyants » : la démonstration pourrait vous coûter aussi peu que 120 $ l'heure (le livre de Rowland est bien moins cher…).

3.2 Se souvenir

La mémoire est l'ennemie
presque irréconciliable du jugement.

Bernard Fontenelle

Le plus dur, pour les hommes politiques,
c'est d'avoir la mémoire qu'il faut
pour se souvenir de ce qu'il ne faut pas dire.

Coluche

Nos résultats montrent que changer les croyances ou les souvenirs peut avoir de lourdes conséquences sur les comportements ou les pensées futurs. Quand vous changez de souvenirs, cela vous *change.*

E.F. Loftus

La mémoire du passé n'est pas faite pour se souvenir du passé, elle est faite pour prévenir le futur. La mémoire est un instrument de prédiction.

Alain Berthoz

On a beaucoup étudié la mémoire en demandant aux sujets de mémoriser, par exemple, des listes de mots. Plus récemment cependant – dans les dernières décennies du vingtième siècle –, sous l'influence de la psychologie cognitive, on a développé de nouvelles méthodes et de nouvelles approches du sujet. Grâce à elles ont été faites d'importantes découvertes concernant la mémoire et son fonctionnement. Ces travaux, on va le voir, ont de cruciales conséquences pratiques. Quiconque souhaite assurer son indépendance intellectuelle ne peut se payer le luxe de les ignorer. Disons-le d'emblée : ici encore, ce qui est mis en évidence, c'est le caractère construit de nos souvenirs et l'influence que nos attentes, désirs, croyances et savoirs peuvent avoir sur eux.

Elizabeth Loftus fait ici figure de pionnière et ses résultats de recherche sont remarquables. Prenons-les comme point de départ[7].

Loftus s'est d'abord intéressée aux témoignages – par exemple ceux des témoins d'un crime ou d'un accident. Elle a montré à des sujets des films d'accidents de la route, puis les a questionnés de différentes manières sur ce qu'ils avaient vu. La formulation des questions influait étrangement sur les réponses que donnaient les sujets appelés à témoigner.

Par exemple, à la question : « À quelle vitesse les voitures allaient-elles quand elles se sont fracassées (*smashed*) ? » les gens donnaient, en moyenne, une vitesse estimée plus rapide que lorsque la question était formulée de manière plus neutre, par exemple ainsi : « À quelle vitesse les voitures allaient-elles quand elles se sont percutées (*hit*) ? » Mieux : à la suite de la première question, plus de gens assuraient avoir vu du verre brisé alors qu'il n'y en avait pas !

7. Elizabeth Loftus propose une très intéressante et accessible synthèse de ses travaux dans « Make-Believe Memories », *American Psychologist*, novembre 2003, p. 867-873.

D'autres travaux montrèrent par la suite que la mémoire pouvait être significativement faussée, et de manière prévisible, par diverses techniques servant à donner de l'information aux sujets sans qu'ils s'en rendent compte. Les effets de cette exposition à de la fausse information ont depuis été confirmés par des centaines de recherches, qui mettent en évidence ce qu'on appelle aujourd'hui l'effet *mésinformation.* Sans entrer dans les détails, donnons un exemple simple, tiré de l'article d'Elizabeth Loftus.

Les sujets voient un accident de voiture. À la moitié d'entre eux, on donne ensuite une fausse information sur l'événement : le panneau *Stop* qu'ils ont vu était un panneau *Céder*, c'est-à-dire un panneau demandant de céder le passage. À l'autre moitié, on ne donne pas cette fausse information. Au bout du compte, quand on demande aux sujets de se rappeler ce qu'ils ont vu, le souvenir des membres du premier groupe, de manière significative, sera qu'il y avait un panneau *Céder*, tandis que le souvenir des membres du deuxième groupe tendra, toujours de manière significative, à être plus exact. Les recherches montrent que ces résultats se transfèrent du laboratoire à la vie réelle : elles tendent même à montrer que l'effet *mésinformation* pourrait être accentué hors du laboratoire.

Sitôt qu'on prend connaissance de ces résultats, une question assez terrifiante se pose immanquablement : pourrait-on implanter de faux souvenirs ? Oui, bien sûr. Par exemple, avec la complicité de leur famille, on a pu implanter chez certains sujets le souvenir d'un événement qui ne s'est jamais produit. En certains cas, jusqu'à 25 % des participants ont cru à un souvenir d'enfance – avoir été perdu pendant une bonne période de temps dans un centre commercial. La plupart des recherches, rapporte Loftus, prouvent qu'une minorité significative de personnes développent des souvenirs totalement ou partiellement faux. Plus troublant encore : on a réussi à implanter ce que les chercheurs appellent de faux souvenirs substantiels, c'est-à-dire des souvenirs d'événements récents ou particulièrement hors du commun, voire exceptionnels. On a ainsi, avec de fausses publicités pour Disney World, implanté le faux mais vibrant souvenir d'une rencontre avec Bugs Bunny (qui n'est pas un personnage de Disney). Autre exemple de souvenir implanté : celui d'avoir observé une personne possédée par le diable !

Les implications pratiques de tous ces résultats sont aussi nombreuses qu'importantes. Sur le plan légal, par exemple, la principale cause de condamnations d'innocents (plus tard prouvées comme étant injustifiées par l'analyse de l'ADN) est le témoignage erroné. Ce qu'on a appelé le syndrome du faux souvenir procède du même mécanisme ; des psychothérapeutes ont pu, ainsi, amener leurs patientes à retrouver le souvenir de traumatismes (notamment sexuels) subis dans l'enfance. Or ces souvenirs, dans un nombre important de cas, étaient faux et implantés.

D'où, encore une fois, l'importance cruciale de distinguer le vrai du faux, le plausible de l'improbable, et de ne pas se fier exclusivement et aveuglément à notre mémoire dans cette tâche.

Une expérience de pensée

« Si vous désirez un exemple du caractère constructif de votre mémoire, essayez ceci. Rappelez-vous un moment, aujourd'hui, où vous étiez assis. Rappelez-vous où vous vous trouviez, comment vous étiez habillé, dans quelle position se trouvaient vos bras et vos jambes. Il y a de fortes chances pour que vous voyiez la scène de la perspective de quelqu'un qui en est spectateur, comme si vous vous observiez vous-même à la télévision. Mais un tel souvenir ne peut être entièrement exact, puisque durant cette expérience vous ne vous êtes jamais perçu à partir de cette perspective. Vous vous rappelez certaines choses et votre cerveau construit tout le reste, la perspective télévisuelle et ainsi de suite. »

T. Schick et L. Vaughn, *How to Think about Weird Things – Critical Thinking for a New Age*, p. 44.

Les plaisirs de la mnémotechnique et comment avoir en tête un calendrier universel

La mnémotechnique – le mot vient du grec « Mnêmê » (mémoire), tout comme le nom de Mnémosyne, fille d'Ouranos, déesse de la Mémoire et mère des Muses – désigne l'ensemble des techniques et procédés permettant un usage optimal de la mémoire. Pour retenir les premières décimales de la constante pi (π), par exemple, on aura recours à un poème dont le nombre de lettres de chaque mot coïncide, dans le même ordre, avec l'une de ses décimales. En voici les premiers vers :

> *Que(3) j(1)'aime(4) à(1) faire(5) apprendre ce nombre utile aux sages !*
> *Immortel Archimède, artiste ingénieur,*
> *Qui de ton jugement peut priser la valeur ?*

Tous les trucs mnémotechniques reposent fondamentalement sur les mêmes principes : indexer, passer à une tâche de mémoire plus simple, décomposer, élaborer.

En voici quelques-uns, parmi les plus courants.

Acronymes

On fait correspondre chacune des lettres d'un mot connu (c'est ce qu'on appelle un acronyme) ou les premières lettres des mots d'une phrase à une liste de mots à mémoriser.

Exemples :

homes (maisons, en anglais) est l'acronyme par lequel je mémorise les noms des Grands Lacs : Huron, Ontario, Michigan, Érié et Supérieur.

Mon Vieux, Tu M'as Jeté Sur Une Nouvelle Planète. Les premières lettres des mots de cette phrase permettent de mémoriser dans l'ordre les noms des planètes de notre système solaire : Mercure, Vénus, Terre, Mars, Jupiter, Saturne, Uranus, Neptune et Pluton.

On trouvera d'utiles capsules sur la mnémotechnique sur le site Web suivant : http://www.lecerveau.mcgill.ca/.

Les pièces de la maison

Les Anciens, par exemple les rhétoriciens, avaient recours à ce truc pour mémoriser une liste d'éléments. Il s'agit simplement d'imaginer chacun des éléments à un endroit précis d'une ou de plusieurs pièce(s) bien connue(s), que vous parcourez en imagination selon un plan précis et prédéterminé, toujours le même. Ce procédé a été attribué au poète Simonide de Céos (554-467). La légende veut que celui-ci ait récité des vers à un banquet tenu dans une maison dont le toit s'est ensuite écroulé, tuant tous les habitants de la maison et rendant tous les corps méconnaissables. Simonide a pu, de mémoire, dire qui était là en se souvenant de la place qu'occupait chacun.

Le calendrier universel

Les calculateurs prodiges font un constant usage de trucs mnémotechniques. Voici un exemple amusant de ce que l'on peut faire.

Soit la liste suivante :

Janvier	1
Février	4
Mars	4
Avril	0
Mai	2
Juin	5
Juillet	0
Août	3
Septembre	6
Octobre	1
Novembre	4
Décembre	6

On peut imaginer divers procédés pour aider à la retenir. Amusez-vous à en inventer un et apprenez cette liste par cœur.

Vous y êtes ? Vous avez à présent en tête un calendrier universel. Si on vous donne une date, vous direz aussitôt quel jour elle tombe – qu'il s'agisse d'une date située dans le passé ou dans l'avenir !

Soit par exemple le jour de la naissance de mon ami Pierre, né le 6 septembre 1951. Le procédé est le suivant :

1. Nous prenons les deux derniers chiffres de l'année et les divisons par 4, en excluant le reste. Ce qui nous donne ici : 51 / 4 = 12, reste 3 qu'on oublie.

2. Nous ajoutons le résultat (12) au chiffre dont nous sommes partis : 12 + 51 = 63.
3. À ce chiffre, nous ajoutons celui qui correspond au mois de naissance de Pierre dans le tableau mémorisé – soit 6, puisqu'il s'agit de septembre. Ce qui nous donne : 63 + 6 = 69.
4. Nous ajoutons ensuite la date de naissance, soit le 6 (septembre) : 69 + 6 = 75.
5. Ce nombre est finalement divisé par 7 : ce qui donne 10, avec un reste de 5.

Ce dernier résultat (5) nous indique le jour recherché, selon la liste suivante :

Dimanche	1
Lundi	2
Mardi	3
Mercredi	4
Jeudi	5
Vendredi	6
Samedi	0

Le 6 septembre 1951 était donc un jeudi.

Le truc vaut pour toutes les dates du XXe siècle, à condition de se rappeler de soustraire 1 à la valeur des mois de janvier et de février lorsqu'il s'agit d'années bissextiles – celles dont les deux derniers chiffres sont un multiple de 4. Rappelez-vous cependant que 1800 et 1900 ne sont pas des années bissextiles, tandis que 2000 en est une.

Le procédé utilise les propriétés des nombres modulo. Avec un peu d'entraînement, on parvient très rapidement à la réponse.

Je suis ici la méthode exposée par A. Benjamin et M. B. Shermer dans *Mathemagics : How to Look Like a Genius Without Really Trying*, p. 172-175.

3.3 Juger

Quatre hommes visitent l'Australie pour la première fois. En voyageant par train, ils aperçoivent le profil d'un mouton noir qui broute. Le premier homme en conclut que les moutons australiens sont noirs. Le second prétend que tout ce que l'on peut conclure est que certains moutons australiens sont noirs. Le troisième objecte que la seule conclusion possible est qu'en Australie, au moins un mouton est noir ! Le quatrième homme, un sceptique, conclut : il existe en Australie au moins un mouton dont au moins un des côtés est noir !

RAYMOND CHEVALIER
(*Québec Sceptique*, 1993)

La petite histoire contée par Chevalier nous rappelle à quel point il peut être difficile de juger conformément à l'évidence – bien plus difficile en fait qu'il n'y paraît. Dans les pages qui suivent, je voudrais justement montrer quelques preuves, parfois inattendues, de cette difficulté. Chacune constitue une mise en garde contre la tendance à s'en remettre trop vite et trop exclusivement à l'expérience immédiate pour former notre jugement.

Nous construisons des « théories » ou, si vous préférez, des « schémas explicatifs », pour comprendre et interpréter le monde qui nous entoure. Leur utilité est énorme : ils permettent de mettre de l'ordre dans notre environnement et d'y évoluer de manière efficace. Il arrive cependant que des faits imposent de revoir ces schémas.

Or divers phénomènes montrent que nous sommes parfois très malhabiles, voire récalcitrants, à le faire, ce qui nous conduit parfois à nier l'évidence. Cela s'explique en partie par certaines erreurs de raisonnement que nous connaissons déjà et sur lesquelles nous ne reviendrons pas ici – par exemple notre difficulté à évaluer les probabilités, ou encore une conclusion tirée de l'observation d'un trop petit nombre de cas ou de cas non représentatifs. Cela se traduira par une tendance à retenir volontiers des faits qui sont immédiatement disponibles, à ne considérer que certains d'entre eux, particulièrement spectaculaires ou frappants pour toutes sortes de raisons, au détriment de données plus fiables et dignes de confiance, mais aussi plus éloignées et moins extraordinaires. Si vous ne lisez que certains journaux, par exemple, vous croirez que le nombre de crimes contre la personne est chez nous en hausse fulgurante – alors qu'il diminue depuis des décennies.

Deux exemples de notre difficulté à évaluer les probabilités

Bon anniversaire... à vous deux !

Vous avez sans doute autour de vous 23 personnes qui vous sont suffisamment proches pour vous inviter à leur anniversaire. Comment évaluez-vous la probabilité de devoir refuser d'aller à la fête d'anniversaire d'une de ces 23 personnes parce que vous devez aller à celle d'une autre de ces mêmes personnes qui serait née le même jour et fêterait donc son anniversaire la même journée ? La plupart des gens pensent que cette probabilité est très faible. Mais voyons cela de plus près.

La première personne peut être née n'importe quel jour de l'année. Il y a donc 1 chance sur 365 que la deuxième personne soit née ce même jour, soit 364 chances sur 365 qu'elle soit née un autre jour. Poursuivons avec la troisième personne. Il y a maintenant 2 chances sur 365 qu'elle soit née le même jour que l'une ou l'autre des deux premières et 363 chances sur 365 qu'elle soit née un autre jour. Poursuivons pour 23 personnes puis effectuons les multiplications : 364/365 X 363/365... 342/365. Le résultat est 0,46 ou 46 %, ce qui est la probabilité qu'aucun anniversaire ne coïncide avec un autre. Il y a donc plus d'une chance sur deux (54 %) que deux anniversaires tombent le même jour parmi un groupe de 23 personnes. Ce résultat est inattendu pour le gros bon sens, qui a bien du mal à évaluer intuitivement ce genre de probabilités.

Si l'on en croit le physicien G. Gamow, qui s'amusait à poser ce petit problème à ses amis mathématiciens, la plupart de ceux qui se fiaient à leur intuition se trompaient. Connaître des outils mathématiques ne sert pas à grand-chose si on néglige de s'en servir !

Les faux positifs

Voici un autre exemple, vraiment spectaculaire, de notre difficulté à évaluer intuitivement des probabilités. Il est connu sous le nom de paradoxe des faux positifs.

Nous supposerons une grave maladie mortelle qui affecte 1 personne sur 1 000 au sein d'une population. Heureusement, des tests existent pour détecter cette maladie. Ces tests sont cependant légèrement imparfaits : ils détectent la maladie, lorsqu'elle est présente, dans 99 % des cas – et donc ne reconnaît pas un malade atteint dans 1 % des cas ; d'un autre côté, ils ne détectent pas de maladie, lorsqu'elle n'est pas présente, dans 98 % des cas – et déclarent donc malades, 2 fois sur 100, des gens qui ne le sont pas : ce sont eux qu'on appelle des faux positifs.

Le médecin annonce à un patient que son résultat au test est positif. La question est de savoir à quel point cette personne doit s'inquiéter. La plupart des gens penseront que c'est à peu près certain que ce patient a la maladie. Pourtant, il a seulement 1 chance sur 23 d'être vraiment malade... ce qui n'est certes pas une excellente nouvelle, mais admettez que c'est moins terrible que notre intuition nous le laissait prévoir.

Ce paradoxe devrait être connu et médité par ceux ou celles qui préconisent le dépistage obligatoire de certaines maladies.

Pour ceux que cela intéresse, voici la démonstration de cette étonnante conclusion.

Soit :

A : le patient a la maladie

B : le patient a un résultat positif au test

On peut écrire :

$P(A) = .001$

$P(B|A) = .99$

$P(B|\text{non}A) = .02$

Ce que nous cherchons est : $P(A|B)$

La réponse est donnée par la formule de Bayes :

$$P(A|B) = \frac{P(A)P(B|A)}{P(A)P(B|A) + P(\text{non}A)P(B|\text{non}A)}$$

Ce refus de l'évidence peut prendre des formes encore plus étonnantes, avec pour conséquence de nous amener à ne pas prendre en compte ce qui infirme nos convictions les plus chères ou, au contraire, à ne considérer que ce qui les confirme.

Nous en verrons ici quelques exemples.

3.3.1 De la dissonance cognitive

— J'ai fait ceci, dit ma mémoire.
— C'est impossible, dit ma conscience.
Et c'est ma mémoire qui cède.
F. NIETZSCHE

Le concept de dissonance cognitive a été proposé par Leon Festinger en 1957. Cette théorie est sans doute une simplification d'un phénomène beaucoup plus complexe, mais elle permet de cerner bien des aspects autrement étranges du comportement humain et de leur donner du sens. De plus, elle est d'une grande utilité pour expliquer comment il se fait que nous puissions nous leurrer nous-mêmes, ce qui nous intéresse particulièrement ici. En termes simples, voici ce dont il s'agit.

Imaginez une situation où vous entretenez deux idées, croyances ou opinions incompatibles. Par exemple, vous êtes très attaché à l'opinion X mais, simultanément, vous constatez bien que X est faux en vertu de faits observables. Ou encore, imaginez une situation où vos convictions sont en contradiction avec votre comportement. Il en résulte, inévitablement, une tension, un malaise. Selon la théorie de la dissonance cognitive, vous chercherez à faire disparaître ou à tout le moins à minimiser cette tension, de la manière la plus simple et la plus efficace possible.

Cela peut se faire de diverses manières. Par exemple, si nous jugeons un de nos comportements immoral ou stupide, nous pourrions changer de point de vue de manière à le trouver juste et sensé. Placées devant une nouvelle donnée, deux personnes adhérant à deux croyances opposées tendront chacune à y voir ce qui confirme sa propre position et à ignorer ce qui l'infirme. Notre capacité à inventer des raisons justifiant nos comportements autrement inacceptables à nos propres yeux joue un rôle de premier plan dans la dissonance cognitive. Celui qui se perçoit comme doux et humain trouvera à sa victime des défauts pour justifier la violence qu'il a utilisée à son encontre.

On l'aura compris : certains comportements autrement incompréhensibles peuvent être mis sous un éclairage fort instructif à l'aide de ces idées. Attardons-nous à un exemple célèbre, tiré justement d'un ouvrage de Festinger [8].

Au début des années 1950, une dame d'un certain âge, mademoiselle Keech, affirma recevoir des messages d'extraterrestres de la planète Clarion. Un jour, un de ces messages l'informa que le 21 décembre de cette année-là, la Terre serait détruite par un déluge effroyable, mais qu'un escadron de soucoupes volantes viendrait la sauver, ainsi que toutes les personnes qui seraient proches d'elle à ce moment.

Un groupe de fidèles s'attacha à la dame et attendirent la fin du monde en sa compagnie, en menant désormais une existence conforme à leur croyance : ils renoncèrent à tous leurs biens, quittèrent leurs emplois, se coupèrent de leurs amis et connaissances et ainsi de suite. Parmi ces disciples se trouvaient également, incognito, des psychologues, qui souhaitaient observer le comportement des membres du groupe, en particulier le 22 décembre. Ces psychologues notèrent que les membres du groupe étaient inoffensifs, doux, qu'ils refusaient toute publicité et toute entrevue dans les médias, ne faisant aucun prosélytisme, vivant sereinement dans l'ombre selon leurs convictions.

Le 20 décembre, la dame en question reçut un

8. L. Festinger, H.W. Riecken et S. Schachter, *When Prophecy Fails*, Harper & Row, New York, 1956.

nouveau message des habitants de Clarion, qu'elle transmit à ses adeptes : la fin approchait, ils devaient se tenir prêts, on viendrait les chercher à minuit précisément. En outre, ils ne devaient porter aucun métal sur eux. On retira donc boutons et fermetures éclair de tous les vêtements.

Minuit vint et passa. Durant les heures qui suivirent, le désespoir et le désarroi du groupe étaient palpables. Mais à 4h45, mademoiselle Keech reçut des « Clarioniens » le message que leur action et leur foi avaient sauvé le monde d'une calamité. En conséquence, leur transfert par soucoupe volante n'était plus nécessaire. Le groupe ne se tint plus de joie.

Ce qui se passa après cette nuit-là n'étonne que si on oublie le concept de dissonance cognitive.

Le groupe jusque-là discret se lança dans d'innombrables et passionnées campagnes pour faire connaître et défendre leurs idées. Son prosélytisme était sans bornes. Les membres du groupe contactaient les médias, donnaient des conférences, prononçaient des discours dans la rue. Leur foi en mademoiselle Keech s'était trouvée renforcée par ce qui s'était passé.

3.3.2 L'effet Forer

Cet effet très particulier doit son nom à B. R. Forer, un professeur de psychologie qui, dans les années 1940, s'est livré à une fascinante petite expérience.

Forer a d'abord fait passer à ses étudiants un test de personnalité. Puis il a remis à chacun la description écrite de sa personnalité, telle que le test permettait de l'inférer. Les étudiants devaient évaluer ce test et dire s'il leur semblait avoir cerné adéquatement leur personnalité en lui attribuant une note de 1 (la moins bonne) à 5 (la meilleure). Ils lui donnèrent en moyenne 4,2 sur 5, résultat confirmé par des centaines de répétitions de l'expérience. Quel test de personnalité remarquable, non ?

Non. En fait, Forer avait simplement recopié des bouts de phrases de prédictions astrologiques prises dans des journaux, en avait fait un texte suivi et avait remis ce texte à tout le monde. En d'autres termes, il avait remis *à chacun la même description de personnalité !*

En voici un passage :

> Vous avez besoin d'être aimé et admiré des autres et pourtant, vous démontrez aussi une tendance à être critique envers vous-même. Bien que vous ayez quelques faiblesses de personnalité, vous êtes généralement capable de les compenser. Vous possédez de considérables capacités, que vous n'avez pas encore fait fructifier. Extérieurement, vous paraissez discipliné et en contrôle, mais intérieurement, vous tendez à être inquiet et anxieux. Il vous arrive d'avoir de sérieux doutes quant à la justesse d'une décision que vous avez prise ou d'un geste que vous avez fait. Vous préférez une certaine dose de changement et de variété. Vous seriez mécontent si on vous imposait des limites et des restrictions. Vous vous flattez d'être un penseur indépendant et n'acceptez pas les affirmations des autres sans demander de preuve satisfaisante. Cependant, vous savez aussi qu'il est peu sage d'être trop franc en vous dévoilant aux autres. Vous êtes par moments extraverti, affable et sociable et à d'autres moments introverti, réservé, circonspect. Certaines de vos ambitions ont tendance à ne pas être réalistes[9].

9. B. R. Forer, « The Fallacy or Personnal Validation : A Classroom Demonstration of Gullibility », *Journal of Abnormal Psychology*, 44, p. 118-121. Cité par R. T. Carroll, *The Skeptic's Dictionary – A Collection of Strange Beliefs, Amusing Deceptions, and Dangerous Delusions*, p. 146-147. Traduction : Normand Baillargeon.

On l'aura compris, l'effet Forer est cette tendance à accepter comme nous concernant et à donner pour précises des descriptions ou analyses vagues et générales qui s'appliqueraient à n'importe qui.

En voici un autre exemple :

> Vous reconnaissez assez facilement que certaines de vos aspirations sont plutôt irréalistes. Vous êtes parfois extraverti, affable, sociable, mais à d'autres moments vous êtes plutôt introverti, circonspect et réservé. Il vous arrive de trouver peu sage de vous dévoiler aux autres. Vous êtes fier de votre indépendance d'esprit et vous n'admettez comme vraie l'opinion d'autrui que si des preuves satisfaisantes sont avancées. Il vous arrive de vous demander si oui ou non vous avez pris la bonne décision ou fait le bon geste ; autant vous paraissez extérieurement discipliné et en contrôle, autant à l'intérieur vous êtes inquiet et anxieux. Votre vie sexuelle n'a pas été sans vous poser des problèmes d'adaptation. Vous êtes généralement en mesure de compenser par certains traits forts de votre personnalité les quelques faiblesses qui la composent aussi. Vous disposez en outre de grands talents, que vous n'avez pas encore pu démontrer dans toute leur mesure. Vous avez une forte tendance à être très critique envers vous-même, ainsi qu'un immense désir d'être aimé et admiré des gens qui vous entourent [10].

Je pense qu'il est inutile de s'appesantir sur les immenses bénéfices, y compris matériels, que pourraient tirer de cet effet des personnes qui donneraient grâce à lui l'impression de pouvoir lire des tas de

10. C. Snyder *et al.*, « The P. T. Barnum Effect », *Psychology Today*, mars 1975, p. 52-54. Cité par T. Schick et L. Vaughn, *How to Think about Weird Things – Critical Thinking for a New Age*, p. 56-57. Traduction : Normand Baillargeon.

choses dans, disons, les lignes de la main, les tasses de thé, les astres, les cartes, le tarot, les matraques et j'en passe... si de telles personnes existaient, bien sûr.

3.3.3 L'épreuve de sélection de Wason

Notre tendance à rechercher des exemples qui confirment et à négliger ceux qui infirment une hypothèse est particulièrement bien mise en évidence avec cette épreuve.

On vous montre, déposées sur une table, quatre cartes dont les faces visibles indiquent :

D – F – 3 – 7

Chaque carte présente sur une face une lettre et sur l'autre face un chiffre. On vous demande ensuite quelles cartes vous devrez retourner pour vérifier que la règle suivante a été respectée : si une carte présente un D sur une face, alors elle doit avoir un 3 sur son autre face.

L'expérience, qui a fréquemment été réalisée et avec un grand nombre de sujets, montre qu'à moins d'avoir fait des mathématiques un peu avancées, de la logique ou de la programmation, la plupart de gens répondent D et 3, soit la première et la troisième carte. Ce n'est pas exact : il faut retourner la première et la dernière carte.

La première, parce qu'il pourrait y avoir autre chose qu'un 3 sur l'autre face, ce qui infirmerait l'hypothèse. On y aura certainement pensé, parce qu'on a cherché à confirmer notre hypothèse. De même, c'est pour confirmer l'hypothèse qu'on a retourné la troisième carte (le 3) : on cherchait un D de l'autre côté. Mais, pensez-y : cela ne changera rien quoi qu'il y ait de l'autre côté. L'hypothèse dit que s'il y a un D, alors il y a un 3 ; elle ne dit pas que s'il y a un 3, il doit y avoir un D !

La quatrième carte, par contre, est cruciale. S'il devait y avoir un D sur l'autre face, notre hypothèse serait réfutée. Le problème, c'est qu'on cherche justement moins à réfuter qu'à confirmer, et on la néglige donc.

Ce petit test amusant a été repris par des chercheurs en psychologie évolutionniste pour montrer que, si l'on raisonne sur un exemple mettant en jeu la détection de tricheurs, le raisonnement devient beaucoup plus facile.

Voyons de quoi il retourne pour conclure sur ce sujet.

On vous explique que vous travaillez comme responsable de la sécurité dans un bar. Ce bar est accessible à des jeunes de moins de 18 ans et à des adultes. Cependant, les jeunes gens ne doivent absolument pas consommer d'alcool. Si un jeune de moins de 18 ans était surpris à en consommer dans le bar, celui-ci perdrait aussitôt son permis. Votre tâche, en tant que responsable de la sécurité du bar, est de vous assurer qu'aucun jeune n'y consomme d'alcool. Heureusement, chaque client circule en portant, bien visible, une carte : sur une des faces on trouve un chiffre, qui indique son âge ; sur l'autre face, ce qu'il consomme.

Vous êtes dans le bar et vous remarquez les quatre cartes suivantes :

Cola Bière 28 16

Quelles cartes retournerez-vous pour vous assurer que personne ne consomme d'alcool illégalement ?

Notez que, bien qu'il soit facile et résolu par tout le monde, sur le plan formel, ce problème est exactement le même que le précédent. Ce que cela signifie exactement reste contesté [11]...

11. Des chercheurs en psychologie évolutionniste estiment que cela s'explique par le fait que, lorsque le problème est posé de la deuxième manière, un module de détection des tricheurs est

3.3.4 L'effet Pygmalion

Dans la mythologie grecque, le roi Pygmalion, malheureux de ne trouver aucune femme à la hauteur de ses espérances, fait construire une statue d'ivoire représentant, à ses yeux, la femme idéale (selon une autre version, il la sculpte lui-même). Mais il en tombe éperdument amoureux et son malheur est alors plus grand encore. Voyant cela, Aphrodite, la déesse de l'amour, vient à son secours en donnant vie à la statue et en la rendant amoureuse de Pygmalion.

On peut lire cette histoire comme une métaphore des rapports du créateur avec sa création, mais aussi comme un rappel du rôle que peuvent jouer nos attentes dans la définition d'autrui.

Bernard Shaw a fait de ce thème le sujet d'une de ses pièces les plus connues, intitulée justement *Pygmalion*. Le personnage principal, une jeune bouquetière, y déclare :

> Tenez, pour parler franchement, et mises à part les choses que tout le monde peut faire – comme s'habiller et parler correctement – la différence qu'il y a entre une vraie dame et une marchande de fleurs, ce n'est pas la façon dont elle se conduit, mais la façon dont elle est traitée. Pour le Professeur Higgins, je serai toujours une marchande de fleurs, parce qu'il me traite en marchande de fleurs et le fera toujours. Mais pour vous, je sais que je puis être une femme comme il

activé. L'idée de ces chercheurs est au moins plausible. En gros, elle est la suivante : notre espèce a évolué pendant des milliers d'années au sein de petits groupes où il fut très utile de savoir à qui faire confiance, cependant que les capacités et l'utilité de formaliser ce genre de problème en termes de logique abstraite ne sont venues que beaucoup plus tard. Notre cerveau est ainsi moins adapté à ce dernier genre d'opération.

faut, parce que vous me traitez comme une
dame et le ferez toujours [12].

Doit-on donner raison au mythe et au dramaturge ? Est-il vrai que nos attentes ont ce pouvoir et, si c'est le cas, dans quelle mesure ? Des arguments avancés par les sciences sociales incitent à répondre oui à la première de ces questions et à penser que ce pouvoir peut parfois être immense. En voici deux exemples, tirés l'un de la sociologie, l'autre de la psychologie ; ce dernier concerne particulièrement le monde de l'éducation.

Le sociologue Robert K. Merton (1910) a publié en 1948 un retentissant article dans lequel il proposait de baptiser prévisions autoréalisatrices (*self fulfilling prophecies*) des prédictions qui deviennent vraies du seul fait qu'elles sont avancées et qu'on les croit vraies. La Bourse peut sans doute être tenue pour l'archétype des institutions où se réalisent de telles prévisions autoréalisatrices. Prenons X, qui achète, comme tant d'autres, des actions parce qu'il pense qu'elles vont monter ; elles montent effectivement, du fait qu'ils en achètent – et inversement.

Le psychologue Robert Rosenthal, travaillant pour sa part avec des rats de laboratoire auxquels il enseigne à s'orienter dans un labyrinthe, s'est demandé si les croyances et les attentes des chercheurs par rapport à leurs sujets influent sur les performances de ces derniers. Pour le savoir, il a confié de façon aléatoire 60 animaux à 12 chercheurs, en disant à la moitié d'entre eux que leurs sujets étaient doués, aux autres qu'ils étaient stupides. Les résultats obtenus ont magistralement confirmé l'hypothèse d'un « effet Pygmalion » : les rats qu'on croyait doués ont progressé deux fois plus rapidement que les rats qu'on croyait stupides.

Un tel effet pourrait-il jouer en éducation avec des sujets humains ? C'est la question que Rosenthal s'est

12. B. Shaw, *Pygmalion*, acte V.

ensuite posée. Pour y répondre, il a conçu une des plus célèbres études de psychologie de l'éducation, portant justement sur les attentes des enseignants et le développement intellectuel des élèves. Les résultats ont paru en 1968 sous le titre *Pygmalion en classe*[13].

L'étude, menée par Robert Rosenthal et Leonore Jacobson, s'est déroulée à la Oak School, une école primaire. À tous les enfants de l'école – à l'exception des finissants – ainsi qu'aux enfants d'une école maternelle qui devaient aller à Oak School l'année suivante, on a administré un banal et peu connu test d'intelligence (le TOGA), en affirmant qu'il s'agissait d'un nouveau test développé à l'Université Harvard et permettant de reconnaître les enfants sur le point de connaître un « démarrage scolaire ». On a ensuite désigné au hasard un élève sur cinq en affirmant que le test l'avait repéré comme « démarreur ». L'hypothèse était évidemment que ceux-là feraient des progrès plus grands du fait que les enseignants en attendraient davantage de leur part. Cette prédiction semble avoir été confirmée lors du retest effectué une fois l'année scolaire écoulée, particulièrement pour les plus jeunes enfants. En effet, en première année et selon l'échelle de mesure utilisée, les démarreurs avaient connu une progression de 27,4 points, les autres de seulement 12 points ; en troisième année, ces chiffres étaient respectivement 16,5 et 7,0 ; aucune différence significative n'a cependant été constatée pour les enfants de la dernière année du primaire.

> En résumé, écrivent Rosenthal et Jacobson, on peut affirmer que, par ce qu'elle a dit, par la manière dont elle l'a dit, par le moment où elle l'a dit, par ses expressions faciales, par ses postures et par ses gestes, l'ensei-

13. R. Rosenthal et L. Jacobson, *Pygmalion in the Classroom*, Holt, Rinehart and Winston, New York, 1968.

gnante peut avoir communiqué aux enfants du groupe expérimental qu'elle s'attendait à une amélioration de leurs performances intellectuelles [14].

3.3.5 L'expérience de Milgram ou des méfaits possibles de la soumission aveugle à l'autorité

Nous sommes au milieu des années 1960, à l'Université Yale. Vous avez répondu à une petite annonce parue dans un journal et vous vous présentez au laboratoire de psychologie pour participer à une expérience portant sur les effets de la punition sur l'apprentissage. Un autre volontaire est là et un chercheur en blouse blanche vous accueille. Il vous

14. *Ibid.*, p. 180.

explique que l'un de vous deux va enseigner à l'autre des suites de paires de mots et qu'il devra le punir s'il se trompe, en lui administrant des chocs électriques d'intensité croissante. Un tirage au sort vous désigne comme le professeur. On vous conduit dans la salle où se tiendra l'élève et on vous montre la chaise où il sera assis ; on vous administre une faible charge électrique pour vous montrer de quoi il retourne. Vous êtes présent pendant qu'on installe l'élève sur sa chaise et qu'on lui place une électrode.

Vous retournez ensuite dans la pièce adjacente avec le chercheur qui vous a accueilli. Il vous installe devant la console que vous opérerez. Les chocs que vous donnerez s'échelonnent de 15 à 450 volts, progressant par 15 volts. Des indications sont inscrites à côté des niveaux : « choc léger », « choc très puissant : danger ». À partir de 435 volts, une seule inscription : XXX. L'expérience commence. Chaque fois que l'élève se trompe, vous administrez un choc, plus fort de 15 volts que le précédent. L'élève se plaint de douleurs à 120 volts ; à 150 volts, il demande qu'on cesse l'expérience ; à 270 volts, il hurle de douleur ; à 330 volts, il est devenu incapable de parler. Vous hésitez à poursuivre ? Tout au long de l'expérience, le savant n'utilisera que quatre injonctions pour vous inciter à continuer : « veuillez poursuivre » ; « l'expérience demande que vous poursuiviez » ; « il est absolument essentiel que vous poursuiviez » ; « vous n'avez pas le choix, vous devez poursuivre ».

Vous l'avez deviné : le tirage au sort était truqué, l'élève est un complice, un comédien qui mime la douleur. Bref, c'est vous qui êtes le sujet de cette expérience. Avant de la réaliser, Milgram a demandé à des adultes de la classe moyenne, à des psychiatres et à des étudiants jusqu'où ils pensaient qu'ils iraient. Il leur a aussi demandé jusqu'où ils pensaient que les autres iraient. Personne ne pensait aller, ou que les autres iraient, jusqu'à 300 volts. Mais lors de l'expérience menée avec 40 hommes, âgés de 20 à 55 ans, 63 % allaient jusqu'au bout, administrant des décharges de 450 volts.

Les détails de l'expérience, sur lesquels nous ne pouvons nous étendre ici, donnent froid dans le dos. L'expérience de Milgram a été abondamment commentée, reprise, discutée. Mais cette étude de la soumission à l'autorité reste une contribution incontournable à notre connaissance de la nature de l'autorité et de son pouvoir à nous faire agir de manière irrationnelle. La leçon que doit retenir le penseur critique est la suivante : ne jamais, jamais accepter de prendre part à une expérience de psychologie à l'Université Yale. Non, ce n'est pas ça. Bon… J'y suis : il faut penser avant d'obéir, toujours se demander si ce qu'on nous demande est justifié, même si la demande émane d'une autorité prestigieuse.

3.3.6 L'expérience de Asch ou des méfaits possibles du conformisme

Vous êtes encore une fois volontaire pour une expérience. On vous conduit dans une pièce où se trouvent neuf chaises disposées en demi-cercle. On vous installe sur l'avant-dernière et, peu à peu, tous les sièges sont occupés par d'autres participants. On vous projette alors deux cartes simultanément. Sur la première figure une seule ligne, de 8 pouces ; la deuxième comporte trois lignes, de 6, 8 et 10 pouces respectivement. On vous demande d'indiquer la ligne de la deuxième carte qui correspond à celle de la première. Facile comme tout ! Les participants situés à l'autre bout du demi-cercle se prononcent avant vous. Stupeur : ils ne donnent pas la bonne réponse. Tous optent pour la mauvaise ligne. Bien entendu, ce sont des complices, encore une fois. La question est : que ferez-vous lorsque ce sera votre tour de parler ?

Ici encore, les résultats de l'expérience, de manière récurrente, ont été troublants. Plus du tiers des sujets se ralliaient à l'opinion du groupe ; 75 % se ralliaient au moins une fois.

Moralité ? Le conformisme est dangereux et il faut toujours penser par soi-même. C'est difficile, parfois inconfortable, mais indispensable.

> Sitôt qu'un être humain obtient un Ph.D., il se produit un phénomène étrange dans son cerveau qui fait qu'il devient incapable de prononcer les deux phrases suivantes : « Je ne sais pas » et « Je me suis trompé ».
>
> James Randi

Arnaques

Les arnaques sont des gestes, des documents ou des artefacts destinés à tromper le public. Elles peuvent être sans conséquence et commises avec la seule intention de plaisanter ; mais elles peuvent aussi être mal intentionnées et destinées à soutirer quelque chose à la victime, en général de l'argent : l'arnaque est alors tout simplement une escroquerie. Malheureusement, c'est souvent le cas.

Les arnaqueurs proclament ne vouloir que votre bien… et ils

ont inventé de très nombreux moyens de l'obtenir. Il faut reconnaître qu'ils ont pour cela fait preuve de beaucoup d'ingéniosité. C'est d'ailleurs la première caractéristique d'une arnaque réussie que d'être bien pensée. Le plus souvent, les arnaqueurs misent, avec raison, sur la malhonnêteté du pigeon qu'ils s'apprêtent à escroquer : c'est la deuxième caractéristique d'une bonne arnaque. Voici un scénario typique d'arnaque qui permettra de voir à l'œuvre ces deux traits.

Deux arnaqueurs vont dans un quartier où ils volent un chien. L'un d'eux se présente dans un bar avec la bête tenue en laisse. Il commande à boire et engage la conversation avec le barman. Il lui glisse alors que ce chien vient de lui être laissé en seul héritage par une riche et vieille tante. Il ajoute que l'animal est un fardeau dont il se serait bien passé. Il explique encore qu'il est venu dans ce quartier, où il ne vient jamais, pour un rendez-vous d'affaires, où il doit conclure un lucratif contrat : mais il ne peut pas y emmener le chien. Le barman accepterait-il de le lui garder, juste une petite demi-heure ? L'arnaqueur sort ensuite, en laissant le chien au barman. Son complice fait alors son entrée. Très vite, il fait mine de remarquer le chien, s'y intéresse et s'approche enfin du barman : quelle magnifique bête, assure-t-il, et d'une race rare dont lui-même, ô hasard, est justement éleveur. Le barman accepterait-il de la lui vendre ? Il paierait un beau montant pour un tel animal. Mais le barman avoue qu'il ne peut pas conclure la vente : l'animal est à un client, qui doit d'ailleurs revenir sous peu. « Je n'ai guère le temps d'attendre », dit le client, « mais pour un tel animal, je peux bien patienter une demi-heure. »

Le temps passe et le propriétaire du chien ne revient pas. Une demi-heure s'écoule, puis une heure : à son grand regret, le client-éleveur de chiens doit partir. Il laisse sa carte au barman, en le chargeant de la remettre au propriétaire de l'animal : il n'aura qu'à téléphoner au numéro de téléphone qui y est inscrit si la transaction l'intéresse. Il sort.

Peu de temps après, le propriétaire du chien revient. Il est triste et abattu. Sa lucrative affaire ne s'est pas conclue. Il avoue qu'il a de sérieux ennuis financiers, qu'il n'a pas même de quoi payer son verre.

Les arnaqueurs font le pari que les événements vont ensuite se dérouler comme suit.

Le barman propose au client de payer ce verre et même de l'aider en lui achetant son chien. C'est que l'animal lui plaît bien : il a pu le constater en le gardant. Il lui en propose donc un certain montant. L'autre refuse d'abord, fait mine d'être outré :

l'animal, après tout, est un héritage de famille. On négocie donc. L'affaire se conclut et le client repart avec l'argent de la vente. Sitôt qu'il a franchi la porte, le barman appelle au numéro de téléphone inscrit sur la carte de l'éleveur : bien entendu, il n'y a pas de service à ce numéro.

L'Internet a fourni aux arnaqueurs des possibilités nouvelles et ouvert à leur ingéniosité les portes de tout nouveaux territoires. Qui n'a pas reçu par courriel cette pressante lettre d'un dignitaire d'un quelconque pays du tiers-monde sollicitant notre concours pour accéder à un compte en banque fabuleusement garni et nous promettant une portion du magot en échange de notre aide ? Mais pour cela il faut d'abord avancer une petite somme, afin de payer les faux frais. Dans des cas comme celui-ci, faire preuve de pensée critique peut vous épargner énormément d'argent et d'ennuis – quand ce n'est pas la vie.

Voici quelques questions qui aideront à repérer les arnaques envoyées par courriel :

- Le texte semble-t-il rédigé par l'auteur ? Est-il signé ? Si ce n'est pas le cas, méfiez-vous.
- Y trouve-t-on des déclarations d'authenticité, comme : ceci n'est pas une blague ou une légende urbaine ou un canular ? Si c'est le cas, méfiez-vous.
- Utilise-t-on avec abondance les lettres majuscules et les points d'exclamation ? Méfiance...
- Utilise-t-on un langage très émotif ? Méfiance...
- Les informations contenues dans le courriel sont-elles extraordinaires ? Données pour secrètes et inconnues de la plupart des gens ? Sont-elles trop belles pour être vraies ? Fait-on des promesses d'enrichissement rapide et sans danger ? De guérison miraculeuse ? Méfiance...
- Donne-t-on des sources ? Sont-elles crédibles ? Sinon, méfiance...
- Donne-t-on une adresse de réponse réelle ? Sinon, méfiance...
- Donne-t-on une adresse Internet ? Est-elle cohérente avec le reste du message ? Si, par exemple, le message provient d'une institution et vous demande de donner une information (disons, un mot de passe : ne le faites jamais !) à un site dont l'adresse n'est pas celle de l'institution en question : méfiance...
- Vérifiez sur Internet si ce message n'a pas déjà été repéré et dénoncé comme une arnaque.
- Portez une attention particulière à l'apparence générale du message. Les arnaqueurs s'efforcent que leurs envois

ressemblent à des documents authentiques, mais ils n'y parviennent pas toujours. Par exemple, la lettre de la banque peut contenir d'étranges et inhabituelles fautes d'orthographe ou de goût ; le logo utilisé peut être une simple copie et cela paraît ; et ainsi de suite.

Un site Internet répertorie ces arnaques (en anglais, *hoaxes*) : http://hoaxbusters.ciac.org/.

Au terme de ces analyses et réflexions, après toutes les informations et les résultats de recherche que nous avons examinés, que penser du recours à l'expérience personnelle dans la justification des croyances ? Je pense que nous en soupçonnons désormais mieux les limites et je soumets à votre approbation la conclusion suivante, proposée par Schick et Vaughn :

> Les limites de notre expérience personnelle – le caractère constructif de la perception, de la mémoire, les effets du stress, l'impact des attentes et des croyances, l'attention sélective, notre difficulté à évaluer les probabilités, la validation subjective, les états de conscience altérée et bien d'autres encore – nous conduisent [au principe suivant] :
>
> Il est raisonnable d'accepter l'expérience personnelle comme une source fiable de données, seulement s'il n'y a pas de raison de douter de sa fiabilité.
>
> Parmi les raisons d'en douter on compte, en plus de celles qui ont été notées : les mauvaises conditions d'observation (mauvaise visibilité, mauvais éclairage, faibles stimuli, circonstances inhabituelles et ainsi de suite) et tout ce qui diminue physiquement l'observateur (l'alcool, les drogues, la fatigue, une mauvaise vue, une mauvaise ouïe et ainsi de suite) ou qui entre en conflit avec d'autres propositions que nous avons de

bonnes raisons de tenir pour vraies[15].

Cette dernière phrase mène évidemment à la question suivante : quelles sont ces propositions que nous avons de bonnes raisons de tenir pour vraies et, dès lors, quels savoirs sont suffisamment certains pour qu'on puisse espérer surmonter les limites du recours à l'expérience personnelle ? La science empirique et expérimentale apportera une réponse à ces questions. C'est sur elle que nous allons à présent nous pencher.

Mais auparavant, je voudrais clore cette section en vous proposant un outil de pensée critique fort utile lorsqu'une proposition « fantastique » est soumise à notre approbation sur la base d'un témoignage : il s'agit de la célèbre maxime de Hume.

3.3.7 Un outil précieux : la maxime de Hume

La friponnerie et la sottise humaine sont des phénomènes si courants que je croirais que les évènements les plus extraordinaires naissent de leur concours plutôt que d'admettre une violation invraisemblable des lois de la nature.

David Hume

Dans un texte intitulé « Des miracles », le philosophe David Hume est intervenu dans les débats théologiques qui secouaient son époque. Il y proposait un remarquable argument pour aider à évaluer les prétendus miracles. Cet argument peut être appliqué à toutes les affirmations extraordinaires ; c'est donc l'un des plus efficaces outils à la disposition du penseur critique.

Les diverses religions, remarque Hume, avancent toutes des miracles comme autant de preuves de leur vérité. Cependant, ces miracles doivent être crus sur

15. T. Schick et L. Vaughn, *How to Think about Weird Things – Critical Thinking for a New Age*, p. 61.

la base de simples témoignages, puisque la plupart des gens n'en ont été ni les témoins, ni les « bénéficiaires ». Or qu'est-ce qu'un miracle ?

Par définition, explique Hume, il s'agit d'une violation, attribuée à la volonté divine, des lois de la nature. Notre confiance en ces lois de la nature est fondée sur l'expérience ; elle est donc faillible. Mais le témoignage qui rapporte le miracle est lui-même fondé sur l'expérience. Ce que nous devons comparer, ce sont les probabilités respectives de deux événements : d'abord, la probabilité qu'il y ait bien eu violation des lois de la nature ; ensuite, la probabilité que le témoin (ou l'un ou l'autre des transmetteurs de l'information) se soit trompé ou tente de nous tromper. Sitôt qu'on pose le problème de cette manière, qui est la bonne, on conclut que la deuxième hypothèse est la plus plausible. On peut en effet invoquer en sa faveur bien des choses apprises par expérience, comme la fragilité du témoignage de nos sens, la contradiction de témoins, l'incohérence entre les allégations de miracles des diverses religions (qui ne peuvent pas être toutes simultanément vraies), le désir de merveilleux et celui de croire, le plaisir de penser avoir été choisi comme témoin d'un miracle, le désir de tromper et ainsi de suite.

Laissons la parole à Hume :

> Un miracle est une violation des lois de la nature, et comme une expérience ferme et inaltérable a établi ces lois, la preuve que l'on oppose à un miracle, de par la nature même du fait, est aussi entière que tous les arguments empiriques qu'il est possible d'imaginer. Pourquoi est-il plus probable que tous les hommes doivent mourir, que du plomb ne puisse pas rester suspendu dans les airs, que le feu consume le bois et qu'il soit éteint par l'eau, sinon parce que ces événements se révèlent en accord avec

les lois de la nature et qu'il faut une violation des lois de la nature, ou en d'autres mots un miracle, pour les empêcher ? Pour que quelque chose soit considéré comme un miracle, il faut qu'il n'arrive jamais dans le cours habituel de la nature. Ce n'est pas un miracle qu'un homme, apparemment en bonne santé, meure soudainement, parce que ce genre de mort, bien que plus inhabituelle que d'autres, a pourtant été vu fréquemment. Mais c'est un miracle qu'un homme mort revienne à la vie, parce que cet événement n'a jamais été observé, à aucune époque, dans aucun pays. Il faut donc qu'il y ait une expérience uniforme contre tout événement miraculeux, autrement l'événement ne mérite pas cette appellation de miracle. Et comme une expérience uniforme équivaut à une preuve, il y a dans ce cas une *preuve* directe et entière, venant de la nature des faits, contre l'existence d'un quelconque miracle. Une telle preuve ne peut être détruite et le miracle rendu croyable, sinon par une preuve contraire qui lui soit supérieure.

La conséquence évidente (et c'est une maxime générale qui mérite notre attention) est : « Aucun témoignage n'est suffisant pour établir un miracle, à moins que le témoignage soit d'un genre tel que sa fausseté serait plus miraculeuse que le fait qu'il veut établir ; et même dans ce cas, il y a une destruction réciproque des arguments, et c'est seulement l'argument supérieur qui nous donne une assurance adaptée à ce degré de force qui demeure, déduction faite de la force de l'argument inférieur. » Quand quelqu'un me dit qu'il a vu un mort revenir à la vie, je considère immédiatement en moi-même s'il est plus probable que cette personne me trompe ou soit trompée, ou que le fait qu'elle relate ait réellement eu lieu. Je soupèse les deux miracles, et selon la supériorité que je découvre, je rends ma décision et rejette toujours le plus grand miracle. Si la fausseté de son témoignage était plus miraculeuse que l'événement qu'elle relate, alors, et alors seulement, cette personne pourrait prétendre commander ma croyance et mon opinion [16].

Cet argument peut et doit être généralisé, parce qu'il a un champ d'application bien plus large que les seuls miracles confrontés aux lois de la nature. Jean Bricmont reformule ainsi ce qu'on pourrait appeler la « maxime de Hume élargie » :

> Il faut [...] poser la question suivante aux scientifiques tout autant qu'aux diseuses de bonne aventure, aux astrologues et aux homéopathes : quelles raisons me donnez-vous de croire que la véracité de ce que vous avancez est plus probable que le fait que vous vous trompiez ou que vous me trompiez ? Les scientifiques peuvent répondre en invoquant des expériences précises ainsi que – ce qui est plus évident pour le profane – les applications technologiques auxquelles leurs théories donnent naissance. Mais, pour les autres, une telle réponse n'existe pas.
>
> De plus, question aussi soulevée par Hume, comment affronter le problème posé par la multiplicité des doctrines fondées sur des arguments de type miraculeux ? Si je dois croire à l'homéopathie, pourquoi ne pas croire aux guérisons par la foi qui ont la même efficacité de l'autre côté de l'Atlantique que l'homéopathie chez nous ? Pourquoi adhérer à notre astrologie plutôt qu'à celles du Tibet ou de l'Inde ? Toutes

16. David Hume, *Enquête sur l'entendement humain*, (1748), section 10 : « Des miracles », première partie.

> ces croyances sont fondées sur des témoignages qui sont également valides et, par conséquent, également invalides. Ou, pour le dire autrement, tous ceux qui nous apparaissent comme crédules dans nos sociétés sont souvent très sceptiques dès qu'on leur parle de croyances provenant d'outre-mer. Leur position est inconsistante, parce que les raisonnements qui justifient leur scepticisme envers les croyances exotiques, ils ne les appliquent pas à celles qui leur ont été inculquées dans l'enfance ou qui sont répandues dans leur environnement immédiat [17].

Carl Sagan a pour sa part proposé le corollaire suivant, et il s'agit ici encore d'une maxime d'or : « Des affirmations extraordinaires demandent des preuves qui sont elles-mêmes extraordinaires [18]. »

17. http://pseudo-sciences.org/editos/251.htm.

18. Sagan a, pour la première fois, proposé cette formulation dans la série télévisée *Cosmos*.

Chapitre 4

La science empirique et expérimentale

Ce n'est pas tant ce que le scientifique croit qui le distingue que comment et pourquoi il le croit.

BERTRAND RUSSELL

Si j'ai appris une chose au cours de ma vie, c'est que toute notre science, confrontée à la réalité, apparaît primitive et enfantine – et pourtant c'est ce que nous possédons de plus précieux.

ALBERT EINSTEIN

Le remplacement de l'idée que les faits et les arguments ont de l'importance par celle que tout n'est qu'une question d'intérêts personnels et de perspective est – après la politique étrangère américaine – la plus caractéristique et la plus dangereuse manifestation de l'anti-intellectualisme de notre temps.

LARRY LAUDAN

Introduction

La science occupe une place importante mais singulière dans notre culture. D'une part, il n'y a guère d'aspect de notre vie qui n'ait été influencé par elle

– plus précisément par les technologies issues de la science. D'autre part, ses résultats, concepts et méthodes semblent pourtant n'avoir que bien peu pénétré les consciences et restent, trop largement encore, étrangers au grand public.

Cela explique peut-être en partie qu'il existe toujours une surabondance de croyances pseudo-scientifiques et même antiscientifiques, dont la persistance et la propagation restent à bien des égards énigmatiques. Paradoxalement, il n'est pas rare de voir des partisans de ces pseudo-sciences se réclamer de la science et de la rationalité aussitôt après les avoir décriées. La science est réductrice et oppressive, dira l'astrologue ; mais l'astrologie, du moins la sienne, est bien une science.

Finalement, la rationalité elle-même, celle que la science s'efforce précisément de mettre en œuvre, est aujourd'hui l'objet d'attaques de fond en certains milieux... intellectuels et académiques. En général, la science et la raison sont alors données pour de sordides masques idéologiques couvrant diverses dominations – occidentale, mâle, capitaliste, etc. De telles analyses débouchent parfois sur l'affirmation d'un relativisme qui tend la main aux doctrines paranormales et ésotériques et selon lequel la science n'est qu'un discours parmi d'autres, une simple « construction sociale » et politique, sans aucun accès privilégié à la vérité. On justifie volontiers une telle conclusion par l'énorme difficulté (qu'on fait passer pour une impossibilité) à énoncer précisément et d'une manière philosophiquement satisfaisante ce qu'est la science, comment elle fonctionne et comment ses résultats sont obtenus et vérifiés – toutes tâches que se propose d'accomplir, mais sans y être parvenue entièrement, une discipline appelée l'épistémologie (du grec *epistêmê*, savoir et *logos*, discours, étude ; l'épistémologie est l'étude critique de la science, de ses principes, méthodes et conclusions).

Terribles difficultés de l'épistémologie

Au début du XXe siècle, pensant, avec raison, que la science est une entreprise rationnelle, des penseurs crurent aussi, à tort cette fois, que la (nouvelle) logique formelle jointe à une théorie empiriste de l'origine et de la justification de la connaissance suffiraient à en décrire et à en expliciter pleinement la rationalité. Ils durent convenir que ce n'était pas le cas. Pour vous montrer le genre de difficulté terrible et inattendue que l'on a pu rencontrer en épistémologie, considérez l'exemple suivant, appelé paradoxe de Hempel.

Comment les scientifiques finissent-ils par tenir une proposition pour (probablement) vraie ?

Interrogez à ce sujet des scientifiques peu versés en épistémologie et ils vous répondront en général que des données réunies confèrent une probabilité croissante à une proposition : « Pour commencer, une proposition est avancée (ici, peu importe comment) à titre d'hypothèse. Des données sont ensuite réunies (encore une fois, peu importe comment). Si celles-ci confirment l'hypothèse, sa probabilité s'accroît. Sinon, elle décroît. »

Le sens commun se retrouve aisément dans cette description, qu'un exemple célèbre, impliquant des corbeaux, permettra de mieux saisir.

Notre hypothèse sera que tous les corbeaux sont noirs. Supposons l'observation d'un corbeau, dont on constate qu'il est noir ; cette observation confirme l'hypothèse. Doit-on la tenir pour vraie ? Certes pas, bien évidemment, puisqu'un seul corbeau ne saurait permettre une généralisation portant sur tous les corbeaux.

On pressent sans doute la difficulté : c'est qu'un nombre fini d'observations, même immense, ne pourra jamais, en toute logique, permettre absolument une généralisation portant sur tous les corbeaux. Mais laissons cela pour le moment. L'important est que cette observation d'un corbeau noir nous paraît bien conférer une certaine plausibilité à l'hypothèse que tous les corbeaux sont noirs, plausibilité qui s'accroîtra avec les observations d'autres corbeaux présentant eux aussi la propriété d'être noirs.

Un étonnant paradoxe se dessine, qui a été étudié par le logicien et philosophe Carl Hempel. Ce paradoxe met justement en cause la conception intuitive de la confirmation que je viens de décrire.

Hempel utilise une loi logique du calcul des propositions, appelée contraposition. Cette loi est assez facile à comprendre : elle dit simplement que la proposition « si ceci, alors cela » est logiquement identique à la proposition « si non cela, alors non ceci ». Ce n'est pas très clair ? Voyons cela de plus près. Partons de la proposition conditionnelle, comme disent les logiciens : « si P alors Q » ; pour faire plus concret, disons : « s'il pleut, alors le trottoir est mouillé ». Sa contraposition est « si non Q, alors non P » ; donc : « si le trottoir n'est pas mouillé, alors il ne pleut pas ».

Revenons à nos corbeaux. Notre hypothèse dit : « si quelque chose est un corbeau, alors il est noir ». Sa contraposition est : « si quelque chose n'est pas noir, alors ce n'est pas un corbeau ». Or, puisque cette contraposition est logiquement identique à la proposition de départ, toute observation qui confirme l'une doit nécessairement confirmer l'autre. Pour bien le comprendre, imaginons une boîte contenant des chaussettes. Cette boîte est située au sommet de votre garde-robe et vous ne pouvez pas voir à l'intérieur : vous devez vous contenter de retirer une à une les chaussettes pour les observer. Vous cherchez à vérifier l'hypothèse que toute chaussette noire est de la taille 9. Vous retirez une chaussette de la boîte : elle est noire et c'est du 9. L'hypothèse est confirmée. Vous retirez une nouvelle chaussette : elle est bleue et c'est du 7. Que concluez-vous ?

Le paradoxe de Hempel surgit ici. Puisque la proposition : « Tous les corbeaux sont noirs » est équivalente à : « Tout objet non noir est non corbeau », il semble que nous devons conclure que l'observation d'une grenouille verte confirme que tous les corbeaux sont noirs ! En fait, nous devons conclure que toute observation d'un objet quelconque, pourvu qu'il ne soit pas noir, confirme que tous les corbeaux sont noirs ! ! !

Mais n'est-il pas étrange de devoir conclure, au terme de ce qui semble une logique inattaquable, que l'on puisse pratiquer l'ornithologie directement de sa cuisine en observant, disons, des ustensiles multicolores ? Et s'il est vrai que nous venons de simplifier considérablement le travail des ornithologues, qui n'ont plus à se déplacer pour pratiquer leur science, quel prix doit-on payer cette simplification ! Car nos ennuis ne s'arrêtent pas là. Comme mes astucieux lecteurs l'auront remarqué, l'observation d'une grenouille verte confirme non seulement que tous les corbeaux sont noirs, mais aussi, avec la même implacable logique, que tous les corbeaux sont blancs.

Le drame d'une certaine épistémologie actuelle, franchement irrationaliste, est que constatant que ces tentatives de reconstruction de la rationalité de la science avaient échoué, des « théoriciens », parfois peu outillés pour réfléchir sur la science, conclurent à tort que la science n'est pas une entreprise rationnelle.

J'ai exposé ma position sur ces épistémologies irrationalistes dans : « Contre le charlatanisme universitaire », *Possibles*, vol. 26, n° 2, été 2002, p. 49-72.

On l'aura deviné : les questions que la science (et la pseudo-science) soulèvent sont nombreuses et complexes et il sera impossible ici de les aborder toutes ou même d'en traiter ne serait-ce que quelques-unes à fond. Cet ouvrage, plus modestement, voudrait donner à ceux qui désirent adopter un point de vue critique par rapport à la science et aux pseudo-sciences *quelques balises* pour commencer à se situer face à tout cela ainsi que *quelques outils* d'autodéfense intellectuelle. Vous aurez ainsi les moyens d'exercer un jugement critique devant les recherches scientifiques, les extravagantes théories épistémologiques que vous ne manquerez pas de rencontrer si vous vous aventurez dans ces eaux et, finalement, devant ces bizarres ou extraordinaires « théories » qui se proposeront à vous.

Je procéderai en quatre temps.

Pour commencer, je voudrais donner une petite idée, toute simple mais bien concrète, de ce que font les scientifiques quand ils mettent à l'épreuve des hypothèses. En effet, la science est entre autres une manière de poser des problèmes et d'interroger le réel pour y trouver des réponses. Je présenterai à cette fin trois concepts que vous devriez maîtriser : l'expérimentation avec contrôle de variables, l'expérimentation avec groupe de contrôle et l'expérimentation en double aveugle.

Suivront quelques clarifications conceptuelles autour de l'idée de science. J'avancerai une définition de la science empirique ou expérimentale, ainsi que des définitions de certains autres concepts nécessaires à l'apprenti épistémologue.

En vous proposant une série de questions à poser, je vous donnerai ensuite des balises qui vous seront utiles pour évaluer la validité de résultats de recherche qui vous sont présentés.

Enfin, la dernière partie de ce chapitre présente un modèle qui vous aidera à évaluer ces théories bizarres que les adeptes du paranormal ou de l'ésotérisme nous demandent d'accepter, et cela, avec une fréquence qui semble ne donner aucun signe de ralentissement.

4.1 La science et l'expérimentation

Imaginez que vous êtes à la tête d'un organisme comme celui de Randi dont j'ai parlé plus haut. Votre Fondation Matraque promet un prix de 50 000 $ à quiconque démontre des pouvoirs paranormaux ou occultes. Posons une autre convention : c'est vous-même, de votre poche, qui payeriez tout éventuel gagnant.

Ce matin, justement, vous recevez la lettre d'un candidat. Cet homme pratique la rhabdomancie : il est sourcier.

Sa lettre mentionne qu'à l'aide d'une baguette de bois ordinaire (traditionnellement, elles étaient de coudrier ou de noisetier), il parvient à repérer l'eau située sous la terre. En effet, explique-t-il, lorsqu'il se promène en tenant sa baguette devant lui à bout de bras, celle-ci se met subitement à bouger, de manière tout à fait perceptible. C'est le signe que de l'eau se trouve sous ses pieds ; si on creuse à cet endroit, on est certain d'en trouver.

Votre correspondant s'étonne que vous donniez ce prix – et il espère que ce n'est pas une farce – mais il se réjouit de pouvoir l'empocher. Il comprend qu'il vous faudra des preuves avant de faire le chèque, mais dans le cas de la radiesthésie, un art très ancien, elles ne manquent pas. Toutes les sociétés l'ont pratiquée et reconnue depuis la nuit des temps : c'est donc que ça marche !

En ce qui le concerne, pendant sa longue carrière, il a permis d'installer près de quinze puits. Il joint à sa lettre la liste des propriétaires de terrains qui possèdent un puits grâce à lui et à ses baguettes, et qui tous pourront témoigner en sa faveur. Votre correspondant vous rappelle qu'il est d'ailleurs bien connu des habitants des environs, qui savent tous qu'il est sourcier, que son art réussit à tout coup et qui font appel à lui chaque fois qu'ils doivent creuser un puits. Suit son adresse, où il vous demande de faire suivre le chèque au plus vite.

Le payerez-vous ?

Vous demanderez sûrement des preuves auparavant et vous aurez bien raison.

Procédons par ordre.

Votre correspondant avance des arguments pour soutenir une conclusion. Pour réfléchir avec clarté, il vous faut d'abord déterminer précisément quelle est cette conclusion, puisque c'est là la thèse qu'il soutient et en faveur de laquelle il avance des arguments. Il vous faut ensuite les trouver, ces arguments, et déterminer s'ils sont valables.

Votre candidat semble affirmer que le pouvoir de détecter de l'eau à l'aide d'une baguette de bois existe, et que lui-même possède ce pouvoir. Il invoque en faveur de cette conclusion que cet art est pratiqué depuis longtemps et que lui-même le pratique avec succès. Devrez-vous vous contenter de cela et le payer ? Bien sûr que non. D'abord, la thèse soutenue n'est pas très claire : où ? quand ? comment ? dans quelles conditions ? Sitôt qu'on la lit, des tas de questions viennent à l'esprit. Vous savez parfaitement, en outre, que des choses connues et admises depuis longtemps, et tenues pour vraies par des individus, des groupes ou des sociétés tout entières, se sont révélées fausses. Vous savez aussi avec quelle facilité les gens peuvent se leurrer eux-mêmes, peuvent se tromper, peuvent mal voir, mal se souvenir, mal juger et ainsi de suite. Vous savez également que de faux témoignages sont toujours possibles.

Compte tenu de tout cela, vous décidez d'enquêter. Vous retrouvez dix témoins parmi ceux que le candidat a nommés. Ils semblent dignes de foi et tous vous assurent que votre candidat a bien trouvé l'emplacement de leur puits. Le payez-vous, en ce cas ?

Vous ne devriez pas. Si vous êtes prudent, vous vous direz que même s'il était vrai que le candidat a correctement indiqué où se trouvait l'eau dans tous ces cas, d'autres facteurs ont pu jouer. Vous ne pouvez pas exclure, par exemple, qu'il ait trouvé de l'eau simplement par chance. Ou parce qu'il y en avait partout sur le terrain où il cherchait, à diverses profondeurs. Ou parce qu'il est très habile, consciemment ou non, à repérer des indices qui permettent raisonnablement de penser qu'il se trouve de l'eau à un endroit donné.

Comme vous ne pouvez pas exclure de telles explications, et que celles-ci rendent tout aussi bien compte de ce que l'on a observé que l'explication proposée par le sourcier, vous voudrez donc, avant de payer votre candidat, vous assurer que ces facteurs, ou d'autres encore, n'expliquent pas son apparent succès. Conformément au rasoir d'Ockham, vous voudrez chercher l'explication la plus économique, celle qui vous impose de postuler le moins d'entités possible : pourquoi faire intervenir un étrange pouvoir autrement inconnu là où des facteurs simples et bien connus suffisent à expliquer ce qu'on observe ?

Un puissant rasoir

Pluralitas numquam est ponenda sine neccesitate. Ce qui signifie : « La pluralité ne doit pas être postulée sans nécessité » ou encore « On ne doit pas multiplier les êtres sans nécessité ».

Cette maxime a été attribuée à Guillaume d'Ockham (vers 1285-1349), moine franciscain qui fut le plus important philosophe de son temps. Excommunié par le pape Jean XXII, Ockham répondit par un traité démontrant que le pape était un hérétique.

Souvent connu sous le nom de rasoir d'Ockham, ce principe est devenu un des apports majeurs de la pensée médiévale à la pensée critique. Cependant, il est douteux que le moine aurait souscrit aux usages que la pensée moderne devait faire de son célèbre rasoir. Au point de départ, le principe de parcimonie est utilisé dans le contexte de la Querelle des Universaux ; Ockham (avec bien d'autres) le met au service de la thèse nominaliste. Mais dans la pensée moderne, le rasoir d'Ockham devient un principe de parcimonie ou d'économie. Ce principe, à la fois méthodologique et ontologique, recommande de rechercher l'explication la plus simple, de retenir l'hypothèse par laquelle on postule le moins d'entités possible. Fort utile en sciences, ce principe l'est tout autant dans l'examen des prétentions de certains parascientistes. On ne peut pas prouver qu'il n'y a pas eu de visite d'extraterrestres ayant, disons, construit les pyramides d'Égypte ou érigé les statues de l'île de Pâques ; mais si on parvient à rendre compte de ces phénomènes sans faire intervenir les Martiens, cette explication, plus simple, doit être privilégiée.

En réfléchissant à tout cela, vous sentirez probablement le besoin de préciser quelle affirmation vous devez tester, de même que les conditions précises du test et les résultats qui confirmeraient la validité de l'affirmation de départ. Vous y êtes ? Vous commencez à voir les difficultés qui se posent quand on cherche à élaborer une méthode ? Vous commencez en ce cas à poser le problème comme on le fait en sciences. Notez qu'on peut dire – c'est assez vrai – que cette manière de penser et de chercher comment tester une idée, qui est celle de la science, est essentiellement la manière de penser du commun des mortels face à des problèmes courants. La seule différence, c'est qu'elle est menée cette fois avec une rare rigueur et de manière obstinée.

On voit que cette idée d'expérimentation est assez simple dans son principe. En somme, il faut chercher à vérifier si ce qui est allégué est réel, présent, avéré, etc. Mais dans les faits, le procédé peut être très complexe, essentiellement parce qu'il est difficile d'observer et parce qu'il faut s'assurer que c'est bien ce qu'on présume être présent qui a joué dans ce qu'on observe. Cela est parfois étonnamment compliqué.

Examinons trois modalités de la vérification expérimentale, qui nous feront connaître certaines de ces difficultés tout en nous montrant autant de manières d'essayer de les surmonter. Il s'agit de l'expérimentation avec contrôle de variables, de l'expérimentation avec groupe de contrôle et de l'expérimentation en double aveugle. Je pense que cela donnera une idée assez juste de ce que font les scientifiques. Après quoi, nous tenterons de définir le concept même de science un peu plus précisément.

4.1.1 L'expérimentation avec contrôle de variables

Revenons à notre radiesthésiste.

Nous voulons limiter autant que possible les autres explications potentielles du résultat et constater s'il se produit toujours dans ces conditions. Pour cela, on pourra mettre sur pied une expérimentation avec contrôle systématique des variables.

Randi, comme bien d'autres avant et après lui, a justement testé des sourciers. Le protocole choisi, qui a été accepté par les sourciers testés, était le suivant. À la campagne et sur un terrain apparemment sans indices de présence d'eau mesurant 10 mètres par 10 mètres, on a enfoui, à une cinquantaine de centimètres sous terre, trois tuyaux de plastique partant d'un point A et allant à un point B selon des trajets différents. L'eau circulait dans un seul tuyau à la fois. Son débit avait été convenu avec les sourciers. Ceux-ci devaient, à l'aide de leurs baguettes, déterminer le trajet de l'eau et l'indiquer à l'aide de piquets. Le protocole prévoyait ce qui compterait pour un succès et ce qui compterait pour un échec – par exemple, à compter de quelle distance du tuyau une marque devait être considérée bonne. On remit 30 piquets à chacun des candidats. Chaque sourcier avait droit à trois essais. Passons sur les autres détails du protocole, mais notons que cette manière de faire permet des analyses statistiques. Par le seul jeu du hasard, n'importe qui laissera un certain nombre de bonnes marques. Les sourciers doivent donc faire mieux que le hasard pour qu'on puisse penser que quelque chose d'autre joue dans leurs performances. Avant le test, les sourciers déclarèrent par écrit leur accord avec ces conditions et leur confiance de passer le test avec un succès total – affirmant même être convaincus de pouvoir correctement placer (presque) tous les piquets.

On n'a cependant pas eu à faire d'analyses statistiques lorsque Randi a testé quatre sourciers en Italie, du 22 au 31 mars 1979 [1]. Le premier a d'abord correctement placé 1 piquet sur 30, puis 2 sur 30 ; puis il abandonna, choisissant de reprendre son premier parcours comme troisième essai, ce qui lui permit de placer 6 piquets sur 30. C'était donc un échec.

Le deuxième plaça correctement 2 piquets sur les 58 qu'il planta.

Le troisième déclara forfait avant de commencer.

Le dernier mit lui-même fin au test.

Randi n'a eu aucun chèque à faire ce jour-là.

Des tests semblables effectués avec des sourciers arrivent constamment au même résultat. Que signifie-t-il ? D'abord qu'il faut se méfier des simples témoignages ; ensuite que le pouvoir prétendu ne s'est pas manifesté – ce qui ne veut pas dire qu'on a démontré qu'il n'existe pas ; enfin, qu'il serait intéressant de chercher à expliquer ce qui se passe quand des sourciers pratiquent leur art. Ils trouvent peut-être de

1. Cette expérimentation est relatée dans J. Randi, *Flim-Flam ! Psychics, ESP, Unicorns, and other Delusions*, chap. 13.

l'eau parce qu'il y en a de toute façon, mais comment expliquer le mouvement de leur baguette ?

Pour tout vous dire, l'explication la plus plausible de ce phénomène est que nous sommes en présence d'un effet idéomoteur. En gros, par (auto)suggestion, le sujet accomplit de minuscules mouvements involontaires et inconscients. Le type même d'outil qu'utilisent les sourciers (une branche en Y qu'ils tiennent par les deux bouts du Y, la tige inférieure, celle qui « réagit », étant pointée devant eux) invite à le penser : tenue de la sorte, la baguette est très instable et réagit fortement, parce qu'elle les amplifie, aux moindres petits mouvements de poignets.

Mais vous avez un autre candidat. Allons voir de quoi il s'agit cette fois.

4.1.2 L'expérimentation avec groupe de contrôle

La personne qui réclame le prix a inventé une *pyramide électromagnétique pignoufienne*. Il joint la photo. On y voit quelques bouts de métal qui composent effectivement la forme d'une pyramide. Le candidat explique que cette pyramide recueille l'énergie cosmique des grands maîtres égyptiens et qu'elle est capable d'effectuer de très grandes choses. Pour le moment, il a notamment découvert qu'elle prolonge la vie de ses rasoirs, l'énergie en question préservant et restaurant miraculeusement les lames. Il assure qu'une lame qui durait auparavant 10 jours peut maintenant être utilisée pendant 20 jours.

Payez-vous ?

Vous aurez raison de demander des preuves. Après tout, à l'évidence, si cet inventeur a des raisons de croire en son produit, vous n'avez, vous, aucune raison de penser que cette énergie putative existe. Vous pouvez donc raisonnablement penser qu'il est très possible que l'homme se rase plus longtemps avec une lame qui est aussi usée qu'avant, mais qu'il imagine être en meilleur état. Vous avez d'ailleurs un ami sceptique qui s'est procuré, pour rire, la même pyramide. Il n'a constaté aucune différence. Ici encore, ses convictions ont peut-être joué contre la détection de l'effet présumé de la pyramide.

Ce qu'il faudrait, c'est un moyen de comparer l'état dans lequel se trouvent deux lames identiques après un usage en tous points pareils, à une seule exception près : la première lame serait conservée dans la pyramide, l'autre non. De la sorte, on pourra penser que si une différence substantielle est observée, alors la pyramide a bien joué un rôle. Notez qu'il faudrait faire ce genre de test sur plus de deux lames. En effet, vous ne voudriez pas qu'on ait par hasard retenu une lame meilleure que les autres ou pire que les autres. Pour éliminer ces effets du hasard, on considérera donc un grand nombre de lames.

De très nombreux et difficiles problèmes techniques et méthodologiques ne tarderont pas à se présenter. On devra par exemple s'assurer que les deux groupes (les lames sous pyramide et les lames qui ne sont pas sous pyramide) sont identiques, qu'il s'agit d'échantillons pris au hasard et en nombre suffisant. Avec des lames, c'est assez facile, mais supposons qu'il s'agit d'une étude portant sur des êtres humains ? Constituer de tels échantillons n'est souvent pas une mince affaire. Il faut aussi pouvoir s'assurer que les traitements que subiront les deux ensembles de lames soient identiques en tous points – sauf l'exposition à la pyramide, bien sûr. Il faut enfin disposer d'une mesure objective de l'usure des lames.

Admettons que vous parveniez à satisfaire toutes ces conditions. Vous aurez alors ce qu'on appelle une expérimentation avec groupe de contrôle. C'est un des hauts standards de la science et une de ses gloires. Vous en comprenez déjà un peu le principe, je pense, qui est simple : on constitue deux groupes, l'un dit expérimental, l'autre de contrôle. Ils sont identiques, sauf pour le traitement que l'un reçoit (le groupe expérimental) et que l'autre ne reçoit pas (le groupe de contrôle, ou témoin). On compare ensuite les résultats, et on analyse les différences à l'aide de techniques statistiques, qui permettent de déterminer si la différence observée est réelle et significative et à quel degré.

Dans ce genre d'études, j'insiste, il faut porter une grande attention à la constitution des groupes. S'ils ne sont pas identiques, on pourra soupçonner qu'autre chose que le traitement a joué dans les différences observées. Considérez par exemple la recherche suivante, en éducation, qui est parue dans une revue réputée, qui est abondamment citée dans la littérature et qui est une de sources de la réforme de l'éducation actuellement menée au Québec. Activez votre détecteur de poutine et cherchez dans sa description des raisons de croire qu'elle n'est peut-être pas valide :

> Dix classes de deuxième année ont participé à un projet qui a duré une année. L'instruction donnée était généralement compatible avec une théorie socioconstructiviste du savoir et avec les récentes recommandations du National Council of Teachers of Mathematics (NCTM). À la fin de l'année scolaire, on a comparé les résultats de ces dix classes à ceux de huit classes n'ayant pas participé au projet ; la comparaison s'est faite à l'aide d'un test standardisé et d'instruments conçus pour évaluer l'habileté en calcul, le développement conceptuel en arithmétique, les objectifs personnels des élèves ainsi que leurs opinions quant à ce qui explique le succès en mathématiques.
>
> Les élèves de cette étude fréquentaient trois écoles, qui comprenaient chacune des classes participant au projet et d'autres n'y participant pas. Les ratios des classes-projet

> par rapport aux classes non-projet dans ces écoles étaient respectivement de 5/2, 3/2 et 2/4. La direction de chacune des écoles a assigné de manière hétérogène les élèves à des classes de deuxième année, sur la base de résultats obtenus en lecture. Ces écoles desservaient une population presque exclusivement caucasienne provenant d'un large éventail de milieux socio-économiques. Dix enseignants de deuxième année se sont portés volontaires pour prendre part au projet et utiliser les activités prévues pour l'enseignement. Les enseignants des groupes ne participant pas au projet ont quant à eux utilisé le manuel de deuxième année d'Addisson-Wesley (1987) pour leur enseignement. Tous enseignaient les mathématiques durant environ 45 minutes par jour [2].

Vous avez trouvé ? Bravo ! En effet, en confiant les classes du groupe expérimental à des volontaires, vous garantissez que les groupes ne seront pas comparables. La raison est évidente : on n'a pas contrôlé un biais possible et des personnes qui se portent volontaires pour une telle recherche sont par définition particulièrement intéressées et motivées. Elles vont donc très vraisemblablement obtenir de meilleurs résultats que des collègues moins motivés, quelle que soit la méthode d'enseignement retenue. Comme on ne peut pas exclure que ce facteur ait joué, la recherche n'a donc pas de valeur scientifique.

L'expérimentation avec groupe de contrôle est utilisée partout où on le peut – par exemple pour évaluer les traitements médicaux. Pour contrôler des biais, en ce cas, les sujets reçoivent tous un traitement (par exemple, une pilule identique), mais sans savoir s'ils

2. P. Cobb *et al.*, « Assessment of a Problem-Centered Second-Grade Mathematics Project », *Journal for Research in Mathematics Education*, n° 22, 1991, p. 2-29.

font partie du groupe de contrôle ou du groupe expérimental. Ceux qui sont dans le deuxième groupe reçoivent le médicament ; les autres ne le reçoivent pas – on leur donne par exemple une pilule de sucre, ou placebo (du latin, qui signifie *je plairai*).

Mais un autre correspondant vient de prendre contact avec vous. Cette fois, ça semble très sérieux. Ça se passe en Europe et il s'agit d'un cheval appelé Hans. Tenez-vous bien : ce cheval sait compter, donner une date et des tas d'autres choses encore, réellement fabuleuses ! Ça ne s'annonce pas très bien pour votre compte en banque... Votre correspondant vous dit que des chercheurs sérieux ont testé Hans et n'ont pas réussi à rendre compte de ce qui se passe par des explications usuelles : aucun truc, aucune tricherie, rien. Hans répond 12 en tapant 12 fois du sabot quand son maître lui demande d'additionner 6 et 6 ! Il faut donc croire que Hans est un cheval savant. C'est certain, vous devrez sortir vos sous ! Mais avant de payer le propriétaire du cheval, vous décidez d'aller voir par vous-même.

L'histoire de ce cheval appelé Hans-le-Malin (*Clever Hans*) est réelle, fascinante et riche d'enseignements méthodologiques [3].

4.1.3 L'expérimentation en double aveugle

En vous rendant sur place, vous réfléchissez à un test que vous avez fait l'année passée. Il s'agissait d'un groupe de policiers convaincus de pouvoir converser avec les morts par l'intermédiaire d'un jeu appelé Oui Ja.

3. Sur le phénomène que ce cas célèbre a permis de mettre à jour, on pourra lire : T. Sebeok et R. Rosenthal (dir.), *The Clever Hans Phenomenon : Communication with Horses, Whales, Apes, and People*, Annals of the New York Academy of Sciences, vol. 364, New York, 1981.

Vous vous souviendrez qu'il s'agit d'une simple table de jeu, lisse, sur laquelle figurent des lettres et des chiffres. Un participant dépose ses mains sur une petite planchette reposant sur trois pattes minces et qui glisse donc facilement sur la surface du jeu. Il pose une question à un mort et la planchette se déplace toute seule, au dire du joueur : elle va ainsi, dans le bon ordre, sur chacune des lettres qui composent la réponse du mort!

— Caporal Leclerc, votre plus grand regret? demande le policier.

— Les matraques. Plus encore que les chaussettes à clous, mon Lieutenant!

Vous avez alors pensé que l'effet idéomoteur pourrait expliquer ce que vous observiez et vous avez eu une très bonne idée afin de le vérifier. Si c'est l'interlocuteur qui déplace la planchette comme l'affirme le joueur, avez-vous songé, il répondra encore correctement même si le joueur ne connaît pas la réponse ou ne voit pas le jeu. Supposons par exemple que l'on bande les yeux du joueur. Selon ce qu'il affirme, cela ne devrait rien changer au résultat et le « mort » devrait continuer à composer la bonne réponse à l'aide de la planchette. Supposons encore que le policier qui interroge ne parle pas le grec ancien et prétende s'adresser à Platon : on pourrait demander à quelqu'un de poser les questions à Platon en grec ancien, langue que lui parlait très bien, et le prier de répondre dans cette langue. (Vous avez alors noté qu'il faudrait demander à tous ceux qui communiquent avec des extraterrestres ou avec toutes sortes d'esprits doués et puissants, de nous revenir de temps en temps avec des déclarations précises, vérifiables et étonnantes et pas seulement avec ces pompeuses et vagues généralités qu'ils profèrent toujours.) Testés de la sorte, à leur grand étonnement, les policiers avaient lamentablement échoué : ils répondaient des suites de lettres sans signification et produites au hasard.

Le mois suivant, vous aviez été invité à témoigner dans un procès impliquant des parents d'une enfant autiste. Ceux-ci accusaient une thérapeute de pratique frauduleuse de la médecine et de leur avoir soutiré de l'argent en entretenant de faux espoirs. La thérapeute prétendait pouvoir communiquer avec leur enfant autiste : par l'intermédiaire d'un clavier d'ordinateur, l'enfant, dont elle tenait la main, tapait des réponses à des questions. Elle disait par exemple aimer très fort ses parents, déplorer être enfermée de la sorte dans son corps et ainsi de suite. Imaginez l'émotion... Pareille chose aurait réellement été fantastique. Mais les parents ont commencé à avoir des doutes. Appelé pour témoigner, vous avez rappelé votre expérience avec le Oui Ja et invité à tester plus rigoureusement. Ici encore, quand on posait à l'enfant des questions dont elle seule était censée connaître la réponse, l'effet extraordinaire ne se produisait plus.

Vous songez donc que c'est peut-être une méthode de ce genre qu'il faudrait pour tester Hans. Après tout, le cheval décèle peut-être des mouvements, des hésitations, des pincements de lèvres de la part de son maître et il les interprète correctement comme autant de signes qu'il doit cesser de taper du sabot. Vous concevez un test reposant sur cette idée. Vous avez mis dans le mille ! Hans est bien un cheval remarquable, mais pas pour les raisons qu'on imaginait. De fait, il n'est pas nécessaire de supposer qu'il connaît l'algèbre pour expliquer son comportement.

Ce que vous avez conçu est ce qu'on appelle une expérimentation en double aveugle. Supposons qu'il s'agit de tester un médicament : non seulement les sujets ignoreront s'ils font partie du groupe expérimental ou du groupe témoin (c'est un cas d'aveugle simple), mais celui ou celle qui administrera le test (qui donnera leurs médicaments ou placebos aux sujets) ou celui ou celle qui évaluera les résultats l'ignorera également afin de ne pas, même involontairement, fournir aux participants des indices qui pourraient influencer les résultats.

Les remarques précédentes ne font qu'effleurer un sujet immensément vaste. J'espère qu'elles auront tout de même donné une petite idée de ce que signifie adopter une attitude et une méthodologie scientifiques. En effet, la science est notamment caractérisée par cet effort de chercher publiquement et systématiquement à connaître le monde que j'ai tenté de faire comprendre.

Mais par science on entend aussi bien d'autres choses qu'une simple orientation méthodologique. Tentons à présent de déblayer un peu tout cela.

4.2 Science et épistémologie

La science permet bien de répondre, avec rigueur et objectivité, à certaines questions. Mais celles-ci ne sont pas les seules questions qui méritent d'être posées, ni les seules questions importantes que l'humanité se pose, encore moins les seules auxquelles elle a profondément besoin de répondre.

Manon Boner-Gaillard

Je suis bien conscient d'aborder ici des problèmes techniques et difficiles, dont un bon nombre sont d'ailleurs toujours chaudement débattus par les spécialistes. Mais il me paraît nécessaire dans un ouvrage comme celui-ci de donner au moins quelques balises sur ces questions. Les personnes qui voudront prolonger leur étude trouveront dans la bibliographie proposée à la fin de cet ouvrage de quoi s'orienter dans l'abondante littérature épistémologique.

Il serait bon de rappeler d'abord que le mot « science » est polysémique et que bien des confusions et des polémiques seraient évitées si on était plus prudent en l'utilisant. C'est ainsi qu'on parle parfois de la science pour désigner en fait ses applications pratiques et techniques. On devrait plutôt parler, alors, de techniques, de technologies ou de sciences appliquées.

Qu'est-ce donc que la science ?

4.2.1 La science et les sciences

La science est d'abord un mode de connaissance visant l'objectivité, qu'elle cherche à atteindre par divers moyens. Parmi ceux-ci figurent ces méthodes logiques et empiriques dont j'ai essayé de donner plus haut un aperçu, mais aussi la systématisation de ses observations, la mathématisation et l'univocité de ses concepts, le caractère public et répétable de ses expérimentations. La science est toutefois une entreprise humaine et faillible. Même si certaines propositions scientifiques nous semblent en pratique et pour d'excellentes raisons des certitudes, toutes les propositions scientifiques sont en droit révisables. Autrement dit, la vérité scientifique est faillible, parce qu'il n'y a pas en science, comme en religion ou en pseudo-science, de certitudes absolues : on n'y trouve que des propositions qui pourraient finalement devoir être révisées.

La science étudie des phénomènes, c'est-à-dire des objets construits et mis en évidence par elle. Souvent, même, la simple observation de ces phénomènes demande un effort intellectuel considérable pour acquérir les connaissances nécessaires. Elle suppose également un appareillage complexe et, psychologiquement, une rupture avec notre connaissance et nos modes de pensée ordinaires en tant qu'ils portent sur les objets qui nous sont donnés dans l'expérience ordinaire. Voici des exemples simples : la mécanique classique affirme que tous les corps tombent selon la même loi ; la loi d'inertie affirme que les corps en mouvement rectiligne uniforme poursuivent leur mouvement rectiligne uniforme si aucune autre force n'agit sur eux ; et ainsi de suite. Tout cela est élémentaire, mais déjà profondément contre-intuitif par rapport à notre savoir ordinaire, qui est conçu dans notre expérience immédiate.

La science cherche à connaître des phénomènes. Pour cela, elle établit entre eux des relations constantes exprimées par des lois. Ces phénomènes et ces lois sont à leur tour expliqués et compris dans de vastes réseaux de concepts interreliés appelés des théories. Si on peut raisonnablement dire que la méthode scientifique est un prolongement particulièrement obstiné et résolu du sens commun, on aura compris que les connaissances obtenues par elle ne sont en rien communes. De plus, les faits, les lois et les théories scientifiques sont souvent contre-intuitifs, voire parfois même rebutants et difficiles à admettre pour notre bon sens commun. Finalement, par ces lois et ces théories, la science est parfois capable de prédire ou même de contrôler les phénomènes qu'elle étudie, en manipulant leurs causes et leurs effets.

Toutefois, cette première caractérisation de la science comme connaissance ne nous dit rien de la diversité des sciences. Il faut en toucher un mot [4].

On pourra commodément distinguer sciences formelles et sciences factuelles. Les premières, soit la logique et les mathématiques, ne disent rien du monde empirique, ne s'intéressant, si on peut dire, qu'à la forme des propositions. Le fait de savoir que la proposition logique P ou non-P, qui peut être traduite comme « il pleut » ou « il ne pleut pas », est valide, ne dit rien du temps qu'il fait.

Les sciences factuelles, pour leur part, portent sur les faits du monde : la zoologie, l'anthropologie, la biologie, la mycologie, la chimie sont des sciences factuelles. Parmi elles, il est d'usage de distinguer les sciences humaines ou sociales et les sciences de la

4. Je reprendrai ici, par commodité, les critères de classification proposés par Robert Blanché dans *L'Épistémologie*, PUF, Paris, 1981.

nature. Certaines disciplines se laissent mal classifier dans l'une ou l'autre de ces catégories – l'anthropologie physique ou la psycho-biologie humaine, par exemple.

On distingue encore les sciences selon leurs méthodes. Ainsi, les sciences formelles utilisent une méthode particulière, qui consiste à poser des systèmes d'axiomes à titre d'hypothèses et à en déduire des théorèmes en s'assurant que les systèmes obtenus sont conformes à certains critères formels (cohérence, complétude, etc.). On dira que les sciences formelles utilisent la méthode hypothétique-déductive. Certaines sciences factuelles doivent parfois se contenter d'observer ; l'astronomie classique, par exemple, était une science d'observation. Mais elles aspirent à expérimenter et à pouvoir contrôler leurs expérimentations, ce que plusieurs parviennent à faire.

On pourra encore distinguer les sciences selon leur statut ou, si on préfère, leur degré de développement. Ce dernier va croissant dans le temps, vers une abstraction toujours plus grande. Certaines sciences sont simplement taxinomiques, c'est-à-dire qu'elles se contentent de classifier des observations. La mycologie (l'étude des champignons) est une science taxinomique. Au degré suivant, les sciences sont inductives et commencent à établir des lois et des généralisations. Avec l'apparition de théories qui permettent de subsumer des phénomènes et des lois et de les expliquer, certaines sciences deviennent ensuite déductives. Finalement, lorsque les concepts, les lois et les théories d'une science factuelle sont tellement développés et assurés qu'on peut en faire une présentation hypothétique-déductive, alors cette science est devenue axiomatisée.

4.2.2 Trois importants fondements de la science empirique et expérimentale

La science empirique et expérimentale repose sur au moins trois présuppositions raisonnables, mais indémontrables au sens strict du terme.

On pourra formuler ces trois idées comme ceci [5] :

1. Il existe un monde réel, indépendant de nous, de nos croyances, représentations, sentiments, opinions, cadres conceptuels et ainsi de suite.
2. Certaines de nos propositions décrivent (des états de) ce monde réel ; elles sont en principe vraies ou fausses, selon que ce qui est affirmé est conforme ou non à ce qui s'observe véritablement dans le monde réel.
3. Nous pouvons communiquer aux autres ce que nous pensons avoir découvert du monde, et les autres peuvent à leur tour entreprendre de le vérifier.

La première idée est celle du réalisme extérieur. Il s'agit de cette attitude métaphysique adoptée par la plupart des gens et par presque tous les philosophes et les scientifiques. Cette idée n'est pas une thèse sur le monde ou sur la meilleure manière de le connaître, mais la condition préalable de toute connaissance. Elle est en outre l'hypothèse la plus simple et la mieux confirmée qui permet d'expliquer la régularité du monde extérieur. Martin Gardner la présentait ainsi :

> Si vous demandez pourquoi tous les scientifiques, tous les philosophes et tous les gens ordinaires, à de rares exceptions près, ont

5. Cette présentation est inspirée de John Searle, *Mind, Language, and Society. Philosophy in the Real World*, p. 1-37. Un exposé plus systématique se trouve dans *The Construction of Social Reality*, *passim*, chap. 7-9.

> été et sont toujours des réalistes impénitents, laissez-moi vous le dire. Aucune conjoncture scientifique n'a été confirmée de manière aussi spectaculaire. Aucune autre hypothèse n'offre d'explication aussi simple de la raison pour laquelle la galaxie d'Andromède est de forme spiroïdale sur tous les clichés, de la raison pour laquelle tous les électrons sont identiques, de la raison pour laquelle les lois de la physique sont les mêmes à Tokyo qu'à Londres ou sur Mars, qu'elles étaient présentes avant que la vie n'apparaisse et seront toujours présentes si toute vie s'éteint, de la raison pour laquelle n'importe qui peut prendre un cube en fermant les yeux et compter huit coins, six faces et douze arêtes, et de la raison pour laquelle votre chambre vous paraît la même que celle dans laquelle vous vous êtes éveillé hier matin [6].

La deuxième thèse, celle de la vérité-correspondance, affirme que nos propositions qui se rapportent au monde sont vraies ou fausses selon qu'elles correspondent ou non à ce qui s'observe réellement dans le monde. L'idée de vérité-correspondance est elle aussi partagée par le sens commun, les philosophes et les scientifiques dans leur très immense majorité. Elle a reçu d'innombrables formulations. Pour Aristote, par exemple, dire vrai c'est « dire de ce qui est que cela est et de ce qui n'est pas que cela n'est pas » [7]. Pour la scolastique, le vrai est « *adaequatio rerum et intellectus* », c'est-à-dire la conformité ou l'adéquation de notre pensée aux choses.

Il faut cependant distinguer entre la signification du concept de vérité, d'une part, et les critères et procédures de détermination de la vérité, d'autre part. Expliquons ce que cela veut dire.

6. M. Gardner, « Is Realism a Dirty Word » dans *The Night is Large. Collected Essays 1938-1995*, p. 423.

7. Aristote, *Métaphysique*, livre IV.

Défendre le concept de vérité-correspondance, c'est défendre l'idée que la vérité est un prédicat dont la signification est donnée par la correspondance entre une proposition et un état de fait. Le logicien Tarski a donné la formulation technique canonique de ces idées ; par exemple, la proposition « la neige est blanche » est vraie si la neige est blanche – la vérité se définit ici par retrait des guillemets. Mais il ne suffit pas de savoir ce que signifie être vrai pour déterminer les critères et procédures qui nous permettront de décider s'il y a correspondance, et donc vérité. En certains cas, c'est fort simple ; en d'autres, difficile ; en d'autres encore, impossible. Toutefois, la signification du concept de vérité reste toujours la même. Pour illustrer tout cela, je reprendrai un exemple à Martin Gardner, dont il faut cette fois encore saluer le talent pour exposer simplement des idées difficiles.

Je vous montre un paquet neuf de 52 cartes. J'étale les cartes face contre table et je tire une carte au hasard. Sans la regarder, je la dépose sur le coin de la table, toujours face cachée. À présent, j'écris sur une feuille, en désignant cette carte isolée : « Cette carte est la dame de cœur. » Que signifie « être vraie » pour cette proposition ? Attention, je ne vous demande pas *comment* nous saurons qu'elle est vraie... Si vous faites l'expérience avec des scientifiques, des philosophes, des gens ordinaires, vous constaterez que tout le monde convient que cette proposition est vraie si et seulement si cette carte est la dame de cœur. Comment déciderons-nous si c'est le cas ? À cette question, chacun répondra qu'en retournant simplement la carte, on saura s'il s'agit bien de la dame de cœur.

La distinction entre signification de la vérité comme correspondance et les critères et procédures permettant de décider de la vérité est rendue claire par cet exemple. Elle est cruciale. En effet, il peut arriver qu'il soit difficile de déterminer ces critères et procédures et de formuler un jugement. Cependant, la signification du concept de vérité reste la même.

Supposons maintenant que je prenne la carte isolée – que personne n'a vue – que je la remette dans le paquet de cartes et que je mêle ensuite les cartes. Sur ma feuille, je change le mot : « est » pour « était ». On lit : « Cette carte était la dame de cœur ». La signification de la proposition, pour ce qui est du concept de vérité, n'a pas changé. Mais notez comme il est désormais difficile de déterminer si la proposition est vraie. On pourrait peut-être retrouver sur la carte des particules de bois en grande quantité, qui auraient été laissées là par le frottement de la carte sur la table ; on peut imaginer que cette carte est la seule à avoir sur une face l'empreinte digitale du pouce et sur l'autre l'empreinte digitale de l'index de la personne qui l'a manipulée. Si on retrouve ces signes distinctifs sur la dame de cœur, et sur elle seule, on sera tenté de dire que la proposition « Cette carte était la dame de cœur » est vraie. À quel degré ? Quels constats permettraient de se prononcer ? Avec quelle assurance ? Ces questions sont le lot des chercheurs en science ; leur clarification est pour les épistémologues un nœud de problèmes difficiles et qui restent irrésolus.

On peut imaginer pour finir que je range la carte dans le paquet, que je jette le paquet au feu et le brûle entièrement. En ce cas, la signification de la vérité de la proposition « Cette carte était la dame de cœur » reste inchangée, mais il n'y a alors plus de moyen, je pense, de savoir si elle est vraie.

Le troisième postulat pose simplement la possibilité de communiquer par le langage des propositions décrivant le monde et la possibilité pour chacun de vérifier les résultats allégués, généralement en répétant les expériences qui y ont conduit.

Notez que ces postulats scientifiques sont aussi ceux que l'on adopte spontanément et nécessairement sitôt que l'on parle ou agit. Si je planifie un voyage au Mexique et que je consulte un livre pour connaître le climat de ce pays, je présume comme allant de soi que les auteurs du livre ont adopté le réalisme extérieur, l'idée de vérité-correspondance et l'idée de communication et de vérification publique. Ainsi, je suppose qu'il existe, hors de moi, hors des autres et hors de nos représentations, un lieu physique où je compte me rendre, doté de propriétés elles aussi indépendantes de moi et des autres, et que l'ouvrage que je consulte dit vrai à propos de la température en cet endroit s'il indique la température réelle en cet endroit. Je pourrai d'ailleurs le vérifier moi-même.

Venons-en à quelques ultimes distinctions conceptuelles qui nous seront utiles. Elles ont trait d'abord à la science, entendue cette fois comme pratique et comme réalité sociale et politique ; ensuite, à ce qu'on pourra appeler l'envers de la science, ou la pseudoscience.

4.2.3 La science comme pratique

C'est un truisme de le dire : la science est une pratique sociale, faite par des êtres humains dans un contexte social, politique et économique donné. C'est là un fait important et qui peut peser très lourd sur la décision d'investir dans tel ou tel secteur de recherche, sur les orientations de la recherche, voire même sur ses résultats. Le penseur critique doit en être bien conscient et se demander, chaque fois, si ces facteurs ont pu jouer.

Notons qu'il n'est question ni de nier la rationalité de la science, ni de chercher partout avec assiduité, au point de les inventer, des intérêts économiques faussant *a priori* toute recherche ; simplement, il faut rester lucide et critique devant la possibilité que des intérêts, généralement économiques, aient pu influer sur la recherche menée ou sur les résultats annoncés.

Nous connaissons tous, à ce propos, la scandaleuse histoire du financement de travaux minorant ou niant les dangers de la cigarette, recherches ayant été financées par des compagnies de tabac. Je prendrai cependant ici un autre exemple, qui a beaucoup fait jaser et beaucoup inquiété, ces dernières années, soit celui des compagnies pharmaceutiques. Ces dernières ont elles aussi été au cœur de nombreuses controverses concernant leurs recherches. Cela montre parfaitement à quoi les penseurs critiques doivent porter une grande attention.

Quand les scientifiques trichent

Le nombre de fraudes scientifiques s'est accru au cours des vingt dernières années, et les sciences biologiques et médicales sont les disciplines dans lesquelles elles fleurissent le plus, affirment Yves Gingras, sociologue des sciences à l'UQAM, et Serge Larivée, professeur à l'École de psychoéducation de l'Université de Montréal.

Les sciences médicales remportent la palme, avec 52 % des cas de fraude impliquant la fabrication de données dénoncées partout au monde depuis les premiers balbutiements de la science, précise Serge Larivée. Les sciences dures ne comptent quant à elles que pour 26 % de ces tromperies « consistant à inventer de toutes pièces les résultats d'expériences non effectuées », et les sciences humaines et sociales, pour 22 %.

En ce qui concerne la manipulation de données, une faute moindre mais néanmoins impardonnable, les sciences de la santé occupent encore une fois le haut du pavé, avec 81 % des fraudes connues. En revanche, seulement 19 % des cas de falsification de données ont été observés dans les sciences dures et 10 % en sciences humaines. « Un indicateur de l'amplification du phénomène de la fraude en science est l'accroissement du nombre de rétractations dans les revues scientifiques, souligne Yves Gingras. Et l'augmentation des *errata* en raison de la pression à publier est un autre indice qui cache, sinon des fraudes, du moins des données douteuses. Des biologistes affirment que la moitié des articles scientifiques contiendraient des données douteuses. »

Pourquoi les sciences de la vie sont-elles les plus touchées ? La compétition y est plus intense, le nombre de chercheurs qui s'y consacrent est gigantesque. La bataille est donc féroce pour décrocher le bout de gras qui n'a pas vraiment grossi avec les années. « Les ressources allouées à la recherche universitaire étaient énormes jusqu'à la crise du pétrole en 1973, indique Yves Gingras. Aujourd'hui, on a moins d'argent et beaucoup plus de chercheurs. »

P. Gravel, « De Ptolémée à Newton et Poisson. Des scientifiques moins rigoureux que leur discipline », tiré du *Devoir*, 16 novembre 2002, p. B3.

Il y a quatre ans, le *New England Journal of Medicine* avait d'ailleurs propulsé dans l'arène publique ce débat – qui jusque-là s'était limité aux milieux informés – en publiant quelques éditoriaux attirant l'attention sur le troublant phénomène des liens entre l'industrie pharmaceutique et la recherche universitaire, les conflits d'intérêt qui en découlent et leur incidence sur la recherche elle-même. La prestigieuse revue avouait même avoir du mal à trouver, pour évaluer les articles soumis pour publication, des pairs sans aucun lien avec l'industrie. Plus personne ne doute aujourd'hui de la réalité du phénomène ni de son importance. Le procédé est tout simple : des compagnies pharmaceutiques se paient des universitaires, qui ont un important besoin de fonds pour effectuer des recherches. Armées de cette dépendance, les compagnies pharmaceutiques sont dans une position qui leur permet d'essayer de (et parfois de réussir à) dicter leurs sujets de recherche, voire même influer sur les résultats et leur diffusion. On devine à quel point cela peut avoir des conséquences dramatiques, comme l'illustre le cas bien connu de la docteure Olivieri, qui a attiré l'attention de la communauté universitaire internationale.

Nancy Olivieri, hématologue travaillant dans un hôpital de Toronto et professeure-chercheuse à l'université de cette même ville, menait des recherches sur un nouveau médicament appelé Deferiprone. Elle découvrit qu'il avait de dangereux effets secondaires et voulut publier et faire connaître ces importants résultats. Le problème? Ses travaux étaient commandités par la compagnie Apotex, qui produisait le médicament. Cette dernière a alors entrepris une importante campagne juridique et de salissage afin d'interdire la publication de l'article ou la diffusion de ces résultats aux patients concernés. Malheureusement, Nancy Olivieri n'a été défendue ni par l'hôpital, ni par l'université, tous deux davantage soucieux de l'apport financier des compagnies pharmaceutiques que de la vérité ou de l'indépendance des chercheurs. Après deux années d'enquête, une commission a récemment rendu son rapport. On y lisait en toutes lettres que tout cela est arrivé « parce que les institutions publiques doivent désormais dépendre du financement des entreprises privées ».

L'affaire Olivieri n'est vraisemblablement que la pointe de l'iceberg. À la même Université de Toronto, David Healy, un éminent psychiatre, a vu son contrat résilié à cause des propos qu'il a tenus sur les antidépresseurs en général et sur le Prozac en particulier. Le directeur de l'Association canadienne des professeurs d'université (ACPPU), James Turk, a déclaré à la Presse canadienne qu'il existe « des dizaines de cas similaires partout au pays » et que, devant l'ampleur de la situation, son organisme a mis sur pied un groupe de travail pour étudier la question. Même son de cloche à la Fédération québécoise des professeures et professeurs d'université où, selon son président, Jean Roy, « les incursions du privé suscitent un grand malaise. Les chercheurs, négligés par l'État, ont besoin de fonds et du soutien matériel des compagnies pharmaceutiques ».

Voici à présent les dernières distinctions conceptuelles que je voulais établir.

4.2.4 Science, proto-science et pseudo-science

« Dis-moi quelle pseudo-science tu admets et je te dirai ce que vaut ton épistémologie. »
MARIO BUNGE

La compréhension de ce qu'est la science est très importante pour le penseur critique. Une de ses cruciales retombées est de permettre de distinguer la science de la pseudo-science. En effet, sachant ce qu'est la vraie monnaie, on sera mieux en mesure de reconnaître la fausse... La recherche d'une ligne de démarcation s'est pourtant avérée plus difficile que certains auraient pu le croire, comme le montrent les travaux d'un des plus éminents et des plus influents épistémologues du XXe siècle, Karl Popper (1902-1994).

Popper, à l'époque, habite Vienne et il se passionne pour toutes ces idées révolutionnaires qui agitent cette ville – et toute l'Europe avec elle. Le marxisme, d'abord, qui propose une interprétation matérialiste dialectique de l'histoire reposant sur le développement de forces productives et la lutte des classes ; les marxistes en tirent des lois par lesquelles le passé et le présent humain sont analysés et qui prédisent ce qui, selon eux, ne peut pas manquer de survenir, à savoir l'avènement du communisme. La psychanalyse ensuite, qui propose le concept d'inconscient ainsi qu'un modèle du psychisme humain (ou topique) faisant intervenir des pulsions, des refoulements, un Ça, un Moi et un Sur-moi, et qui explique grâce à ces catégories des rêves, des lapsus et bien des comportements – jusqu'à certaines maladies, que la psychanalyse prétend traiter. La physique, enfin, et en particulier la relativité générale qu'Einstein vient tout juste de mettre de l'avant. Dans ce cas également, et c'est ce qui rend à première vue semblables ces trois systèmes, des catégories abstraites et générales sont invoquées dans le cadre d'une théorie et servent à expliquer et à prédire certains phénomènes.

Popper soutiendra que ce qui distingue ces trois théories et qui fait que les deux premières ne sont pas scientifiques tandis que la dernière l'est, c'est le risque que celle-ci soit *incompatible* avec certains résultats possibles de l'observation.

Popper, en d'autres termes, a proposé comme critère distinctif de la science la falsifiabilité, c'est-à-dire sa capacité à faire des prédictions qu'on peut tester par l'expérience et qui pourraient être contredites par elle. En somme, une théorie scientifique est falsifiable parce qu'il serait possible de la découvrir fausse. Quant aux marxistes et aux freudiens,ils ne découvrent que des confirmations de leurs idées dans toute expérience ; rien, jamais, ne contredit leurs théories. C'est précisément là la marque de la pseudo-science, estime Popper. Cette idée est fort intéressante mais, hélas, elle a ses limites.

Pour le comprendre, considérez l'exemple suivant, qui est historique.

L'orbite d'Uranus, telle que l'observaient les astronomes, était systématiquement différente de celle que prédisaient des calculs effectués à partir de la mécanique newtonienne, qui était alors le modèle exemplaire d'une théorie scientifique. On se trouvait donc devant une théorie falsifiée par l'expérience. Mais les physiciens et les astronomes ne renoncèrent pas pour autant à la mécanique newtonienne. Au contraire, ils cherchèrent dans l'expérience ce qui sauverait la théorie. Une des possibilités était qu'il existe une autre planète, inconnue, que les calculs ne prenaient pas en compte. Adams et Leverrier avancèrent donc l'hypothèse que la force gravitationnelle de cette planète non encore découverte expliquait la différence entre les observations de l'orbite d'Uranus et les prédictions de la théorie. Cette différence serait éliminée si on considérait l'attraction de cette nouvelle planète dans les calculs. Cette planète a effectivement été découverte : il s'agit de Neptune.

Je pense pour ma part, à l'instar de Mario Bunge, que la distinction entre science et pseudo-science doit être faite sur un continuum qui irait par degrés, des pseudo-sciences réellement et irrémédiablement bidon aux sciences réelles les plus solides et les plus crédibles, en passant par des proto-sciences (des sciences en voie de devenir scientifiques) et des sciences moins assurées. Les critères permettant de faire ces distinctions seront nécessairement multiples. Voici les caractéristiques d'une pseudo-science d'après Bunge[8] :

- Un champ de recherche pseudo-scientifique est composé par une pseudo-communauté de chercheurs, laquelle est un groupe de croyants plutôt qu'une association de chercheurs créatifs et critiques.
- La société qui l'abrite l'appuie pour des raisons commerciales ou la tolère tout en la marginalisant.
- Le domaine de recherche comprend des entités, des propriétés ou des événements irréels ou à tout le moins non démonstrativement réels.
- La perspective générale adoptée comprend une ontologie admettant des entités ou des processus immatériels (comme des esprits) ou des esprits désincarnés ; une épistémologie qui admet des possibilités cognitives paranormales, des arguments d'autorité et la production arbitraire de données ; un ethos qui bloque la recherche libre de la vérité afin de protéger un dogme.
- Son arrière-plan formel est très pauvre, frauduleux (il admet des pseudo-quantités) ou purement ornemental.

8. M. Bunge, *Finding Philosophy in Social Science*, p. 207-208.

- Son arrière-plan spécifique (disciplinaire) est inexistant ou minuscule : les pseudo-scientifiques n'apprennent rien ou très peu de choses de la science et n'apportent rien à la science en retour.
- Les problèmes qu'elle aborde sont essentiellement imaginaires ou pratiques : on n'y trouve pas de problèmes importants de recherche fondamentale.
- Son capital de savoir contient bon nombre de conjectures fausses ou invérifiables, qui sont en opposition avec des hypothèses scientifiques bien confirmées, mais il ne propose aucune hypothèse universelle bien confirmée.
- Parmi ses buts, on ne trouvera pas la découverte de lois et leur utilisation pour expliquer ou prédire des faits.
- Au nombre de ses méthodes, on trouvera des procédures qui ne peuvent pas être contre-vérifiées ou qui ne sont pas défendables par des théories scientifiques établies. En particulier, la critique et les tests empiriques ne sont pas les bienvenus. On n'y trouvera pas de champ de recherche continue, si ce n'est qu'une pseudo-science pourra au mieux déboucher sur une autre pseudo-science.
- Finalement, une pseudo-science est généralement stagnante et ne change que par des querelles internes ou sur des pressions extérieures, plutôt qu'à la suite de résultats de recherche : en d'autres termes, elle est isolée et fermée sur la tradition.

Ce peut être un exercice amusant et fort instructif que de prendre quelques pseudo-sciences notoires pour les examiner à la lumière de ces critères (par exemple : l'iridologie, la réflexologie, l'astrologie, la dianétique, la graphologie, etc.). L'examen critique des hypothèses et « théories » des pseudo-sciences pourra aussi bénéficier de l'adoption du modèle ENQUETE présenté plus loin.

Le penseur critique proportionnera ses croyances en diverses assertions scientifiques (ou se donnant pour telles) selon le degré de développement de la science considérée et le sérieux des arguments et des faits invoqués (notamment le sérieux des recherches). Sachant fort bien que toute assertion scientifique peut en droit être remise en cause, il énoncera ses arguments sceptiques à la mesure de la crédibilité des thèses contestées. Lorsque (presque) tous les experts d'un champ de recherche réellement scientifique sont d'accord entre eux, il considérera déraisonnable de penser que la vérité se trouve ailleurs que là où ils le pensent ; lorsque les mêmes experts sont en désaccord, il considérera raisonnable de suspendre son jugement.

Pour évaluer des hypothèses, des assertions ou des théories, le penseur critique se rappellera que celles-ci ne peuvent prétendre être scientifiques que si elles sont claires et précises, si elles sont intersubjectivement testables et si les tests effectués les démontrent vraies ou à tout le moins permettent de raisonnablement les tenir pour au moins partiellement vraies.

Vaughn et Schick ont proposé cinq critères permettant de systématiser une telle évaluation [9]. Les voici :

La testabilité, d'abord. Autrement dit, l'hypothèse, l'assertion ou la théorie est-elle testable ? Y a-t-il moyen, au moins en principe, de déterminer si elle est vraie ou fausse ? Si ce n'est pas le cas, elle est probablement triviale et sans valeur.

Fécondité, ensuite. Une hypothèse, assertion ou théorie qui permet de faire des prédictions observables, précises et surprenantes ou inattendues est, toutes choses étant égales, plus intéressante que les autres.

Étendue. En un mot : toutes choses égales par ailleurs, plus une hypothèse, assertion ou théorie explique de choses, plus est étendu le champ des phénomènes où elle s'applique, meilleure elle est.

Simplicité. En règle générale, une hypothèse, assertion ou théorie qui nous oblige à présumer moins d'éléments incertains, qui nous conduit à postuler moins d'entités, doit être préférée.

Conservatisme, enfin. Une hypothèse, assertion ou théorie cohérente avec nos savoirs les mieux fondés doit en général être préférée à une hypothèse qui ne l'est pas.

Pseudo-science, vrai piège à cons

« Life Technology Research International vous présente son tout nouveau concept de talisman, la capsule psionique et kabbalistique.

La capsule psionique et kabbalistique contient quatre éléments qui en font le plus puissant talisman jamais conçu.

9. T. Schick et L. Vaughn, *How to Think about Weird Things – Critical Thinking for a New Age*, p. 235-240.

La capsule psionique et kabbalistique contient, sur un minuscule rouleau, une copie imprimée de la plus sacrée des formules magiques de la Kabbale, la formule des 72 noms de Dieu.

La capsule contient aussi de la poudre blanche d'or Ormus "Aurum Solis", une substance aux puissants pouvoirs guérisseurs et révélatrice de spiritualité qui agit comme une subtile antenne pour capter l'énergie qui améliore la transmission et la réception de notre intentionnalité au cœur créatif de l'Univers.

Afin d'apporter à son propriétaire une protection immédiate, la capsule contient aussi un fragment de fil rouge provenant de la tombe de Rachel à Jérusalem.

L'appareil comprend enfin une bobine spéciale éthéromagnétique génératrice d'Orgone Caduceus, qui utilise la mesure "cubale perdue", une formule magique et sacrée si profonde que sa valeur précise ne peut nulle part être trouvée dans la littérature ancienne ou moderne. En fait, seuls quelques rares individus et scientifiques en connaissent la valeur exacte. »

Wow ! Tout ça pour seulement 90 $US ! Plus les frais de port et de manutention…

Traduit – péniblement mais au mieux – de : http://www.lifetechnology.org/kabbalahcapsule.htm.

4.3 Quelques pistes pour une lecture critique de résultats de recherche

Devant des résultats de recherche que vous voulez examiner plus attentivement, vous devriez essayer de trouver des réponses sinon à toutes du moins à la plupart des questions suivantes.

Questions générales et préalables

Qui a fait cette recherche? S'agit-il de chercheurs sérieux, formés pour réaliser ce genre de recherche? Qui l'a financée? Le financement de la recherche peut-il avoir influé sur les résultats ou sur la présentation des résultats? Quels sont les degrés de développement du domaine de recherche et de la science en question? De quels savoirs établis et généralement admis par la communauté des chercheurs dispose-t-on dans ce domaine? Où cette recherche a-t-elle été publiée? S'agit-il d'une publication fiable? Les articles y sont-ils évalués par des pairs? Quel sujet ou problème est abordé? Quelle conclusion est défendue?

L'objet ou la question de recherche

Comment est formulée la question de recherche? Est-elle claire? Est-il au moins possible d'y répondre? Le vocabulaire employé pour la formuler est-il biaisé? Quelles définitions donne-t-on des concepts utilisés? Sont-elles courantes? Plausibles? Le cas échéant, quelles valeurs semblent adoptées ou peut-être seulement admises, au moins implicitement, dans la formulation du problème ou du sujet? Cela peut-il avoir un impact sur la recherche? Omet-on de mentionner des informations pertinentes? La recension des écrits semble-t-elle complète? Les chercheurs expliquent-ils en quoi leur problématique se rapproche ou se distingue de ce qui est décrit dans la recension des écrits?

La méthodologie

Les échantillons sont-ils suffisants? Représentatifs? Comment ont-ils été constitués? Si une expérience avec groupe de contrôle a été menée, quelles mesures a-t-on prises pour se prémunir contre les éventuels biais? Si une expérience avec groupe de contrôle était nécessaire mais qu'on ne l'a pas conduite, comment l'explique-t-on ? Le cas échant, a-t-on utilisé un double aveugle ? L'a-t-on fait correctement ?

L'analyse des données

Quels instruments de mesure ont été retenus ? Quelles définitions sont données de ce qui est mesuré ? Des précisions sont-elles apportées quant à la fiabilité et à la validité de ces instruments ?

Les conclusions

Un résumé honnête est-il proposé ? La recherche répond-elle à la question qui était posée ? L'interprétation des données aurait-elle pu être différente ? Évoque-t-on en ce cas les autres interprétations possibles et explique-t-on pourquoi on les a écartées ? Utilisez également les cinq critères d'évaluation – testabilité, fécondité, étendue, simplicité, conservatisme.

4.4 Le modèle ENQUETE

Je vous propose, pour conclure cette section sur la science, un modèle qui aidera à réfléchir de manière plus cohérente et plus rigoureuse à ces « théories », assertions ou hypothèses qu'on pourrait qualifier de bizarres ou extraordinaires et qui sont souvent soumises à notre approbation. Ce modèle a été conçu et développé par Theodore Schick Jr. et Lewis Vaughn, précisément pour nous aider à penser à des *weird things* (choses étranges). Je le trouve très utile et pertinent ; j'espère que vous lui trouverez également ces qualités.

En anglais, le modèle s'appelait S-E-A-RCH (un acronyme), ce que je propose de rendre en français par EN-QU-E-TE (un autre acronyme). Je vous le présente d'abord, puis je vous invite ensuite à l'appliquer à un objet, l'homéopathie. Ma présentation de ce modèle, tout comme l'exemple qui la suit, paraphrasent les propos de ses créateurs [10].

Le modèle ENQUETE comprend quatre étapes :

1. ÉNoncer la proposition ;
2. Déterminer ce QUi est invoqué pour la soutenir ;
3. Envisager d'autres hypothèses ;
4. TEster toutes les hypothèses.

Voyons cela de plus près.

La première étape consiste à énoncer le plus clairement possible la proposition. L'idée est toute simple : on ne devrait pas évaluer de manière critique une proposition que l'on ne comprend pas clairement et dont on n'a pas une idée précise de ce qu'elle signifie. Or, bien souvent, les propositions que l'on nous demande d'admettre ne sont ni précises, ni claires. La première étape sera donc de la formuler clairement. Bref : qu'est-ce qui est avancé exactement et précisément ?

La deuxième étape consiste à déterminer QUels arguments et QUelles données sont mises de l'avant pour soutenir la proposition. Ces arguments sont-ils valides ? Ces données sont-elles fiables, crédibles ? Bien entendu, rien ne remplacera jamais le fait d'être informé pour porter un jugement adéquat sur tout cela.

La troisième étape consiste à Envisager d'autres hypothèses possibles. Demandez-vous si d'autres hypothèses que celle qui est proposée ne pourraient pas, elles aussi, être avancées en faveur de la proposition. Il est toujours sage de ne pas sauter trop vite aux conclusions, de considérer d'autres explications possibles et de se dire que, même si on ne parvient

10. *Ibid.*, p. 235-243.

pas tout de suite à la trouver, il pourrait bien y en avoir une.

La quatrième et dernière étape est celle où l'on TEste chaque hypothèse selon ces critères d'adéquation que vous connaissez déjà : testabilité, fécondité, étendue, simplicité, conservatisme.

Il va de soi, mais vous l'aviez compris, que tout cela doit être appliqué de manière raisonnable – et non pas mécaniquement – et ouverte – et non pas dogmatiquement.

Appliquons maintenant ce modèle à un objet ; avec les auteurs du modèle, attardons-nous sur l'homéopathie.

Fondée par S. Hahnemann (1755-1843), l'homéopathie[11] est une pratique médicale aujourd'hui encore bien répandue, y compris au Québec. Ses partisans vous diront que « ça marche ». Mais comme vous êtes adepte de la pensée critique, il vous faudra plus que des anecdotes pour vous convaincre.

Les produits homéopathiques sont fabriqués de la manière suivante. On prend une part de la substance active (une plante, par exemple) que l'on dilue dans dix parts d'eau. On dilue ensuite une part de la potion résultante dans dix nouvelles parts d'eau. Le ratio est désormais de 1/100. On continue ainsi, en secouant chaque fois le mélange. Un médicament homéopathique a généralement un dosage appelé 30X, ce qui veut dire que l'opération a été répétée 30 fois. Au total, le ratio est alors d'une part de substance active pour 1 000 000 000 000 000 000 000 000 000 000 de parts d'eau. D'autres médicaments ont une préparation appelée 30C : en ce cas, la dilution se fait à chaque étape dans cent parties d'eau. On obtient alors une part de substance active pour 1 suivi de 90 zéros parties d'eau. La potion résultante n'a alors plus

11. Le mot homéopathie est composé de deux mots grecs : *homeo* (semblable) et *pathos* (souffrance).

une seule molécule de la substance de départ.

Pour expliquer que « ça marche » quand même, les homéopathes invoquent des effets inconnus de (et même jugés impossibles par) la biologie et la chimie – la « mémoire de l'eau », par exemple – ou des entités et des processus mystérieux comme la force vitale, l'harmonie et ainsi de suite.

Étrange manière de se soigner ? Certainement. En fouillant un peu, vous découvrirez que l'homéopathie repose sur deux principes.

Le premier est que le semblable guérit le semblable. Les homéopathes disent : *similia similibus curantur*. Le deuxième affirme que plus petite est la dose, plus efficace sera le médicament. Au total, l'homéopathe pense que des doses infinitésimales de substances qui causent des symptômes d'une maladie donnée chez un sujet sain ont la propriété de soigner un sujet souffrant de cette maladie.

Que faut-il en penser ? C'est maintenant à vous de jouer en appliquant le modèle ENQUETE.

Voici quelques pistes pour vous aider.

Vous devez d'abord ÉNoncer de manière satisfaisante ce qu'avancent les partisans de l'homéopathie.

Vous devez ensuite examiner ce QUi est invoqué pour soutenir cette idée. Vous trouverez beaucoup d'anecdotes, mais aussi des études invoquées par les défenseurs de l'homéopathie, études qui sont à peu près toutes et systématiquement récusées, pour des raisons méthodologiques, par ses adversaires et par des observateurs plus neutres.

D'autres hypothèses sont-elle Envisageables pour expliquer les bienfaits rapportés par les gens qui se soignent par l'homéopathie ? Vous pourrez certainement en formuler. Sachez notamment que la plupart des maladies dont nous souffrons dans notre vie – et notamment celles que dit soigner l'homéopathie – disparaissent d'elles-mêmes avec le temps. Sachez aussi que l'évaluation d'un médicament doit considérer l'effet placebo, par lequel une substance a des effets curatifs du seul fait que celui qui l'ingurgite croit à ces effets.

Il vous reste finalement à TEster les hypothèses concurrentes retenues selon les critères d'adéquation... et à conclure.

Chapitre 5

Les médias

Rien ne pourrait être plus déraisonnable que de donner le pouvoir au peuple, mais en le privant de l'information sans laquelle se commettent les abus de pouvoir. Un peuple qui veut se gouverner lui-même doit s'armer du pouvoir que procure l'information. Un gouvernement du peuple, quand le peuple n'est pas informé ou n'a pas les moyens d'acquérir l'information, ne saurait être qu'un prélude à une farce ou à une tragédie – et peut-être même aux deux.

James Madison

Si l'habitude de penser de manière critique se répandait au sein d'une société, elle prévaudrait partout, puisqu'elle est une manière de faire face aux problèmes de la vie. Les propos dithyrambiques de quelconques orateurs ne sauraient faire paniquer des personnes éduquées de la sorte. Celles-ci mettent du temps avant de croire et sont capables, sans difficulté et sans besoin de certitude, de tenir des choses pour probables à des degrés divers. Elles peuvent attendre les faits, puis les soupeser sans jamais se laisser influencer par l'emphase ou la confiance avec laquelle des propositions sont avancées par un parti ou par un autre. Ces personnes savent résister à ceux qui en appellent à leurs préjugés les plus solidement ancrés ou qui usent de flatterie. L'éducation à cette capacité critique est la seule éducation dont on peut dire qu'elle fait les bons citoyens.

William Graham Sumner

On ne peut pas dire la vérité à la télévision :
il y a trop de gens qui regardent.

Coluche

Introduction

Bien sûr, le peuple ne veut pas la guerre. C'est naturel et on le comprend. Mais après tout, ce sont les dirigeants du pays qui décident des politiques. Qu'il s'agisse d'une démocratie, d'une dictature fasciste, d'un parlement ou d'une dictature communiste, il sera toujours facile d'amener le peuple à suivre. Qu'il ait ou non droit de parole, le peuple peut toujours être amené à penser comme ses dirigeants. C'est facile. Il suffit de lui dire qu'il est attaqué, de dénoncer le manque de patriotisme des pacifistes et d'assurer qu'ils mettent le pays en danger. Les techniques restent les mêmes, quel que soit le pays.

HERMANN GOERING
(durant son procès à Nuremberg)

L'univers des médias est en droit, avec l'école, le lieu privilégié de l'apprentissage de la pensée critique citoyenne. Bon nombre de gens pensent que les médias décrivent ou reflètent sinon tout ce qui se passe dans le monde, du moins tout ce qui s'y passe d'important ; que ce qu'ils nous transmettent est le fruit d'un travail d'enquêtes indépendantes réalisées par les journalistes, de telle sorte que les médias établissent eux-mêmes et de manière indépendante le contenu de ce qu'ils véhiculent ; que la description du monde qu'on y trouve est essentiellement neutre et complète et que les faits et les opinions sont toujours – et de manière à être reconnaissables – distingués les uns des autres.

Pourtant, les griefs s'accumulent à l'endroit des grands médias occidentaux. On leur reproche entre autres de se livrer à une course à l'audimat, qui les entraîne de plus en plus sur la dangereuse pente de la démagogie et du sensationnalisme. À ces motifs d'inquiétude s'est aussi ajoutée, depuis quelques années, la concentration croissante des médias. Mais il y a une autre raison, peut-être plus fondamentale encore, de s'inquiéter de la performance des médias et de leur contribution à la vie démocratique. Il s'agit de la conception très particulière de la démocratie sur laquelle tendent à s'appuyer certaines institutions contemporaines fort influentes. Selon celles-ci, il convient non pas tant d'informer que de marginaliser le public, qui devrait devenir spectateur plutôt qu'acteur de la vie politique. Tout cela rend impératif l'exercice de la pensée critique devant les médias, comme le fera comprendre l'exemple suivant.

Le 2 août 1990, l'Iraq envahit le Koweït. Aussitôt, et avec une rapidité et une vigueur peu communes, la brutale agression est condamnée par les Nations Unies qui, le 6 août, imposent des sanctions contre l'Iraq [1].

Nous voici à l'automne 1990 et de vifs débats sont en cours sur l'opportunité d'une intervention militaire, que les États-Unis, pour qui Saddam Hussein a longtemps été un ami très cher, un allié précieux et un partenaire commercial exemplaire, préconisent désormais.

C'est à ce moment précis que survient un événement qui reste dans toutes les mémoires, dont vous vous souvenez sans doute même si vous ne suiviez l'actualité que du coin de l'œil. Rappelons les faits.

Une toute jeune fille appelée Nayirah se présente à Washington devant le Human Rights Caucus de la House of Representatives. Les membres du Congrès comme le public américain seront complètement bouleversés par le témoignage de cette jeune Koweïtienne de 15 ans qui raconte, en larmes, des horreurs sans nom.

Elle décrit comment des soldats iraquiens ont pris d'assaut un hôpital du Koweït où elle travaillait comme bénévole, volé des incubateurs et tué ou laissé

1. Elles causeront la mort de 500 000 enfants. Interrogée quelques années plus tard sur les effets de ces sanctions, la secrétaire d'État Madelaine Albright répondit en toute franchise : « Nous pensons que ça en vaut le coût » (*We think the price is worth it*). Source : émission de télévision *60 Minutes*, 5 décembre 1996.

mourir 312 bébés, qui agonisèrent sur le plancher de la maternité.

Les médias diffuseront la nouvelle partout au monde. Saddam Hussein, hier encore un ami très cher, était, après le 2 août, devenu le « Boucher de Bagdad » : à la suite du témoignage de Nayirah, il sera un tyran « pire que Hitler ».

Les partisans d'une guerre contre l'Iraq vont faire bon usage de ce précieux témoignage, en particulier contre ceux qui voudraient que l'on s'en tienne aux sanctions et que l'on cherche une solution politique et négociée au conflit – ce que l'Iraq avait d'ailleurs proposé à la mi-août aux Nations Unies.

Durant les semaines qui suivirent le témoignage de Nayirah, le président Bush (père), dans ses discours, évoqua au moins à cinq reprises l'épisode conté par la jeune fille, rappelant chaque fois que de telles « épouvantables horreurs » nous « ramènent à Hitler »[2]. Lors des débats sur l'opportunité de la guerre qui se tiendront peu après, pas moins de sept sénateurs américains vont également référer au témoignage de Nayirah.

La motion décidant de l'entrée en guerre passera finalement, par cinq votes. La campagne de bombardement, qu'on ne pouvait pas raisonnablement appeler une guerre, allait commencer, massivement approuvée par le public américain. Quant à la donne internationale, déjà profondément modifiée depuis la chute du mur de Berlin, elle venait de se transformer considérablement et le président Bush en était bien conscient. À l'émission *NBC Nightly News*, le 2 février 1991, il pouvait assurer avec confiance : « Les États-Unis possèdent une crédibilité nouvelle. C'est nous qui décidons de ce qui va arriver » (*The U.S. has a new credibility. What we say goes*).

2. Cité par S. Peterson, *The Christian Science Monitor*, 6 septembre 2002.

À ce moment-là, pourtant, de faibles rumeurs et des doutes ont commencé à se faire entendre à propos du témoignage de Nayirah et de sa terrible histoire.

Nous pouvons aujourd'hui, avec autant de certitude qu'on peut raisonnablement avoir sur de tels sujets, reconstruire ce qui s'était passé [3].

Nayirah était en fait Nayirah al Sabah, la fille de l'ambassadeur du Koweït à Washington. Elle n'avait jamais rien eu à voir avec cet hôpital, où rien de ce qu'elle a dit ne s'était passé. Son témoignage était un faux et il avait été très soigneusement préparé et mis en scène dans les moindres détails par des cadres de l'entreprise Hill and Knowlton de Washington. Ceux-ci avaient soigneusement formé la jeune fille – ainsi que les quelques autres personnes qui devaient corroborer son histoire – pour la simple et bonne raison que cette firme venait de signer un lucratif contrat de 10 millions de dollars avec les Koweïtiens pour argumenter en faveur de l'entrée en guerre des États-Unis. Hill and Knowlton, sachez-le, ne faisaient alors que leur métier : c'est en effet une (très grosse) firme de relations publiques.

Notons que, contrairement à ce qu'on fait trop souvent dire aux critiques des médias, ce qui est avancé ne relève aucunement d'une quelconque théorie de la conspiration. Une fois mises à jour les manœuvres de la firme de relations publiques, lesquelles correspondent assez bien, elles, à ce qu'on entend couramment par conspiration, rien, ici, n'est secret. Tout ce dont nous avons parlé est du domaine public, peut être découvert et mis à jour par chacun et vérifié par tous. Il faut cependant pour cela du temps et de la persévérance ; il faut aussi savoir s'informer à des sources autres que les seuls grands médias ; il faut

3. Cela a notamment été expliqué par John R. MacArthur dans *Second Front. Censorship and Propaganda in the Gulf War*, University of California Press, (1993) 2004.

apprendre à demeurer critique devant toute information ; il faut enfin connaître les institutions qui sont en cause et connaître la dynamique structurelle des processus dont elles sont des acteurs. On voit que nous sommes ici bien loin d'une quelconque conspiration. Tout ce qui sera dit dans les pages qui suivent à propos des médias s'explique essentiellement par le libre fonctionnement des institutions concernées, par leurs rôles, leurs mobiles et ceux de leurs acteurs. Soutenir la théorie de la conspiration médiatique, en fait, serait aussi idiot et indéfendable que d'avancer que tous les journalistes sont vendus ou que les patrons de presse tiennent la plume de chacun d'eux.

Cependant, il est vrai que des conditions structurelles et institutionnelles de la diffusion de l'information et du fonctionnement des médias existent et qu'elles exercent leur poids, qui peut être immense, sur ce qui est dit et sur la manière dont on le dit. C'est pourquoi il est utile de rappeler ces conditions et leur impact, tout en reconnaissant qu'on pourra trouver dans les grands médias des informations étonnantes sur des sujets le plus souvent occultés. Ces informations peuvent être justes et précieuses – il est vrai qu'il faudra bien chercher pour les repérer, et savoir quoi chercher. C'est ainsi par exemple que la véritable histoire de Nayirah a bien été rapportée au Québec, à ma connaissance une fois[4]. Le journaliste, Jooneed Khan, écrivait : « La jeune “Nayirah”, dont le témoignage ébranla une commission du Congrès à la veille du vote, n'était autre que la fille de l'ambassadeur du Koweït à Washington, utilisée ainsi à des fins de propagande par la firme de relations publiques Hill and Knowlton dont les services avaient été retenus par le lobby koweïtien. »

Si j'ai choisi d'ouvrir ce chapitre sur cette histoire, c'est que les thèmes dont je traiterai dans les pages qui

4. C'était dans *La Presse*, le 11 janvier 1992, p. B4.

suivent s'y laissent commodément rattacher. Prenons-les dans l'ordre où je les traiterai.

L'information, c'est un truisme, est un enjeu politique majeur de toute société qui se veut démocratique. Pourtant, peu de gens savent ce que sont ces firmes de relations publiques, d'où elles proviennent et quel rôle elles jouent. Nous constaterons qu'elles sont nées de conceptions de la vie démocratique et du rôle de l'information profondément opposées à l'usage courant de ces termes. Dès lors, nous serons à même de mesurer l'ampleur du fossé qui sépare la démocratie réelle de ce qu'on pourrait appeler la démocratie théorique. La première section du présent chapitre sera consacrée à ces considérations.

Les médias modernes participent de ce même arrière-plan historique. Ils sont aujourd'hui de vastes corporations, dont il faut attentivement examiner la nature si l'on souhaite les connaître et comprendre leur fonctionnement. Lorsqu'on se livre minutieusement à ce travail, on doit raisonnablement conclure qu'un modèle propagandiste des médias permet de jeter un éclairage crucial sur le fonctionnement réel de ces institutions et sur leur rôle dans le façonnement des opinions au sein des démocraties réelles et vécues – plutôt qu'idéales et proclamées. Le modèle propagandiste des médias de Chomsky et Herman systématise utilement toutes ces idées. Nous le verrons plus en détail dans la deuxième section de ce chapitre, page 280.

Sachant tout cela, un observateur critique des médias portera une grande attention aux occultations et aux biais qui ne manqueront pas de se manifester dans la représentation du réel par les grands médias. Ayant compris leur nature et leur fonctionnement, il mettra en œuvre une grande variété de moyens afin de développer et d'entretenir, de manière rigoureuse et systématique, une attitude critique à l'égard de ces institutions en particulier et à l'égard de toutes les sources d'information en général. La fin de ce chapitre propose des outils qui pourront aider ces penseurs critiques dans cette tâche difficile, mais indispensable si on souhaite contribuer à combler l'écart entre démocratie réelle et démocratie théorique.

5.1 Une autre idée de la démocratie

La plupart des gens ont du mal à concevoir et à admettre, quand ils en entendent parler pour la première fois, le puissant terreau propagandiste sur lequel reposent et se sont développées de nombreuses institutions et conceptions de la communication de masse au sein des démocraties.

Aux États-Unis, la grande expérience fondatrice de la propagande a eu lieu lors de la Première Guerre mondiale, alors que la Commission on Public Information – ou Commission Creel, ainsi nommée d'après son président – a été créée pour amener la population américaine, majoritairement pacifiste, à entrer en guerre. Le succès de cette Commission a été total. C'est à partir de là que sont nés plusieurs des techniques et instruments de propagande des démocraties actuelles : distribution massive de communiqués, appel à l'émotion dans des campagnes ciblées de publicité, recours au cinéma, recrutement ciblé de leaders d'opinion locaux, mise sur pied de groupes bidon (par exemple des groupes de citoyens) et ainsi de suite[5].

Walter Lippmann, un de ses membres influents, souvent donné comme le journaliste américain le plus écouté au monde après 1930, a décrit le travail de cette Commission comme étant « une révolution dans

5. L'histoire des firmes de relations publiques depuis la Commission Creel jusqu'aux années 1950 est admirablement contée dans le livre de S. Ewen, *PR! A Social History of SPIN*, Basic Books, New York, 1996.

la pratique de la démocratie », où une « minorité intelligente », chargée du domaine politique, est responsable de « fabriquer le consentement » du peuple, lorsque la minorité des « hommes responsables » ne l'avaient pas d'office.

Cette « formation d'une opinion publique saine » servirait à se protéger « du piétinement et des hurlements du troupeau dérouté » (autrement dit : le peuple), cet « intrus ignorant qui se mêle de tout », dont le rôle est d'être un « spectateur » et non un « participant ». L'idée qui a présidé à la naissance de l'industrie des relations publiques était explicite : l'opinion publique devait être « scientifiquement » fabriquée et contrôlée à partir d'en haut, de manière à assurer le contrôle de la dangereuse populace [6].

Edward Bernays [7], neveu de Sigmund Freud, jouera lui aussi un rôle de tout premier plan [8] dans le développement de l'industrie des relations publiques et de l'*ethos* politique qui la caractérise. Aucun doute en ce qui le concerne : les leçons de la Commission Creel avaient été apprises. Dans plusieurs ouvrages importants (*Crystallizing Public Opinion*, *The Engeneering of Consent*, *Propaganda* et une quinzaine d'autres), Bernays expliquera que, avec ce qui a été conçu et développé dans ce laboratoire de la nouvelle démocratie, il est désormais possible de « discipliner les esprits du peuple tout comme une armée discipline ses corps » [9].

6. Cité par Noam Chomsky, « Media Control », http://www.zmag.org/chomsky/talks/9103-media-control.html.

7. Bernays, né en 1892, est mort en 1995 à l'âge de 103 ans. Dans son livre cité plus haut, Stuart Ewen raconte sa rencontre avec Bernays.

8. On lira à son sujet : L. Tye, *The Father of Spin : Edward L. Bernays and the Birth of Public Relations*, Owl Books, New York, 2002.

9. E. L. Bernays, *Crystallizing Public Opinion*, page 26.

Bernays connaîtra, dans les relations publiques, une carrière dont les hauts faits sont légendaires. En 1929, le dimanche de Pâques, à New York, il organise une mémorable marche de femmes sur la Cinquième Avenue, mettant la cause féministe au service du droit des femmes à fumer la cigarette. Au même moment, pour Lucky Strike et American Tobacco, il aide les compagnies de cigarettes à dissimuler les preuves qui s'accumulaient déjà et qui montraient que le tabac est une substance mortelle.

Dans les années 1950, il se met au service de la United Fruit pour persuader le grand public du danger du communisme en Amérique latine. Il fait croire que le pays a confisqué ses terres à la compagnie en « injectant » de fausses nouvelles dans les médias américains et en mettant sur pied de faux groupes populaires masquant leurs véritables intentions sous des dehors nobles ou anodins. Le succès alla au-delà des espérances : en juin 1954, un coup d'État militaire « aidé » par la CIA renversait le gouvernement du Guatemala démocratiquement élu[10].

Il faut remarquer comment se trouvent mises en jeu dans ces pratiques des conceptions très particulières de la démocratie et de l'information. Ici, pour la majorité des gens, il s'agit d'une démocratie de spectateurs et non de participants. L'information à laquelle ils ont droit est celle que leur préparent les véritables acteurs de la scène démocratique. Cette information doit les divertir ; elle simplifie les informations à la mesure de ce qu'on pense être leur faible niveau de compréhension du monde – niveau qu'on souhaite bien sûr maintenir. Selon ce point de vue, la démocratie sainement comprise est donc fort différente de

10. Toutes ces histoires sont rapportées et examinées dans l'ouvrage de L. Tye, *The Father of Spin : Edward L. Bernays and the Birth of Public Relations* et dans celui de S. Ewen, *PR! A Social History of SPIN*.

celle que la plupart des gens ont d'ordinaire et peut-être naïvement en tête.

Dans une des premières éditions de l'*Encyclopedia of Social Sciences*, parue dans les années 1930, un des plus éminents spécialistes des médias, Harold Laswell, expliquait qu'il importe surtout de ne pas succomber à ce qu'il nommait le « dogmatisme démocratique », c'est-à-dire l'idée selon laquelle les gens ordinaires seraient en mesure de déterminer eux-mêmes leurs besoins et leurs intérêts et qu'ils seraient donc en mesure de choisir par eux-mêmes ce qui leur convient. Cette idée est complètement fausse, assurait Laswell. La vérité est plutôt qu'une élite doit décider pour eux. Cela peut certes sembler problématique, du moins au sein d'une démocratie naïvement comprise. Mais Laswell proposait une solution bien commode : à défaut du recours à la force pour contrôler la populace, on peut parfaitement la contrôler par l'opinion.

Les firmes de relations publiques sont aujourd'hui de puissants acteurs du jeu politique et économique. Elles sont au service des entreprises, des gouvernements et de quiconque en a les moyens. Alex Carey a écrit, en un raccourci aussi exact que saisissant, que le XXe siècle « a été caractérisé par trois développements de grande importance politique : celui de la démocratie, celui du pouvoir des entreprises et celui de la propagande des entreprises comme moyen de préserver leur pouvoir démocratique » [11]. On ne saurait mieux dire...

Sans plus insister sur l'histoire des firmes de relations publiques et sur leur rôle [12], je pense que nous pouvons conclure ce qui suit : face à l'information en général et aux médias en particulier, quiconque

11. A. Carey, *Taking the Risk out of Democracy – Corporate Propaganda versus Freedom and Liberty*, p. 18.

12. Pour l'actualité concernant les firmes de relations publiques, on pourra consulter http://www.prwatch.org/.

souhaite exercer son autodéfense intellectuelle devrait faire preuve de la plus grande vigilance.

5.2 Le modèle propagandiste des médias

Le droit à l'information suppose qu'une information digne de ce nom soit disponible et il a comme contrepartie le devoir de lucidité critique des citoyens.

MANON BONER-GAILLARD

Présent à divers degrés dans toutes les démocraties libérales où l'information a été livrée, avec bien peu de freins, au mécanisme du marché, le phénomène de la concentration des médias est désormais indéniable ; il a d'ailleurs été admis par à peu près tous les observateurs. Toutefois, on est encore bien loin, hélas, d'en avoir mesuré la portée politique, sur laquelle je voudrais attirer l'attention.

Par concentration des médias, on désigne désormais deux mouvements distincts mais proches l'un de l'autre. Le premier est la concentration des médias (journaux, radio, télévision, magazines, maisons d'édition) en un nombre de plus en plus restreint de propriétaires ; le deuxième est la convergence de ces mêmes médias qui, sous le parapluie d'une propriété unique, font justement circuler des contenus qu'ils peuvent resservir et alimenter, les uns par l'intermédiaire des autres.

Le tableau qui suit a été produit par le Centre d'étude des médias de l'Université Laval. Il montre que, au Québec, essentiellement avec Gesca, Québécor, le Groupe Transcontinental et Rogers Communications, on arrive à une tragique situation où une poignée de propriétaires contrôlent la plus grande part de la diffusion médiatique de la presse écrite.

Tab. 1: Concentration de la presse écrite au Québec

Entreprise	Quotidiens	Magazines, journaux hebdomadaires, maisons d'édition, etc.	Subventions (2002-2003) de Patrimoine Canadien
GESCA (Power Corp.) 52 % du tirage des quotidiens francophones au Québec	La Presse (Montréal), Le Quotidien (Saguenay), Le Nouvelliste (Trois-Rivières), La Tribune (Sherbrooke), Le Soleil (Québec), Le Droit (Gatineau), La Voix de l'Est (Granby), plusieurs journaux canadiens.	Hebdomadaires régionaux : Progrès Dimanche (Saguenay), Le Citadin (Saguenay), La Voix de l'Est Plus (Granby), La Nouvelle (Sherbrooke), Éditions La Presse, plus quelques autres.	?
Empire Québécor	21 % du tirage total des quotidiens au Canada et 45 % du tirage des quotidiens francophones. Le Journal de Montréal, Le Journal de Québec, 24 Heures	Chaîne Sun (17 quotidiens au Canada, représentant 17 % du tirage total des quotidiens anglophones), Vidéotron et Réseau TVA, Messageries Dynamiques. **Magazines :** 7 Jours, Clin d'œil, Décoration chez-soi, Dernière Heure, Échos vedettes, Femme d'aujourd'hui, Femme plus, Filles d'aujourd'hui, Le Lundi, Les idées de ma maison, Rénovation-bricolage, TV Hebdo.	

suite page suivante

Entreprise	Quotidiens	Magazines, journaux hebdomadaires, maisons d'édition, etc.	Subventions (2002-2003) de Patrimoine Canada
Empire Québécor (suite)		**Maisons d'édition :** Éditions du Trécarré, Éditions Logiques, Éditions Québécor, Éditions CEC, Éditions Libre Expression, Éditions internationales Alain Stanké.	3 428 199 \$ 7 Jours : 489 865 \$
Groupe Transcontinental	Quotidien Le Métro (participation majoritaire), 10 quotidiens au Canada, 70 journaux hebdomadaires, dont 59 au Québec, qui représentent 30 % des titres et 42 % du tirage des journaux hebdomadaires dans la province.	Le journal Les Affaires, Journal économique de Québec, Commerce, PME, Finance et Investissement, Investment Executive Forces, Connexions Affaires, ieMoney, Journal Golf, Golf International, The Hockey News, Hockey Business News, Preview Sports, Fantasy Football, Fantasy Baseball, NBA Basketball, National Sports Review, Pro Football, College Football, College Basketball, Bill Mazeroski Baseball, Ultimate Pool, En Voiture, Backspin, Elle Québec, Elle Canada, Coup de pouce, Canadian Living, Madame Homemaker's, Décormag, Style at home, Vancouver Magazine, Western Living, Computing Canada, Direction Informatique.	

suite page suivante

Entreprise	Quotidiens	Magazines, journaux hebdomadaires, maisons d'édition, etc.	Subventions (2002-2003) de Patrimoine Canada
Groupe Transcontinental (suite)		Info Tech, Computer Dealer News, eBusiness Journal, Info Systems Executive, Technology in Government, Communications and Networking, TV-Hebdo (50 %, avec Québécor), TV-Guide, Le Bel Âge, Good Times Canada, Capital Santé, Sympatico Netlife Canadian, Journal Constructo, Québec Construction, Le Monde de l'électricité, Éclairage Plus, Québec Construction International.	9 805 640 $ Elle Québec : 503 177 $
Rogers Communications	Surtout actif dans la radio-télévision, la câblodistribution, les services Internet, téléphoniques, etc.	Canadian Business, Châtelaine anglais, Flare, l'Actualité, le Bulletin des agriculteurs, Maclean's, Marketing Magazine, Money sense, Ontario Out of Doors, Profit, Today's parents.	10 617 045 $ l'Actualité : 833 166 $
Le Devoir inc.	Quotidien Le Devoir. Tirage entre 18 000 et 25 000.	–	?
Canwest Global	The Gazette		
La Terre de chez nous	–	Hebdomadaire La Terre de chez nous (tirage 45 000), différents magazines agricoles.	?

Source : Marco Silvestro.

C'est bien souvent l'aspect démagogique et racoleur des contenus des grands médias marchands qui est d'abord décrié par les observateurs critiques. De telles accusations me semblent largement fondées ; il sera sans doute inutile de nous appesantir ici sur les effets de ces armes de diversion massive que sont la télé-réalité, la télé-poubelle et toutes ces nouvelles formules dont les médias nous ont affligés au cours des dernières années.

Ayant convenu de cela, nous n'avons pourtant encore rien dit de l'essentiel. Car le plus grave n'est pas que nos grands médias marchands deviennent de plus en plus des acteurs de la grande mise en scène de la société du spectacle – ce qui était prévisible –, assumant par là ces fonctions de divertissement que l'on ne connaît que trop bien. Le plus grave, le voici : malgré qu'ils soient en droit des outils politiques fondamentaux d'élaboration d'un espace public de discussion, ils sont en passe de renoncer à cette tâche pour ne plus exercer qu'une fonction de propagande et d'occultation du réel. Autrement dit, même s'il n'est guère réjouissant que la télévision verse de plus en plus dans le *reality show* et autres spectaculaires stupidités, la véritable tragédie se joue désormais chaque soir, au téléjournal, par le recul et l'oubli de la mission politique et citoyenne d'information qui est celle des médias.

À ma connaissance, Edward Herman et Noam Chomsky ont mené sur ces thèmes les travaux les plus concluants et les plus importants. Résumons-en les grandes lignes, qui systématisent justement l'hypothèse intuitive que je viens d'évoquer [13].

Selon ces auteurs, les médias sont en quelque sorte surdéterminés par un certain nombre d'éléments structurels et institutionnels qui conditionnent – certes non pas entièrement, mais du moins très largement – le type de représentation du réel qui y est proposé ainsi que les valeurs, les normes et les perceptions qui y sont promues. Plus concrètement, ces chercheurs ont proposé un modèle selon lequel les médias remplissent, dans une très grande mesure, une fonction propagandiste au sein de nos sociétés. Les médias, écrivent-ils, « servent à mobiliser des appuis en faveur des intérêts particuliers qui dominent les activités de l'État et celles du secteur privé ; leurs choix, insistances et omissions peuvent être au mieux compris – et parfois même compris de manière exemplaire et avec une clarté saisissante – lorsqu'ils sont analysés en ces termes » [14].

13. Sur l'analyse et la critique du fonctionnement des médias, on pourra lire, entre autres, en français, les travaux de Pierre Bourdieu (http://www.acrimed.org/article1920.html), Alain Accardo (*Journalistes au quotidien ; Socioanalyse des pratiques journalistiques*, Le Mascaret, 1995 ; *Journalistes précaires*, Le Mascaret, 1998) et Serge Halimi (*Les Nouveaux chiens de garde*, Liber-Raisons d'agir, 1997 ; *L'Opinion, ça se travaille*, Agone, 2002). [NdE]

14. E.S. Herman et N. Chomsky, *Manufacturing Consent. The Political Economy of the Mass Media*, Pantheon Books, New York, 1988, page XI. Trad. Normand Baillargeon.

Vingt-cinq sujets occultés par les médias en 2004, aux États-Unis

Project Censored propose chaque année, aux États-Unis, une liste soigneusement établie et contre-vérifiée de sujets et d'histoires qui ont été occultés par les grands médias. Généralement, on en a touché un mot en quelques très rares endroits, puis plus rien ; ou bien on en a traité dans la presse alternative, ou encore dans des rapports publiés par des institutions ou sur des fils de presse. La lecture de ces listes annuelles produit chez certaines personnes un profond étonnement et un certain malaise. En effet, il s'agit de sujets qui semblent (et qui sont, dans les faits) très importants mais sur lesquels, à moins de s'informer ailleurs que dans les grands médias, on n'a en général que très peu d'information. Voici ceux de 2004 :

1. Les inégalités économiques sont une menace pour l'économie et la démocratie au XXIe siècle ;
2. Ashcroft et les droits de l'homme, sur la responsabilité des corporations ;
3. Le gouvernement Bush censure la recherche scientifique ;
4. Des taux importants d'uranium sont trouvés chez des soldats et des civils ;
5. La vente de garage de nos ressources ;
6. La commercialisation des élections ;
7. Des organisations conservatrices commandent des nominations juridiques ;
8. Le *task force* de Cheney et la politique énergétique ;
9. Une veuve attaque le gouvernement sur les événements du 11 septembre ;
10. De nouvelles usines nucléaires : les contribuables paient, les entreprises empochent ;
11. C'est légal pour les médias de mentir ;
12. La déstabilisation de Haïti ;
13. Schwarzenegger a rencontré Ken Lay, de Enron, bien avant la destitution du gouverneur de Californie ;
14. Une loi menace la liberté intellectuelle ;
15. Les États-Unis produisent un nouveau virus mortel ;

16. Des agences de sécurité espionnent des citoyens innocents ;
17. Le gouvernement américain s'en prend aux syndicats en Iraq afin de promouvoir la privatisation ;
18. Les médias et le gouvernement ne tiennent pas compte de la diminution des ressources pétrolières ;
19. Le cartel de la nourriture devient très rapidement le supermarché mondial de l'alimentation ;
20. Les températures extrêmes amènent les Nations Unies à formuler une nouvelle mise en garde ;
21. Imposer un marché mondial des OGM ;
22. Exporter la censure en Iraq ;
23. Le Brésil émet des réserves aux négociations de la ZLEA mais apporte peu d'encouragement aux pauvres d'Amérique du Sud ;
24. Rétablir la conscription ;
25. Wal-Mart, fournisseur d'inégalités et de bas prix dans le monde.

Une description de chacune des entrées de cette liste est disponible à : http://www.projectcensored.org/index.html.

En résumé, ce modèle propagandiste pose donc un certain nombre de filtres comme autant d'éléments surdéterminant la production médiatique. Il suggère une dichotomisation systématique et hautement politique de la couverture médiatique, qui est fonction des intérêts des principaux pouvoirs nationaux. Tout cela, pensent les auteurs, se vérifiera dans le choix des sujets qui sont traités ainsi que dans l'ampleur et la qualité de leur couverture. Partant de là, ce modèle autorise des prédictions ; il s'agit dès lors de déterminer si les observations s'y conforment ou non.

Les filtres retenus sont au nombre de cinq.

Le premier est celui que constituent la taille, l'appartenance et l'orientation vers le profit des médias. Les médias appartiennent à des corporations et à des personnes très fortunées, qui les contrôlent. On doit présumer que cela constituera un biais. Dans *Media Monopoly*[15], un ouvrage publié en 1983, Ben Badgikian s'inquiétait déjà du contrôle monopolistique s'exerçant sur les médias aux États-Unis. Il soulignait alors que 50 entreprises contrôlaient la majorité des médias américains. Il y avait effectivement de quoi s'inquiéter. Au fil des ans et des rééditions, Badgikian a continué à exprimer la même inquiétude, fondée sur les mêmes raisons, avec une seule variation : le nombre des entreprises propriétaires devait être diminué d'une édition à l'autre. Il y en eut 28, puis 23, puis 14, puis 10. La dernière édition de *Media Monopoly* indique que 5 corporations contrôlent la majorité des médias aux États-Unis – le terme médias incluant ici la télé, les journaux, les revues, les films d'Hollywood, les magazines, les livres.

Singulières omissions

Médias canadiens, 1993-1995

1. Les politiques environnementales proposées par les États-Unis seront dommageables à l'air et à l'eau au Canada (1995) ;
2. L'armée américaine voudrait modifier l'ionosphère (1995) ;
3. Les atteintes aux droits de l'homme au Mexique (1995) ;
4. Ventes d'armes au Abbotsford International Airshow (1995) ;
5. Quelle part a joué la recherche de pétrole dans l'intervention humanitaire en Somalie ? (1993) ;
6. Les Conservateurs réécrivent une règle vieille de 21 ans et permettent aux plus riches de ne pas payer des millions en impôts (1993) ;
7. La douillette relation du Canada avec la dictature indonésienne ;
8. Les entreprises médiatiques et leurs liens avec le pou-

15. B. Badgikian, *Media Monopoly*, Beacon Press, Boston, 1983.

voir (1993) ;

9. Le tiers-monde se bat contre le GATT à propos de brevets (1994) ;
10. La criminalité des cols blancs et des entreprises.

Source : R. A. Hackett, Richard Gruneau *et al.*, *The Missing News : Filters and Blind Spots in Canada's Press,* Canadian center for Policy Alternatives/Garamond Press, Ottawa, 2000.

Le deuxième est celui de la dépendance des médias envers la publicité. Les médias vendent moins des informations à un public que du public à des annonceurs. Vous ne vous en doutez peut-être pas mais, lorsque vous achetez un quotidien, vous êtes vous-même le produit, pour une bonne part, dans ce que pensiez n'être qu'une transaction dans laquelle vous achetiez de l'information. On estime à environ 70 % la part de revenus publicitaires pour un journal, et à plus de 90 % pour une station de télévision. Ceux qui paient veulent que les émissions ou les pages où paraissent leurs publicités soient un environnement favorable à la vente. Les annonceurs n'ont pas à intervenir directement auprès des médias pour les influencer : la dynamique mise en place garantit à elle seule une convergence de points de vue. Cela dit, il arrive aussi que des annonceurs exigent expressément des caractéristiques particulières des émissions où ils comptent annoncer. Badgikian cite par exemple des textes où Proctor and Gamble précise qu'elle n'annoncera pas dans toute émission qui insulte les militaires ou qui laisse entendre que le milieu des affaires ne constitue pas une communauté bonne et religieuse (sic !). On comprend, sans qu'il soit besoin de le dire, l'effet de ce filtre sur tous les médias alternatifs ou critiques.

Aider Coca Cola à vendre son produit en rendant les cerveaux disponibles pour la pub

« Il y a beaucoup de façons de parler de la télévision. Mais dans une perspective *business*, soyons réaliste : à la base, le métier de TF1, c'est d'aider Coca-Cola, par exemple, à vendre son produit.

Or pour qu'un message publicitaire soit perçu, il faut que le cerveau du téléspectateur soit disponible. Nos émissions ont pour vocation de le rendre disponible : c'est-à-dire de le divertir, de le détendre pour le préparer entre deux messages. Ce que nous vendons à Coca-Cola, c'est du temps de cerveau humain disponible.

Rien n'est plus difficile, poursuit-il, que d'obtenir cette disponibilité. C'est là que se trouve le changement permanent. Il faut chercher en permanence les programmes qui marchent, suivre les modes, surfer sur les tendances, dans un contexte où l'information s'accélère, se multiplie et se banalise.

La télévision, c'est une activité sans mémoire. Si l'on compare cette industrie à celle de l'automobile, par exemple, pour un constructeur d'autos, le processus de création est bien plus lent ; et si son véhicule est un succès, il aura au moins le loisir de le savourer. Nous, nous n'en aurons même pas le temps !

Tout se joue chaque jour, sur les chiffres d'audience. Nous sommes le seul produit au monde où l'on "connaît" ses clients à la seconde, après un délai de 24 heures. »

Commentaires de Patrick Le Lay, PDG de TF1, interrogé parmi d'autres patrons dans *Les dirigeants face au changement*, Éditions du huitième jour, Paris, 2004.

Le bâton dans l'auge

Faire de la publicité,
c'est agiter un bâton dans l'auge à cochons.
George Orwell

« Il existe essentiellement deux sortes de publicités. Les premières sont celles qui font des promesses – la promesse de satisfaire des désirs ou de soulager des peurs : celles-là nous donnent généralement des « raisons » de croire que le produit tiendra ses promesses. Les deuxièmes sont les publicités d'identification, qui vendent leur produit en nous amenant à nous identifier à lui (ou à une compagnie). Il est entendu que la plupart des publicités ont recours à une combinaison de ces deux procédés.

[...] Nous devrions nous en méfier parce que :

1. Les publicités ne nous disent pas les défauts des produits, nous amenant ainsi à commettre le paralogisme de la suppression de données. Par exemple, une publicité pour un médicament sans ordonnance ne parlera pas de ses effets secondaires.
2. Les publicités usent de divers trucs psychologiques au lieu d'en appeler directement à la raison. Par exemple, [...] l'identification, l'humour, la répétition.
3. Les publicités sont souvent trompeuses, particulièrement en ce qu'elles laissent croire à de fausses implications, et cela, même lorsqu'elles disent la vérité. [...] elles utilisent aussi des mots-fouines et des qualifications.
4. Les publicités ont recours à diverses formes de boniment, par exemple : "Le meilleur journal au monde."
5. Les publicités utilisent souvent du jargon ou font de l'humour qui nous embrouille. Par exemple : "Plus blanc que blanc."
6. Les publicités nous invitent à raisonner fallacieusement. Par exemple, les témoignages nous invitent à commettre le paralogisme d'appel à l'autorité.
7. Les publicités tendent à transformer nos valeurs et à nous faire adopter des valeurs que les produits annoncés pourraient aisément satisfaire.

Il est important de bien comprendre que les candidats des partis politiques ainsi que les politiques publiques sont essentiellement annoncés et vendus de la même manière que les autres produits. L'identification et la fabrication d'images sont alors les procédés les plus courants. »

Source : H. Kahane, *Logic and Contemporary Rhetoric – The Use of Reason in Everyday Life*, p. 228-229. Traduction de Normand Baillargeon.

Le troisième filtre est constitué par la dépendance des médias à l'égard de certaines sources d'information : le gouvernement, les entreprises elles-mêmes – notamment par l'intermédiaire des firmes de relations publiques – les groupes de pression, les agences de presse. Tout cela crée finalement, par symbiose si l'on peut dire, une sorte d'affinité tant bureaucratique qu'économique et idéologique entre les médias et ceux qui les alimentent, affinité née de la coïncidence des intérêts des uns et des autres.

Le quatrième filtre est celui des *flaks*, c'est-à-dire les critiques que les puissants adressent aux médias et qui servent à les discipliner. Au bout du compte, on tend à reconnaître qu'il existe des sources fiables, communément admises, et on s'épargne du travail et d'éventuelles critiques en référant presque exclusivement à celles-là et en accréditant leur image d'expertise. Ce que disent ces sources et ces experts est de l'ordre des faits ; le reste est de l'ordre de l'opinion, du commentaire subjectif et, par définition, de moindre valeur. Il va de soi que l'ensemble de ces commentaires est encore largement circonscrit par tout ce qui précède.

Le cinquième et dernier filtre est baptisé par Herman et Chomsky l'anticommunisme ; cette dénomination est à l'évidence marquée par la conjoncture américaine. Elle renvoie plus largement, en fait, à l'hostilité des médias envers toute perspective de gauche, socialiste, progressiste, etc.

Un des intérêts non négligeables d'un tel modèle est qu'on peut le soumettre à l'épreuve des faits. Chaque fois, et avec une remarquable constance, les observations sont largement conformes aux prédictions. Si l'on se place du point de vue de la démocratie participative, cela signifie notamment, d'une part, que des faits qui devraient absolument être connus de tous ne le sont pas ou le sont trop peu et, d'autre part, que des interprétations des événements, qui devraient être entendues et discutées, ne le sont pas ou le sont trop peu.

La foire d'Abbotsford ? Connais pas...

Les médias procèdent souvent à une dichotomisation des faits et de leur interprétation, mettant l'accent sur une chose et en minorant une autre. Mais cela ne se vérifie pas toujours : dans certains cas, on note plutôt une occultation complète de certains faits – dont chacun doit comprendre qu'il ne serait pas bien élevé de les évoquer.

L'implication canadienne dans les ventes d'armement militaire constitue un bon exemple de ce que je veux dire ici.

Certes, l'image qu'on nous projette sans cesse est celle d'un Canada gentil, gardien de la paix. Mais cette perception ne résiste pas à l'analyse et à l'observation. C'est ainsi que la portion du budget militaire national consacrée aux missions de paix n'en représente qu'une infime fraction, qu'elle est même bien loin de s'approcher du montant de nos ventes d'armes, le Canada restant un des premiers vendeurs d'armes au monde.

Le *Abbotsford International Airshow* est un cas concret particulièrement intéressant à examiner. Cette foire aux armes se tient à Vancouver depuis 1961 et elle est désormais mondialement connue, du moins de ceux qui vendent et achètent de l'armement militaire. Plus de 70 pays, des milliers de délégués et de gens d'affaires y accourent pour rencontrer des tas d'entreprises vendant des joujoux à tuer, dont notre assisté social Bombardier, mais aussi les bien-de-chez-nous Marconi et Bristoal Aerospatiale.

Comment cette foire aux armes est-elle couverte par les grands médias ? La réponse est sans équivoque mais prévisible : elle ne l'est pas. Distinguons le cas du Québec de celui du Canada anglais.

Au Québec, j'ai eu beau chercher de diverses manières dans une banque de données, on ne recense depuis 1985 qu'une poignée d'articles évoquant la foire d'Abbotsford. Aucun n'est critique, aucun n'explique qu'il s'agit de vente d'armes. On évoque en général une simple foire aéronautique, ici on nous rappelle que le bureau du Québec de Vancouver participe à cet événement qui a « un rayonnement international » (*Les Affaires*, 9 sept. 1995, p. 9), là que « le Canada a l'œil sur le marché asiatique en expansion » et « entend attirer des acheteurs » (*Le Devoir*, 6 sept. 1996, p. A-8) ou encore que nos entreprises (dont Bombardier) sont attirées là pour prendre une part « au lucratif marché canadien des pièces de moteur d'avion » (*La Presse*, 6 août 1997, p. B7).

En d'autres termes : ça crée de l'emploi et c'est tout ce que le public pourra savoir.

Au Canada anglais, la situation diffère un peu, surtout en Colombie-Britannique. C'est que là, le public est tout près. Résultat ? On ne parle pas non plus de vente d'armes et les dimensions militaires de l'affaire sont entièrement gommées ; mais, en conformité avec les dossiers préparés par les firmes de relations publiques, la foire, comme l'a constaté le politicologue Ron Dart, qui a étudié sa présentation dans les médias, est décrite comme « un bénin divertissement familial ».

Ce qui n'est pas un mince succès du système d'endoctrinement.

Voici un exemple de ce que je veux dire, pris dans l'actualité récente mais recueilli dans les médias alternatifs – plus particulièrement sur Z Net, une des plus riches et fiables sources d'informations alternatives. L'armée américaine utilise – et utilisera dans les années à venir – un nombre tellement énorme de munitions que ses fournisseurs habituels, aux États-Unis, ne produisent plus suffisamment. Elle a donc fait appel à des compagnies étrangères pour s'approvisionner. Parmi les heureuses élues, on compte SNC Technologies et son usine située à Le Gardeur, laquelle appartient à Lavalin. Ce fait important nous concerne tous ; je pense qu'il devrait être connu et discuté. Or il ne l'est pas et, je le crains, ne le sera pas.

Si je devais donner en un mot la conclusion des recherches menées à l'aide du modèle propagandiste des médias, je la formulerais ainsi.

Qu'il s'agisse de commerce, de libre-échange, d'accords internationaux, de mondialisation de l'économie, de la décision d'entrer ou non en guerre, de politique internationale et nationale, de questions relevant du bien commun, de la santé, de l'écologie ou de l'éducation, au fil des ans, avec une constance aussi prévisible que remarquable, les grands médias corporatistes ont, sur chacun de ces sujets et sur mille autres aussi cruciaux, tendu à exposer, défendre et propager le point de vue des élites qui possèdent ces mêmes médias et des élites politiques, qui est bien souvent exactement le même. Qui s'en étonnerait ? Tout cela ne peut manquer de limiter sérieusement la portée du débat démocratique, voire de le dénaturer profondément. À une démocratie de participants, simultanément gouvernants et gouvernés, se substitue une démocratie de spectateurs sommés de regarder ailleurs ou d'acquiescer.

Que peut-on tirer, en pratique, de ces analyses ?

Si elles sont justes, les médias, qui traitent de certains sujets seulement parmi tous les sujets possibles, qui le font à partir de certains points de vue particuliers, de certaines valeurs et de certaines conceptions du monde, tendront à occulter certains faits, analyses et données ou à en fausser systématiquement la présentation. Le penseur critique doit apprendre à repérer ces omissions et ces biais. Comment doit-il s'y prendre ?

La section suivante propose quelques éléments de réponse à cette question.

5.3 31 stratégies pour entretenir une attitude critique par rapport aux médias

Chaque jour, des douzaines de personnes sont tuées par arme à feu à Springfield ; mais jusqu'à aujourd'hui, aucune de ces personnes n'était importante. Mon nom est Ken Brockman. À trois heures de l'après-midi, vendredi, l'autocrate local C. Montgomery Burns a été atteint d'une balle après un intense affrontement à l'hôtel de ville. Burns a été aussitôt envoyé à l'hôpital local, où on l'a déclaré mort. Il a ensuite été transféré à un meilleur hôpital, où les médecins ont progressivement amélioré son état jusqu'à « vivant ».

LES SIMPSONS
(Épisode 2F20, 17 mai 1995)

1. **Faites-vous l'avocat du diable.** Face à une assertion ou une thèse, cherchez ce qu'on pourrait alléguer contre elle tout en vous demandant s'il existe un autre point de vue et des raisons de le soutenir.
2. **Substitution de mots.** Amusez-vous à remplacer certains mots utilisés par d'autres mots ayant des connotations, voire des dénotations différentes et demandez-vous si les nouvelles significations ne pourraient pas elles aussi être défendues. Parle-t-on de libre-échange ? Mettez à sa place « échanges administrés ». Bien souvent, cela correspond bien mieux à la réalité. Parle-t-on d'éducation ? Mettez « endoctrinement ». Parle-t-on d'écologie et de protection de l'environnement ? Vous mettez... à vous de jouer !
3. **Écrivez ou téléphonez aux médias.** Vous avez lu ou vu une chose inacceptable ? Plaignez-vous.

Les journalistes et leurs patrons sont sensibles aux critiques du public.

4. **Soyez rigoureux.** Votre cerveau est un territoire qu'un ennemi veut occuper en vous persuadant de certaines choses. Ne prenez pas à la légère l'organisation de la résistance. Pratiquez une écoute et une lecture actives. Prenez des notes, enregistrez, découpez. Prenez la saine habitude de noter soigneusement toutes les informations relatives à un événement dont vous voulez parler : Qui ? Quoi ? Quand ? Dans quel contexte ?
5. **Devenez danseur ou danseuse.** Pratiquer cet art de danser avec les idées qu'évoquait Nietzsche est pour vous crucial. Soit un événement donné tel qu'il est décrit dans les grands médias. Amusez-vous à l'examiner dans des cadres conceptuels différents et multipliez les points de vue. Comment le décrirait-on dans le tiers-monde ? Dans les quartiers défavorisés de Montréal ? Dans les quartiers très favorisés de la même ville ?
6. **Repérez** les connivences et les renvois d'ascenseurs. Les gens des médias font partie d'une certaine élite et entretiennent entre eux et avec cette élite des rapports qu'il est important de repérer. X invite Y à son émission, qui parle en retour de son livre dans sa chronique, Z l'invite à une conférence en France et ainsi de suite...
7. **Méfiez-vous** de la trompeuse symétrie. En 1996, aux États-Unis, la *Society of Professional Journalists* a retiré le concept d'objectivité de son Code d'éthique et l'a remplacé par divers autres concepts comme « équitabilité », « équilibre », « précision », « complétude », « justesse ». On a justifié cette décision en expliquant que bon nombre de journalistes considèrent désormais que le mot objectivité ne traduit ni ce que

les journalistes sont en mesure d'accomplir, ni ce qu'il est souhaitable d'attendre d'eux. La mutation que traduit ce changement de terminologie est importante : elle fait passer d'une recherche d'objectivité désormais tenue pour illusoire à une volonté d'équilibre dans la présentation des points de vue divergents sur une question donnée. Se montrer sensible à une large diversité de positions est sans doute une chose tout à fait louable. Mais l'abandon du concept d'objectivité qui la précède et la commande fait craindre la pire dérive relativiste, et cela, pour une raison philosophique que Platon avait déjà parfaitement énoncée. Le cas du réchauffement planétaire est intéressant à plus d'un titre.

Misères du relativisme épistémologique

Examinons brièvement cette idée de relativisme épistémologique, tellement répandue aujourd'hui comme hier et selon laquelle le vrai est relatif. Un penseur critique doit avoir réfléchi à cette question et résister à ces sirènes.

Commençons par nous demander ce que peut bien signifier l'idée que la vérité soit relative. Relative à quoi, d'abord ? Protagoras, un sophiste dont Platon fera une critique exemplaire et un des tout premiers à soutenir le relativisme épistémologique, donnait la vérité pour relative à « l'homme, mesure de toutes choses » – mais sans dire clairement si par homme il fallait entendre l'individu (tel ou tel être humain), l'espèce (l'humanité), voire tel ou tel groupe d'êtres humains réunis en société (les Athéniens, les Spartiates). Mais, quelle que soit la version du relativisme qu'on adopte, elle conduit à des conséquences intenables et doit donc être rejetée.

Dans le premier cas – la vérité est relative aux individus – ce subjectivisme conduit à d'étranges conclusions. Si le fait de croire une proposition vraie la rendait telle, nous serions infaillibles du moment que nous admettons quelque chose comme vrai ; des désaccords entre individus seraient impossibles, parce que sans objet ; tout le monde aurait raison.

De même, dans le deuxième cas – la vérité est posée comme étant relative aux société – ce relativisme social conduit lui aussi à de bien étranges conclusions. Ici encore, la société serait infaillible ; des propositions comme « La terre est plate » devraient être admises comme vraies dès lors qu'elles sont crues telles par un groupe social.

Mais le principal argument contre le relativisme est sans doute ce « pétard relativiste », comme le nomme Harvey Siegel. La défense du relativisme est en effet ou impossible ou contradictoire, puisque ou bien on le défend à l'aide d'arguments non relativistes et, en ce cas, on admet ce que, le défendant, on veut nier ; ou bien on le défend à l'aide d'arguments relativistes et alors on ne le défend pas et notre interlocuteur peut toujours affirmer penser le contraire. Comme l'écrit Siegel : « Le relativisme est de manière auto-référentielle incohérent ou auto-réfutant puisque pour défendre cette doctrine, il faut l'abandonner. » (H. Siegel, *Relativism Refuted*, D. Reidel, Dordrecht, Pays-Bas, 1987, p. 9.)

La leçon à tirer de ces analyses, qui remontent à Platon, est très importante. Nous sommes faillibles, notre savoir est limité et il est produit par des êtres humains vivants en société : tout cela est entendu. Mais l'idée de vérité elle-même, comprise comme quelque chose qui existe indépendamment de nous, est un concept régulateur rigoureusement indispensable de toute activité cognitive.

À ce sujet, il y a, en effet, une très grande convergence des opinions informées. Le fait de mettre en face les unes des autres, comme si elles étaient comparables et pouvaient s'équilibrer, les opinions des experts et celles de groupes de pression, donne une illusion profondément trompeuse de symétrie. Une récente étude de Fairness and Accuracy In

Reporting (FAIR) le montre remarquablement[16].

8. **Comparez,** par exemple à l'aide d'Internet, les traitements qui sont proposés des mêmes événements dans deux pays différents.

9. **Connaissez parfaitement,** de manière à pouvoir en reconnaître les pratiquants, les dix commandements de l'Église d'idéologie.

Les dix commandements de l'idéologue

1. Tu feras passer le singulier pour l'universel ;
2. Tu occulteras le travail accompli, faisant ainsi passer pour naturels les marchandises et les textes culturels ;
3. Tu te serviras de fausses analogies ;
4. Tu donneras l'impression de l'objectivité, de manière à occulter ton parti pris particulier ;
5. Sur tout sujet ou débat, tu traceras soigneusement les limites de ce qui est acceptable – en d'autres termes, tu contrôleras l'ordre du jour ;
6. Tu donneras l'explication la plus simple comme étant nécessairement la meilleure – ce qui est un sophisme ;
7. Tu rendras ordinaire ce qui est hors de l'ordinaire – par exemple, en disant que nos dirigeants sont des gens ordinaires, pareils à nous ;
8. Tu embrouilleras et feras en sorte que l'on s'attarde à la surface des choses plutôt qu'au phénomène en son entier ;
9. Tu créeras et alimenteras l'illusion que l'histoire conduit exactement au moment présent et à la situation actuelle ;

16. M. et J. Boykoff, « Journalistic Balance as Global Warming Bias. Creating Controversy where Science finds Consensus », *Extra*, novembre-décembre 2004. http://www.fair.org/index.php?page=1978.

10. Tu deviendras expert dans l'art et la pratique de l'OPFA : *On ne peut pas faire autrement.*

Adapté de P. Steven, *The No-Nonsense Guide to Global Media*, p. 113.

10. Sachez reconnaître ce que l'Observatoire des médias, en France, appelle *les figures imposées.*

L'observateur critique des médias portera une attention particulière aux genres et pratiques qui ont pour effets :

la domination : la mise en mots et en scène des ouvriers et employés, et particulièrement des femmes ; le paternalisme élitaire et masculin qui suinte dans les reportages sur la vie professionnelle et la vie privée ; le « racisme de classe » et le « racisme de l'intelligence », qui conduisent des journalistes à évoquer avec condescendance ou mépris le monde des classes populaires qu'ils ne connaissent pas. Les dirigeants éditoriaux sont souvent issus des classes dominantes ; ils sortent de plus en plus fréquemment d'écoles de journalisme et parfois de grandes écoles, où ils intériorisent une sociabilité bourgeoise ; leurs revenus les rapprochent des cadres supérieurs ou des professions libérales. Tout cela enracine chez eux des intérêts particuliers ainsi qu'une manière particulière de voir le monde.

la dépolitisation : le fait divers « qui fait diversion », et la transformation de toute question (sociale ou internationale) en fait divers ; la personnalisation à outrance (et la multiplication des portraits, y compris parfois avec le consentement de responsables de mouvements collectifs qui affirment combattre l'individualisme) ; la présentation politicienne de toutes les questions politiques et la présentation technicienne de toutes les questions économiques.

la promotion : les renvois d'ascenseurs, complaisances et connivences qui permettent de constituer une prétendue « élite » à laquelle le

« peuple » devrait rendre des comptes de son « irrationalité » et de son « populisme ».

la dépossession : l'art de priver de parole ceux-là mêmes à qui on la donne. À analyser par exemple et concrètement : « Le Téléphone sonne » (France Inter), « Maisonneuve en direct » (Radio Canada), les micros-trottoirs, les témoignages, les débats devant des « panels », les questions par Minitel ou courrier électronique, les sondages...

Source : *PLPL* et Acrimed, *Informer sur l'information. Petit manuel de l'observateur critique des médias*, p. 14-15.

11. **Collationnez** les premières pages de votre quotidien préféré pendant un mois et faites-en l'analyse. Pour cela, décidez des critères que vous retiendrez ; définissez-les le mieux possible ; construisez votre grille de lecture ; appliquez-la. Montrez vos résultats à un ami qui, idéalement, ne partage pas vos idées sociales et politiques et discutez-en ensemble. Si possible, comparez vos résultats avec les siens s'il a accepté de faire la même démarche.

12. **Réunissez** les 50 derniers éditoriaux ou les 50 dernières chroniques d'un même journaliste et analysez-les sous différents angles. Quels sont les sujets traités ? Quelles sources sont citées ? Quel vocabulaire est employé ? Et ainsi de suite.

13. **Considérez** le titre donné à un article ou une nouvelle. Est-il conforme à ce que vous avez lu ? Quel autre titre aurait été possible ? Souhaitable ? Y a-t-il des raisons qui pourraient expliquer pourquoi ce titre plutôt qu'un autre a été retenu ? Rappelez-vous que si les chroniqueurs et éditorialistes titrent eux-mêmes leurs textes

en général, ce n'est pas le cas des nouvelles et d'autres types de textes.

14. Identifiez les sources qui alimentent les médias que vous ne connaissez pas et cherchez à en savoir plus long sur elles. Si vous pratiquez une écoute et une lecture actives, vous ne tarderez pas à repérer des sources citées de manière récurrente : l'institut Fraser, le FMI, le Conseil canadien des chefs d'entreprise, l'Institut économique de Montréal (IEDM), par exemple. De quoi et de qui s'agit-il ? Internet vous sera sans doute utile pour le déterminer. Visitez les sites Internet de ces institutions. Lisez leurs publications. Repérez leurs traces dans les médias. Quand, par qui, à quelle fréquence, comment et à quelles fins ces études sont-elles utilisées ?

Amis de la forêt, bonsoir...

La B.C Forest Alliance veut promouvoir une approche équilibrée de la gestion des forêts en Colombie-Britannique. Il était temps qu'on prenne ça au sérieux, dites-vous ? La fibre écologique s'agite en vous ? Méfiez-vous !

Il s'agit en fait d'un organisme mis sur pied par Burson-Marstellar, la gigantesque firme de relations publiques, afin de contrer le « manque de confiance » [sic] et l'inquiétude de la population à l'endroit des coupes à blanc et de la pollution engendrée par les moulins à scie. Cette vertueuse façade cache des entreprises et leurs visées de profit privé à tout prix. Relations publiques : avoir des relations, se moquer du public.

On lira *The Greenpeace Guide to Anti-Environmental Organizations*, Odonian Press, Berkeley, 1998, pour connaître une foule d'organisations semblables à la Burson-Marstellar.

15. Apprenez ce que sont les légendes urbaines et ne tombez pas dans ces grossiers panneaux.

Légendes urbaines
Des histoires trop belles pour être vraies...

Vous connaissez l'histoire de cette jeune fille à qui des parents ont demandé de garder leur bébé pendant leur sortie au restaurant et de mettre le poulet au four? En revenant chez eux, quelques heures plus tard, les parents ont constaté avec horreur que la jeune fille, qui était complètement droguée, avait mis le bébé au four.

Ou encore cette histoire de l'étudiant arrivant en retard à son examen universitaire de mathématiques? Trois problèmes sont inscrits au tableau. L'étudiant, qui est doué, résout assez facilement les deux premiers, mais il bute sur le troisième. Il y travaille d'arrache-pied et finit *in extremis*, juste avant de rendre sa copie, par trouver ce qu'il pense être une possible solution. Le lendemain, il reçoit un appel de son professeur. L'étudiant est convaincu que c'est parce qu'il a complètement raté le troisième problème. Mais son professeur lui annonce que seuls les deux premiers problèmes constituaient l'examen ; le troisième, qui avait été inscrit au tableau à titre d'exemple, n'en faisait pas partie. C'était, explique le professeur, un problème resté irrésolu depuis un siècle, et qu'Einstein lui-même avait été incapable de résoudre. Or l'étudiant venait de le solutionner et d'entrer ainsi dans l'histoire des mathématiques.

Saviez-vous enfin qu'une chaîne de *fast food* dont on taira le nom utilise des vers de terre au lieu de bœuf pour fabriquer ses hamburgers? L'ami d'un ami l'a appris de la plus étrange manière...

Ces histoires sont ce qu'on appelle des légendes urbaines, puisque c'est désormais ainsi que l'on nomme l'intéressant et complexe phénomène social de ces mythologies contemporaines.

De tels récits circulent dans la culture populaire et sont répétés, parfois avec seulement quelques variations. Souvent, l'amorce est que ce que le conteur va dire est arrivé à un ami d'un ami : ce trait revient d'ailleurs avec une si grande fréquence que les personnes qui, aux États-Unis, collectionnent et étudient les légendes urbaines, ont créé un acronyme pour le désigner : FOAF, *friend of a friend*.

Les légendes urbaines ne sont pas toutes nécessairement fausses ; d'ailleurs, on ne peut évidemment pas prouver que ce qui est affirmé n'est pas arrivé – puisqu'on ne peut pas, au sens strict, prouver une proposition factuelle négative. Mais on ne dispose en général d'aucune preuve confirmant que ce soit réellement arrivé. Quiconque remonte la piste de ces histoires se heurte presque toujours à des impasses : c'est ainsi que l'ami de l'ami est inexistant, ou tenait lui-même l'histoire d'un ami qui disait la tenir d'un ami et ainsi de suite.

Tentons une définition qui réunira les caractéristiques courantes des légendes urbaines.

Les légendes urbaines sont des histoires apocryphes (c'est-à-dire douteuses et suspectes) mais au moins un peu plausibles, qui circulent le plus souvent oralement entre individus (même si on en trouve aussi sur Internet et dans des recueils) et qui sont racontées comme si elles étaient vraies. La personne qui raconte se réclame souvent d'une source proche et fiable à qui ce qui est conté est précisément arrivé. Toutefois, le conteur ne donne en général aucun nom ni donnée vérifiable.

Les légendes urbaines sont également de bonnes histoires, capables de susciter l'intérêt de l'auditoire et de permettre au conteur de déployer son talent. Elles ont en général une chute bizarre, surprenante ou inattendue. Des gens ordinaires y sont décrits dans des situations où ils vivent quelque chose d'horrible, d'ironique ou de gênant. Enfin, les légendes urbaines contiennent souvent une morale ou une mise en garde implicites qui concerne certaines peurs ou phobies répandues.

Pour en connaître davantage sur les légendes urbaines, on consultera en priorité les ouvrages de Jan Harold Brunvand : il est le chercheur qui, dans les années 1980, leur a donné leur nom, dans son ouvrage *The Vanishing Hitchhiker*. Depuis, il n'a cessé de les répertorier et de les étudier. Citons par exemple : *Too Good to be True. The Colossal Book of Urban Legends*, dont la référence complète figure en bibliographie.

16. **Enregistrez** sur magnétoscope quelques présentations de votre bulletin de nouvelles télé favori. Visionnez ensuite vos cassettes après vous être muni d'une montre. Inscrivez sur une feuille de papier les sujets traités, l'ordre dans lequel ils le sont et le temps consacré à chacun. Consultez ensuite divers autres médias pour savoir ce qui aurait pu être traité ces différents jours là. Concluez.

17. **Consultez régulièrement,** mais surtout en temps de crise, les sites Internet d'Amnistie internationale et de Human Rights Watch, par exemple. Vous y trouverez de précieuses informations peu ou pas du tout reprises dans les grands médias.

18. **Suivez** systématiquement des thèmes et des sujets dans la longue durée, par exemple dans un même média.

19. **Comparez** le traitement proposé par un même média pour deux sujets donnés qu'on peut raisonnablement penser comparables sur tous les plans sauf un. Par exemple, comparez le traitement réservé à des actes criminels commis par des ennemis et celui qui est réservé à des actes comparables mais commis par des amis. Comparez des événements qui ne sont pas comparables. Un syndicaliste est-il accusé d'avoir fracassé une porte ? Comparez le traitement qui est fait de cet événement avec celui d'un patron ayant commis un crime beaucoup plus grave, entraînant des morts, par exemple.

20. **Transcrivez,** si vous en avez la patience, tout ce qui se dit durant un téléjournal. Analysez ensuite votre texte quantitativement : combien de mots ont été prononcés sur tel ou tel sujet ? Par qui ? À combien de pages de votre quotidien préféré cela correspond-il ? Comparez vos

résultats avec différents textes écrits. Ne m'en veuillez pas si vous concluez, avec raison, que vous n'écouterez plus jamais les informations à la télé.

Un précieux outil de recherche

On peut utiliser des bases de données pour faire de la recherche (par mots-clés, auteurs et ainsi de suite) simultanément dans plusieurs journaux et périodiques et en remontant très loin dans le temps. C'est un outil très utile, accessible de chez vous par Internet. J'utilise pour ma part le site www.eureka.cc.

Il faut payer un abonnement, mais l'institution où vous travaillez ou celle où vous étudiez est peut-être déjà abonnée.

21. **Devant chaque information,** demandez-vous : Qui parle ? A-t-il un intérêt dans ce dont il est question ? Quelles sont ses valeurs et présuppositions ? Les autres points de vue possibles sont-ils présentés ? Le sujet est-il traité superficiellement ou en profondeur ? Quelles contre-manifestations historiques et sociales (le cas échéant) sont proposées pour comprendre les causes et la complexité du phénomène ?

22. **Les sources utilisées** sont-elles précisées ? Sont-elles multiples ? Fiables ? Il y a lieu de vous méfier si on vous parle de « sources autorisées » ou « d'observateurs ».

23. **Le spectacle et le vécu.** Ce qui est rapporté l'est-il avec le souci manifeste et presque exclusif de susciter l'intérêt, en particulier en s'en tenant au sensationnalisme, au divertissement, au spectacle et à l'« intérêt humain » ? En ce cas, méfiez-vous. Mieux encore : fermez la télé ou le journal – vous ne perdrez rien.

24. Les experts. Il faut apprendre à reconnaître non seulement qui parle et d'où il parle, mais aussi quel point de vue n'est pas représenté, n'est pas invité ou n'a pas droit de parole. Portez donc une grande attention à l'appartenance institutionnelle des experts, en particulier de ceux qui reviennent sans cesse dans les médias pour s'exprimer sur certains sujets donnés, ou en temps de crise.

25. Étudiez la philosophie politique. Chacun de nous voit le monde à travers le prisme de convictions plus ou moins consciemment adoptées. Ces convictions peuvent commodément se ventiler en deux catégories : valeurs et conceptions du monde. Bon nombre de débats sont fondamentalement des conflits entre des valeurs et des visions du monde différentes auxquelles les protagonistes adhèrent fermement. Pour connaître les valeurs et conceptions du monde qui sous-tendent les visions du monde, prenez la résolution d'étudier les grands systèmes qui les organisent de manière systématique. Vous ne pouvez pas adopter une attitude critique par rapport aux médias si vous ne savez pas ce que sont le libertarianisme, le libéralisme, la social-démocratie, le keynésianisme, l'utilitarisme, le monétarisme, le socialisme, l'anarchisme, le féminisme, le communautarisme et ainsi de suite.

26. Le vocabulaire. Rappelez-vous tout ce que nous avons vu au premier chapitre de ce livre : voilà le moment rêvé de vous en servir.

27. Les chiffres. Rappelez-vous tout ce que nous avons vu au deuxième chapitre de ce livre : voilà le moment rêvé de vous en servir.

28. Lisez Chomsky. Ses livres, bien entendu, mais aussi ses articles. Il écrit régulièrement sur Z

Net, où il maintient d'ailleurs un *Blog* où vous pouvez lui poser vos questions.

Chomsky, *in extenso*

Si vous désirez apprendre quelque chose à propos du système de propagande, un précepte commode à suivre est de chercher à identifier les postulats tacitement convenus par tous les critiques : en général, ce sont là les doctrines qui constituent la religion de l'État.

Si j'affirme que General Motors veut maximiser son profit et ses parts de marché, je ne propose pas une théorie de la conspiration : c'est une analyse institutionnelle.

Si les médias au Canada et en Belgique sont plus ouverts, c'est en partie parce que là, ce que les gens pensent n'a pas tellement d'importance.

De toutes celles qu'on connaît, les plus importantes opérations de terrorisme international sont celles qui sont dirigées depuis Washington.

Si les lois de Nuremberg étaient appliquées, tous les présidents américains depuis la fin de la Deuxième Guerre mondiale auraient été pendus.

L'éducation est un système d'imposition de l'ignorance.

[Si] vous vous conformez, vous commencez à obtenir les privilèges que confère le conformisme. Bientôt, parce qu'il est utile de le croire, vous en venez à croire ce que vous dites et vous intériorisez le système d'endoctrinement, de distorsions et de mensonges. Vous devenez ainsi un membre consentant de cette élite privilégiée qui exerce son contrôle sur la pensée et l'endoctrinement : tout cela se produit très couramment, jusqu'au plus hauts échelons. Il est en fait très rare – c'est à peine si cela existe – qu'une personne puisse endurer ce qu'on appelle la « dissonance cognitive » – dire une chose et en croire une autre. Vous commencez donc à dire certaines choses parce qu'il est nécessaire de les dire et bientôt vous les croyez parce que vous devez les croire.

Vous devez être concis – dire les choses entre deux publicités ou en 600 mots. Et c'est très important, puisque la beauté de la concision est de ne rien permettre d'autre que la répétition d'idées conventionnelles.

Un expert, c'est quelqu'un qui articule le consensus de ceux qui ont du pouvoir.

Le modèle propagandiste ne dit pas que les médias répètent les positions de ceux qui se trouvent à diriger le pays, comme c'est le cas dans un régime totalitaire ; ce qu'il dit, c'est que les médias reflètent en général les consensus des élites dominantes du couple État-entreprises, y compris les positions de ceux qui s'opposent, le plus souvent pour des raisons tactiques, à certains aspects des politiques gouvernementales. De par ses fondements même, le modèle soutient que les médias vont protéger les intérêts des puissants, non qu'ils vont soustraire les managers de l'État à leurs critiques : la persistante incapacité à saisir cette distinction pourrait bien refléter de tenaces illusions quant à notre système démocratique.

C'est peut-être un truisme, mais le postulat démocratique est que les médias sont indépendants, qu'ils sont voués à découvrir et à proclamer la vérité et qu'ils ne reflètent pas seulement le monde tel que les groupes dominants voudraient qu'il soit perçu. Les leaders des médias assurent que leurs choix de nouvelles reposent sur des critères professionnels objectifs et non biaisés, et ils ont à ce sujet l'appui de la communauté intellectuelle. Cependant, si les élites sont en mesure de déterminer les prémisses du discours, de décider ce que la population en général peut voir, entendre et ce à quoi elle peut penser et de « gérer » l'opinion publique par de constantes campagnes de propagande, alors notre description courante du fonctionnement du système est considérablement démentie par la réalité.

La plupart des biais des médias s'expliquent par la présélection de gens qui pensent comme il convient, par l'intériorisation de préconceptions et par l'adaptation du personnel aux contraintes de la propriété, de l'organisation, du marché et du pouvoir politique. La censure y est largement auto-censure.

Les masses ignorantes doivent être marginalisées, diverties et contrôlées – pour leur plus grand bien, cela va sans dire.

Ils choisissent, ils décident, ils mettent en forme, ils

contrôlent, ils restreignent – et servent ainsi les intérêts des groupes dominants et des élites de la société.

Plusieurs journalistes ne comprennent pas les forces dont ils dépendent. Certains sont malléables, d'autres essaient d'agir avec intégrité et sont surpris des résistances qu'ils rencontrent sans cesse.

La supposée complexité de ces questions [concernant le politique], leur prétendue profondeur et obscurité, tout cela fait partie de l'illusion véhiculée par le système de contrôle idéologique, qui vise à les donner pour très éloignées de la masse de la population et à persuader les gens de leur incapacité à organiser leurs propres affaires et à comprendre le monde social dans lequel ils vivent sans le secours d'un intermédiaire.

Extraits de *Manufacturing Consent*, le film et l'ouvrage.

29. **Lisez régulièrement** d'autres sources d'information. Le tableau qui suit pourra vous aider à choisir. Lisez et fréquentez non seulement la presse et les médias indépendants et alternatifs, mais aussi la presse et les médias spécialisés.

30. **Méfiez-vous** de l'influence de vos propres valeurs et présuppositions sur ce que vous percevez. Rappelez-vous que vous n'êtes pas immunisé contre la perception sélective, la dissonance cognitive et ainsi de suite.

31. **Rappelez-vous** que tout le monde a des valeurs et des présuppositions. Méfiez-vous donc aussi des auteurs de *Petits cours d'autodéfense intellectuelle*. Le présent, en tout cas, ne vous cache pas que ses convictions sont libertaires et il vous invite à le prendre en compte pour évaluer ses propos.

Je m'aperçois d'ailleurs ici, avec chagrin, que ce chapitre est presque terminé sans que j'aie utilisé une seule fois le mot matraque. Ah ! Voilà qui est fait...

Des médias indépendants

Le fait que nous les mentionnions ici ne signifie pas que nous partagions nécessairement les valeurs de chacun : à vous, bien entendu, de choisir vos saines lectures.

Médias imprimés

À bâbord !
http://www.ababord.org/
« *À bâbord !* est une revue qui veut s'élargir à toutes les composantes de la gauche québécoise et se faire l'écho de leurs débats et préoccupations. Avec un engagement central : celui de l'intervention sociale et politique. Pour réfléchir non seulement sur le militantisme social et politique, mais aussi en vue de l'action sociale et politique. »

CQFD
http://www.cequilfautdetruire.org/
Mensuel de contre-information et de critique sociale.

Courant Alternatif
http://oclibertaire.free.fr/ca.html
Courant alternatif, édité depuis plus de vingt ans, est un mensuel de contre-information ouvert sur les dynamiques et les luttes sociales.

L'aut' Journal
http://www.lautjournal.info/
« *L'aut'journal* est un journal indépendant, ouvrier et populaire. Il est publié au Québec tous les mois par le collectif du journal, depuis 1984. *L'aut'journal* est publié par les Éditions du renouveau québécois. *L'aut'journal* est un journal enregistré et tous les droits sont réservés. Cependant, *L'aut'journal* encourage la reproduction d'articles et de photos en indiquant la provenance et en envoyant une copie de la publication à *L'aut'journal*. »

La Décroissance
http://www.casseursdepub.org/journal/index.html
« Le projet de *La Décroissance* est la seule solution possible au développement de la misère et à la destruction de la planète. *La Décroissance* est un mouvement d'idées et un ensemble de pratiques qui n'appartiennent à personne. *La Décroissance* entend être au service de cette cause, mais ne prétend pas en être le dépositaire exclusif. Il se veut au contraire un vecteur

de débats et de mobilisations pour convaincre les partisans du « développement durable » de leur impasse. Le journal s'adressera par son contenu au plus grand nombre, fort du principe que les choix politiques sont l'affaire de tous. »

Le Couac

http://lecouac.org

Le Couac est le mensuel satirique québécois qui tourne en dérision la bêtise humaine. Exemple d'une presse libre, critique et joviale, *Le Couac* aborde des sujets d'actualité délaissés par les journalistes conventionnels. Ce « canard qui a des dents » mord tous ceux qui se moquent de nous : technocrates abscons, politiciens inconséquents, journalistes complaisants, patrons et gens d'affaires sans scrupules.

Le Mouton noir

http://www.moutonnoir.com/

« Le Mouton NOIR, un journal d'opinion et d'information publié huit fois par année. Le Mouton NOIR, dans sa version "papier", est disponible en kiosque partout au Québec. »

Mother Jones Magazine

http://www.motherjones.com/index.html

Mother Jones is an independent nonprofit whose roots lie in a commitment to social justice implemented through first rate investigative reporting. The *Mother Jones Magazine* is published every two months.

New Internationalist

http://www.newint.org/

« The *New Internationalist* workers' co-operative exists to report on the issues of world poverty and inequality ; to focus attention on the unjust relationship between the powerful and powerless worldwide ; to debate and campaign for the radical changes necessary to meet the basic needs of all ; and to bring to life the people, the ideas and the action in the fight for global justice. *New Internationalist* is a monthly magazine. »

PLPL

http://plpl.org

Le journal de critique des médias. « Un bimestriel sardonique contre les organes du spectacle de l'ordre mondial capitaliste. »

Politis

http://www.politis.fr/

Magazine français publié chaque semaine. Principaux thèmes : l'action citoyenne et alternative, l'actualité de l'économie sociale et solidaire, la politique, les nouvelles formes d'engagement, les enjeux internationaux, la culture, les idées, les coups de gueule.

Silence
http://www.revuesilence.net/
« La revue *Silence* est publiée depuis 1982. Elle se veut un lien entre toutes celles et tous ceux qui pensent qu'aujourd'hui il est possible de vivre autrement sans accepter ce que les médias et le pouvoir nous présentent comme une fatalité. »

Médias éléctroniques

A-Infos
http://www.ainfos.ca/
« A-Infos est une agence de presse spécialisée au service (nous faisons de notre mieux) du mouvement des activistes révolutionnaires anticapitalistes qui sont impliqué-e-s dans différentes luttes sociales contre la classe capitaliste et son système social. »

Acrimed
http://www.acrimed.org
« Action-CRItique-MEDias [Acrimed] se propose de se constituer en Observatoire des médias et d'intervenir publiquement, par tous les moyens à sa disposition, pour mettre en question la marchandisation de l'information, de la culture et du divertissement, ainsi que les dérives du journalisme quand il est assujetti aux pouvoirs politiques et financiers et quand il véhicule le prêt-à-penser de la société de marché. »

Adbusters
http://www.adbusters.org/home/
Site anglophone de contre-information, anticapitaliste.

Alternative Press Center (APC)
http://www.altpress.org/
« The Alternative Press Center (APC) is a non-profit collective dedicated to providing access to and increasing public awareness of the alternative press. Founded in 1969, it remains one of the oldest self-sustaining alternative media institutions in the United States. For more than a quarter of a century, the Alternative Press Index has been recognized as a leading guide to the alternative press in the United States and around the world. »

CMAQ
http://www.cmaq.net
« Le Centre de médias alternatifs du Québec est un point de rencontre physique et une plate-forme virtuelle d'information

indépendante et alternative. Il vise l'exercice réel de la démocratie en encourageant l'engagement citoyen par, et pour, une réappropriation de l'information. Le CMAQ appartient au réseau Indymedia. »

Casseurs de pub
http://www.casseursdepub.org/
« Créé en 1999, Casseurs de pub est une association dont l'objectif est de promouvoir la création graphique et artistique basée sur la critique de la société de consommation et la promotion d'alternatives. »

Counterpunch
http://www.counterpunch.org/
« CounterPunch is the bi-weekly muckraking newsletter edited by Alexander Cockburn and Jeffrey St. Clair. Twice a month we bring our readers the stories that the corporate press never prints. We aren't side-line journalists here at CounterPunch. Ours is muckraking with a radical attitude and nothing makes us happier than when CounterPunch readers write in to say how useful they've found our newsletter in their battles against the war machine, big business and the rapers of nature. »

Cybersolidaires
http://www.cybersolidaires.org/
« Cybersolidaires, c'est une mine d'informations régulièrement mises à jour sur les filles et les femmes des Amériques et du monde, en particulier sur les violences faites aux femmes, les fondamentalismes, les femmes afghanes, la prostitution et le travail du sexe ainsi que sur les luttes pour la paix, pour une mondialisation solidaire et pour que les femmes prennent leur place dans la société de l'information et de la communication. »

Ecorev'
http://ecorev.org/
« Revue écologiste de réflexion et de débats, EcoRev' est un outil au service des acteurs et actrices des luttes pour la transformation sociale et écologiste à l'échelle planétaire, qu'ils/elles viennent de l'écologie, des mouvements sociaux, de la gauche critique ou des mouvements citoyens non partidaires émergents face à la mondialisation libérale. »

Fair
http://www.fair.org/
« FAIR, the national media watch group, has been offering well-documented criticism of media bias and censorship since 1986. We work to invigorate the First Amendment by advocating for

greater diversity in the press and by scrutinizing media practices that marginalize public interest, minority and dissenting viewpoints. As an anti-censorship organization, we expose neglected news stories and defend working journalists when they are muzzled. As a progressive group, FAIR believes that structural reform is ultimately needed to break up the dominant media conglomerates, establish independent public broadcasting and promote strong non-profit sources of information. »

Guerrilla News Network

http://www.guerrillanews.com/

« Guerrilla News Network is an underground news organization with headquarters in New York City and production facilities in Berkeley, California. Our mission is to expose people to important global issues through guerrilla programming on the web and on television. »

Hacktivist news service

http://www.hns-info.net/

« Si la communication est au cœur des processus d'accumulation et de contrôle impériaux, la communication alternative utilisant Internet est une des nouvelles et multiples formes d'interventions politiques, aussi bien sur le plan local que mondial, en-dehors du cadre dépassé des États-nations, qui s'opposent à la logique de guerre mondiale permanente et diffuse, à géométries, intensités et conséquences variables et expérimentent de nouveaux parcours de luttes, de libérations, d'émancipations, de coopérations, d'échanges de savoirs, de créations, de plaisirs, d'affects, etc. »

IndyMédias

http://www.indymedia.org/fr/

« The Independent Media Center is a network of collectively run media outlets for the creation of radical, accurate, and passionate tellings of the truth. We work out of a love and inspiration for people who continue to work for a better world, despite corporate media's distortions and unwillingness to cover the efforts to free humanity. »

Infoshop.org - Online Anarchist Community

http://www.infoshop.org/

« Infoshop.org is committed to promoting and featuring all aspects of contemporary anarchism and anti-authoritarianism. »

L'Iris

http://www.iris-recherche.qc.ca/

« Sa mission est double. D'une part, l'institut produit des

recherches, des brochures et des dépliants sur les grands enjeux socio-économiques de l'heure (fiscalité, pauvreté, mondialisation, privatisations, etc.) afin d'offrir un contre-discours à la perspective néolibérale. D'autre part, les chercheurs offrent leurs services aux groupes communautaires, groupes écologistes et syndicats pour des projets de recherche spécifiques ou pour la rédaction de mémoires. »

L'Itinérant électronique

http://www.itinerant.qc.ca/index.html

« Le principal objectif de l'Itinérant électronique est de fournir aux intervenants et aux intervenantes du grand univers des relations du travail des contenus dynamiques et ponctuels sur les événements locaux, nationaux et internationaux en relation avec les grands dossiers d'actualité. »

L'Observatoire des inégalités

http://www.inegalites.fr/

« L'Observatoire des inégalités n'est pas un mouvement politique. Son rôle n'est pas d'appuyer tel ou tel parti ou association, mais de contribuer à éclairer ou à critiquer les choix publics. Pour cela, nous avons la conviction qu'il faut, de façon toujours renouvelée, s'attacher à dresser un état des lieux qui soit le plus complet possible, tout en demeurant accessible à un large public. Cette position d'observation n'interdit pas – bien au contraire – de se prononcer sur les politiques publiques, de formuler des pistes pour avancer vers l'égalité, ou de signaler telle ou telle action remarquable. En revanche, l'Observatoire refuse une position militante de défense d'un seul et unique programme : son objectif est d'alimenter un débat ouvert, dans la limite des valeurs partagées par ses membres. Il tâchera de donner la parole à tous ceux qui lui semblent ouvrir des voies vers l'égalité. Aucun syndicat ou parti ne pourra se prévaloir de son soutien direct. »

L'Observatoire français des médias

http://www.observatoire-medias.info

« L'Observatoire français [des médias] créé le 24 septembre 2003 entend protéger la société contre les abus, manipulations, bidonnages, mensonges et campagnes d'intoxication des grands médias – qui cumulent puissance économique et hégémonie idéologique –, défendre l'information comme bien public et revendiquer le droit de savoir des citoyens. »

La Haine – Proyecto de Desobediencia informativa

http://www.lahaine.org/

« Extendamos la acción directa y los espacios de poder alternativos. La Haine es un colectivo de personas que desde distintos lugares del estado español trata de difundir las luchas que se están dando sobre todo en Europa y en Latinoamérica. »

La Tribu du verbe
http://www.latribuduverbe.com/
Actualité politique, suivi des actions militantes, critique des médias.

Le portail des copains
http://rezo.net
Portail d'information alternative. Sélection d'un très grand nombre de sources éléctroniques, tant politiques et militantes que littéraires et artistiques.

Les Pénélopes
http://www.penelopes.org/
« Les Pénélopes ont pour but de promouvoir, d'éditer et de diffuser des informations, utilisant tous types de médias, du point de vue des femmes et de favoriser toutes activités assurant l'échange, le traitement, la mise à jour, la centralisation et la diffusion de ces informations en faveur de toutes les femmes du monde. »

Multitudes
http://multitudes.samizdat.net
« [L']objectif [de multitude] est d'expérimenter de nouvelles conditions d'énonciation et d'agencement de la politique en esquissant des problématiques qui traversent les champs de l'économie politique, de la philosophie, des pratiques artistiques ou des cultures émergentes du numérique libre. »

One World.net news
http://www.oneworld.net/section/current
« The OneWorld network spans five continents and produces content in 11 different languages, published across its international site, regional editions, and thematic channels. Many of these are produced from the South to widen the participation of the world's poorest and most marginalised peoples in the global debate. »

PR Watch
http://www.prwatch.org/
« PR Watch, a quarterly publication of the Center for Media & Democracy, is dedicated to investigative reporting on the public relations industry. It serves citizens, journalists and researchers

seeking to recognize and combat manipulative and misleading PR practices. »

Rebelión

http://www.rebelion.org/

« Rebelión pretende ser un medio de información alternativa que publique las noticias que no son consideradas importantes por los medios de comunicación tradicionales. También, dar a las noticias un tratamiento diferente, más objetivo, en la línea de mostrar los intereses que los poderes económicos y políticos del mundo capitalista ocultan para mantener sus privilegios y el status actual. »

The Alternative Information Center

http://www.alternativenews.org/

« The AIC is a Palestinian-Israeli organization which disseminates information, research and political analysis on Palestinian and Israeli societies as well as the Israeli-Palestinian conflict, while promoting cooperation between Palestinians and Israelis based on the values of social justice, solidarity and community involvement. »

Transnationale.org

http://fr.transnationale.org/

Site d'information sur les entreprises « transnationales ». Une mine d'information extrêmement riche, précise et mise à jour.

Z Communications

http://zmag.org

« ZNet is a huge website updated daily to convey information and provide community. About 300,000 people a week use ZNet's articles, watch areas and sub-sites, translations, archives, links to other progressive sites, daily commentary program, and more. »

Radio

CIBL 101,5 FM

http://www.cibl.cam.org/new/index.php

« CIBL est une station radiophonique montréalaise libre, indépendante et communautaire. »

CKIA 88,3 FM Radio Basse-Ville

http://www.meduse.org/ckiafm/index2.html

« CKIA est une radio communautaire entièrement issue d'initiatives populaires. Depuis 1984, son micro est ouvert aux causes sociales et aux passions les plus diverses. Environ 150 membres-producteurs donnent vie à la soixantaine d'émissions qui peuplent ses ondes. »

CKUT 90.3 FM

http://www.ckut.ca/

« CKUT is a non-profit campus community radio station that provides alternative music, news and spoken word programming to the city of Montreal and surrounding areas. CKUT is made up of over 200 volunteers who work closely with a staff of coordinators, not just to make creative and insightful radio programming, but also to manage the station. »

CINQ 102,3 FM Radio Centre-Ville

http://www.radiocentreville.com/

« Radio Centre-Ville est la radio communautaire et multilingue de Montréal, depuis 1975. Elle diffuse en sept langues [français, anglais, espagnol, grec, portugais, créole et chinois (mandarin et cantonais)]. »

Vidéos

Big Noise Films

http://www.bignoisefilms.com/

« Big Noise is a not-for-profit, all-volunteer collective of media-makers around the world, dedicated to circulating beautiful, passionate, revolutionary images. »

Les Lucioles

http://www.leslucioles.org/

« Depuis septembre 2002, Les Lucioles diffusent leurs films à caractère socio-politique. Les films visent souvent à faire entendre et voir une autre réalité que celle véhiculée par les médias traditionnels. Le collectif ne prétend pas à une objectivité absolue ; il s'engage même fièrement à dénoncer, proposer et susciter des débats de société. Les courts-métrages engagés combinent diversité des genres et des propos. Que ce soit par des capsules, des documentaires, des fictions ou encore des films d'animation, les vidéastes abordent différents sujets d'actualité. »

Whispered Media

http://www.whisperedmedia.org/

« Whispered Media uses video, and other media tools, to support campaigns for social, economic and environmental justice. »

Terminons ce chapitre en suggérant quelques règles de conduite inspirées de ce que nous avons appris.

Quelques règles d'or

Considérations générales sur le média

À qui appartient ce média ?

Quels biais éventuels ce type de propriété peut-il avoir ?

Quelle est la place qu'il réserve à la publicité ?

Quelles sources sont utilisées – agences de presse, enquêtes, experts, gouvernements, entreprises de relations publiques, etc ?

Considérations générales sur un document

Qui signe l'article que je lis, le reportage que je vois ou que j'entends ?

Est-ce une personne crédible ? Biaisée ?

Qu'est-ce qui me le fait croire ?

À quel public s'adresse-t-on ?

Quelles présuppositions et valeurs sont adoptées ?

De quel point de vue parle-t-on ?

De quel genre de texte s'agit-il :

- Une nouvelle ?
- Une opinion ?
- Un reportage ?
- Une chronique ?
- Un éditorial ?
- Une publicité ?
- Autre chose encore ?

Pistes d'analyse d'un document

Où ce document est-il joué dans l'ensemble du média ?

- En première ou dernière page ?
- En ouverture ou fermeture du bulletin ?

Est-ce pertinent ?

Quel sujet ou problème est abordé ?

Le média a-t-il des intérêts dans la nouvelle, l'histoire, le sujet, le problème traité ou abordé ?

Quelle part de sensationnalisme entre en jeu ?

Joue-t-on excessivement sur le nouveau, l'inhabituel, le sensationnel, le dramatique ?

Quelle place est faite aux images ou illustrations ?

Quelles sources sont utilisées ?

Sont-elles pertinentes, crédibles, biaisées ?

Quels faits sont invoqués ?

Sont-ils pertinents et crédibles, leur présentation est-elle biaisée ?

Quels arguments sont invoqués ?

Sont-ils valides ?

Y a-t-il des contradictions ?

Le vocabulaire utilisé est-il neutre ?

Pourrait-on tirer d'autres conclusions à partir des même faits ?

- À l'aide d'autres présomptions ?
- D'autres valeurs ?

Comment jugerait-on de ces faits selon d'autres perspectives – par exemple ailleurs dans le monde, dans d'autres classes sociales, selon le sexe ou l'âge ?

Peut-on tirer quelque chose de pareilles multiplications des points de vue ?

Conclusion

À présent, nous avons vu tout ce que cet ouvrage voulait vous faire découvrir. Notre parcours se termine donc ici.

Il nous reste cependant deux choses à faire, vous une et moi une autre.

De mon côté, je voudrais vous donner les moyens d'aller plus loin et, pour cela, je vous invite à consulter la bibliographie qui suit, qui contient des ouvrages qui me semblent pouvoir vous accompagner dans votre approfondissement de la pensée critique.

De votre côté, souvenez-vous : vous devez retourner lire le détecteur de poutine de Sagan. J'espère que tout ce qui s'y trouve vous est désormais parfaitement familier...

C'est d'ailleurs à Sagan que je propose de laisser le dernier mot, lui qui évoquait finement ce qu'il appelait ce « délicat équilibre » de la pensé critique qu'il nous faut rechercher :

> Il me semble que ce qui est requis est un délicat équilibre entre deux tendances : celle qui nous pousse à scruter de manière inlassablement sceptique toutes les hypothèses qui nous sont soumises et celle qui nous invite à garder une grande ouverture aux idées nouvelles. Si vous n'êtes que sceptique, aucune idée nouvelle ne parvient jusqu'à vous ; vous n'apprenez jamais quoi que ce soit de nouveau ; vous devenez une détestable personne

convaincue que la sottise règne sur le monde – et, bien entendu, bien des faits sont là pour vous donner raison. D'un autre côté, si vous êtes ouvert jusqu'à la crédulité et n'avez pas même une once de scepticisme en vous, alors vous n'êtes même plus capable de distinguer entre les idées utiles et celles qui n'ont aucun intérêt. Si toutes les idées ont la même validité, vous êtes perdu : car alors, aucune idée n'a plus de valeur.

Bibliographie

Ouvrages et articles

Généralités

ALLEN, Steve, *« Dumbth ». The Lost Art of Thinking With 101 Ways to Reason Better & Improve Your Mind*, Prometheus Books, Amherst, New York, 1998.

BARON, Jonathan, *Thinking and deciding*, Cambridge University Press, New York, 1988.

BÉLANGER, Marco, *Sceptique ascendant sceptique – Le doute et l'humour : pour bien aborder les années 2000*, Éditions internationales Alain Stanké, Montréal, 1999.

BLACKBURN, Pierre, *Logique de l'argumentation*, 2e édition, Éditions du Renouveau Pédagogique inc., Saint-Laurent, Québec, 1994.

CANNAVO, S., *Think to Win – The Power of Logic in Everyday Life*, Prometheus Books, Amherst, New York, 1998.

CAPALDI, Nicholas, *The Art of Deception – An Introduction to Critical Thinking*, Prometheus Books, Buffalo, New York, 1987.

CARROLL, Robert Todd, *The Skeptic's Dictionary – A*

Collection of Strange Beliefs, Amusing Deceptions, and Dangerous Delusions, John Wiley & Sons, Inc., Hoboken, New Jersey, 2003.

CEDERBLOM, Jerry et David W. PAULSEN, *Critical Reasoning – Understanding and Criticizing Arguments and Theories*, 2e édition, Wadsworth Publishing Company, Belmont, California, 1986.

COGAN, Robert, *Critical Thinking – Step by Step*, University Press of America Inc., Lanham, Maryland, 1998.

DAWES, Robyn M., *Everyday Irrationality – How Pseudo-Scientists, Lunatics, and the Rest of Us Systematically Fail to Think Rationally*, Westview Press, Colorado, 2001.

DIESTLER, Sherry, *Becoming a Critical Thinker : A User Friendly Manual*, 2e édition, Prentice-Hall Inc., Upper Saddle River, New Jersey, 1998.

ENNIS, Robert H., *Critical Thinking*, Prentice Hall, Upper Saddle River, New Jersey, 1996.

FLESCH, Rudolf, *The Art of Clear Thinking*, Harper & Row Publishers, New York, 1951.

GILOVICH, Thomas, *How We Know What Isn't So – The Fallibility of Human Reason in Everyday Life*, The Free Press, New York, 1991.

HUGHES, William, *Critical Thinking – An Introduction to the Basic Skills*, Broadview Press, Peterborough, 1992.

HUME, David, *Enquête sur l'entendement humain*, Flammarion, Paris, 1983.

LARIVÉE, Serge, « L'Influence socioculturelle sur la vogue des pseudo-sciences », Disponible à http: //www.sceptiques.qc.ca/.

LEVY, David A., *Tools of Critical Thinking – Metathoughts for Psychology*, Allyn and Bacon, Needham Heights, 1997.

LEVY, Joel, *The Con Artist Handbook*, Prospero Books, Elwin Street Limited, Londres, 2004.

MICHAEL HECHT, Jennifer, *Doubt a history – The Great Doubters and Their Legacy of Innovation from Socrates and Jesus to Thomas Jefferson and Emily Dickinson,* HarperCollins Publishers Inc., New York, 2004.

MONMONIER, Mark, *How to Lie with Maps*, The University of Chicago Press, Chicago et Londres, 1991.

MOORE, Edgar W., Hugh MCCANN et Janet MCCANN, *Creative and Critical Thinking*, 2e édition, Houghton Mifflin Company, Boston, 1985.

PAUL, Richard et Linda ELDER, *A Miniature Guide For Students and Faculty to Scientific Thinking*, The Foundation for Scientific Thinking, Dillon Beach, California, 2003.

RUGGIERO, Vincent Ryan, *Beyond Feelings – A Guide to Critical Thinking*, Alfred Publishing Co. Inc., New York, 1975.

SAGAN, Carl, *The Demon-Haunted World – Science as a Candle in the Dark*, Balantine Books, New York, 1996.

SAVANT, Marilyn vos, *The Power of Logical Thinking – Easy Lessons in the Art of Reasoning ? and Hard Facts About Its Absence in Our Lives*, St. Martin's Griffin, New York, 1997.

SCHICK, Theodore Jr. et Lewis VAUGHN, *How to Think about Weird Things – Critical Thinking for a New Age*, 2e édition, Mayfiel Publishing Company, Mountain View, California, 1999.

SUTHERLAND, Stuart, *Irrationality – Why we don't think straight !* , Rutgers University Press, New Brunswick, New Jersey, 1992.

SWANSON, Diane, *Nibbling on Einstein's Brain – The Good the Bad & the Bogus in Science*, Annick Press, Toronto, 2001.

VALLANT, H., *La Pensée formelle*, Hatier, Paris, 1979.

WARBURTON, Nigel, *Thinking from A to Z*, Routledge, 2e édition, Londres et New York, 1998.

Le langage

ARMSTRONG, J., « Unintelligible Management Research and Academic Prestige », *Interfaces*, vol. 10, no 2, 1980, pp. 80-86.

BOUTET DE MONVEL, Marc, *Les Procédés du discours – Pratique de la rhétorique à l'usage des candidats au baccalauréat et aux études supérieures*, Éditions Magnard, Paris, 1984.

ENGEL, Morris S., *Fallacies and Pitfalls of Language – The Language Trap*, Dover Publications Inc., New York, 1994.

KAHANE, Howard, *Logic and Contemporary Rhetoric – The Use of Reason in Everyday Life*, 4e édition, Wadsworth Publishing Company, Belmont, California, 1984.

MC DONALD, Daniel et Larry W. BURTON, *The Language of Argument*, 8e édition, HarperCollins College Publishers Inc., New York, 1996.

PLANTIN, Christian, *L'Argumentation*, Éditions du Seuil, Paris, 1996.

POPELARD, Marie-Dominique et Denis VERNANT, *Éléments de logique*, Éditions du Seuil, Paris, 1998.

PRATKANIS, Anthony R. et Elliot ARONSON, *Age of Propaganda – The Everyday Use and Abuse of Persuasion*, W.H. Freeman and Company, New York, 1992.

RAVITCH, D. *The Language Police. How Pressure Groups Restrict what Students Learn*, Vintage, 2004

WESTON, Anthony, *A Rulebook for Arguments,* 3e édition, Hackett Publishing Company, Indianapolis/Cambridge, 2000.

WRIGHT, Larry, *Better Reasoning : Techniques for Handling Argument, Evidence, and Abstraction*, Holt, Rinehart and Winston, New York, 1982.

Les mathématiques

BENJAMIN, Arthur et Michael SHERMER, *Mathemagics : How to Look like a Genius without really Trying*, Lowell House, Los Angeles, 1993.

BEST, Joel, *Damned Lies and Statistics – Untangling Numbers from the Media, Politicians, and Activists*, University of California Press, Berkeley, California, 2001.

—, *More Damned Lies and Statistics – How Numbers Confuse Public Issues*, University of California Press, Berkeley, California, 2004.

BOURSIN, Jean-Louis, *Les Structures du hasard : les probabilités et leurs usages*, Éditions du Seuil, Paris, 1986.

CAMPBELL, Stephen K., *Flaws and Fallacies in Statistical Thinking*, Dover Publications Inc., Mineola, New York, 2002.

COBB, P. *et al.*, « Assessment of a problem-centered

second-grade mathematics project », *Journal for Research in Mathematics Education*, 22, 1991, p. 2-29.

DEWDNEY, A. D., *200 % of Nothing – An Eye-Opening Tour through the Twists and Turns of Math Abuse and Innumeracy*, John Wiley & Sons Inc., New York, 1993.

EVERITT, Brian S., *Chance Rules : an Informal Guide to Probability, Risk, and Statistics*, Copernicus, New York, 1999.

GARDNER, Martin, *Gotcha. Paradoxes to Puzzle and Delight*, W H Freeman & Co, 1982.

GONICK, Larry et Woollcott SMITH, *The Cartoon Guide to Statistics*, HarperPerennial, New York, 1993.

HACKING, Ian, *An Introduction to Probability and Inductive Logic*, Cambridge University Press, Cambridge, 2001.

HUFF, Darrell, *How to Figure the Odds on Everything*, Dreyfus Publications Ltd, New York, 1972.

—, et Irving GEIS, *How to Lie with Statistics*, W. W. Norton & Company, New York, 1993.

JONES, Gerald E., *How to lie with Charts*, toExcel Press, New York, 2000.

MC GERVEY, John D., *Probabilities in Everyday Life*, Ivy Books, New York, 1986.

PAULOS, John Allen, *Innumeracy. Mathematical Illiteracy and Its Consequences*, Hill and Wang, New York, 1988.

—, *A Mathematician Reads the Newspaper*, BasicBooks, HarperCollins Publishers Inc., New York, 1995.

—, *Beyond Numeracy – Ruminations of a Numbers Man*, Vintage Books, New York, 1992.

Reichmann, W. J., *Use and Abuse of Statistics*, Penguins Books, Harmondsworth, 1983.

Rose, José, *Le Hasard au quotidien : Coïncidences, jeux de hasard, sondages*, Éditions du Seuil, Paris, 1993.

Slavin, Steve, *Chances Are : The Only Statistics Book You'll Ever Need*, Madison Books, Lanham, Maryland, 1998.

Solomon, Robert et Christopher Winch, *Calculating and Computing for Social Science and Arts Students – An Introductory Guide*, Open University Press, Buckingham, 1994.

Tufte, Edward, *The Visual Display of Quantitative Information*, Graphic Press, Cheshire, 2001.

L'expérience personnelle

Brunvand, Jan Harold, *Too Good to Be True – The Colossal Book of Urban Legends*, W.W. Norton & Company, New York, 1999.

Cialdini, Robert B., *Influence. The Psychology of Persuasion,* Quill William Morrow, New York, 1984.

Festinger, L., H.W. Riecken et S. Schachter, *When Prophecy Fails*, Harper & Row, New York, 1956.

Fulves, Karl, *Self-Working Mental Magic. 67 Foolproof Mind-Reading Tricks*, Dover Publications Inc., New York, 1979.

Hay, Henry (dir.), *Cyclopedia of Magic*, Dover Publications Inc., New York, 1975.

Klass, Philip J., *UFO Abductions a Dangerous Game, Updated Edition*, Prometheus Books, Buffalo, New York, 1989.

LOFTUS, Elizabeth, « Make-Believe membres », *American Psychologist,* novembre 2003, p. 867-873.

SHEPARD, Roger N., *L'Œil qui pense : visions, illusions, perceptions,* Éditions du Seuil, Paris, 1992.

La science empirique et expérimentale, le paranormal et les pseudo-sciences

ANDRESKI, S. *Les Sciences sociales, sorcellerie des temps modernes,* PUF, 1975.

BAILLARGEON, Normand, « Contre le charlatanisme universitaire », *Possibles,* vol. 26, 2, été 2002, p. 49-72.

BARRETT, JARVIS Stephen and William T. (dir.), *The Health Robbers – A Close Look at Quackery in America,* Prometheus Books, Buffalo, New York, 1993.

BLANCHÉ, Robert, *L'Épistémologie,* PUF, Paris, 1981.

BOURDON, R. et R. LAZARSFELD, *Le Vocabulaire des sciences sociales,* Mouton, Paris, 1965.

BROCH, Henri, *Le Paranormal : ses documents, ses hommes, ses méthodes,* coll. « Sciences », Points, Paris, 1989.

—, *Au cœur de l'extra-ordinaire,* coll. « Zététique », L'horizon chimérique, Bordeaux, 1994.

— et Georges CHARPAK, *Devenez sorciers, devenez savants,* coll. « Sciences », Odile Jacob, Paris, 2002.

BROWNE, Neil et Stuart M. KEELEY, *Asking the Right Questions,* Prentice Hall Inc., Englewood Cliffs, New Jersey, 1981.

BUNGE, Mario, *Finding Philosophy in Social Science*, Yale University Press, New Haven et Londres, 1996.

CUNIOT, Alain, *Incroyable ? mais faux !* , coll. « Zététique », L'horizon chimérique, Bordeaux, 1989.

GARDNER, Martin, « Is realism a dirty word ? » dans *The Night is Large. Collected Essays 1938-1995*, St. Martin's Griffin, New York, 1997.

HINES, Terence, *Pseudoscience and the Paranormal : A Critical Examination of the Evidence*, Prometheus Books, Buffalo, New York, 1988.

HOUDINI, Harry, *A Magician Among The Spirits*, Arno Press, New York, 1972.

KATZER, Jeffrey, Kenneth H. COOK et Wayne CROUCH *Evaluation Information – A Guide for Users of Social Science Research*, Addison-Wesley Publishing Company, Reading Massachusetts, 1978.

KLEMKE, E. D., Robert HOLLINGER, *et al.* (dir.), *Introductory Readings in the Philosophy of Science,* Prometheus Books, Amherst, New York, 1998.

MARKS, David et Richard KAMMANN, *The Psychology of the Psychic*, Prometheus Books, Buffalo, New York, 1980.

PLAIT, Philip C., *Bad Astronomy : Misconceptions and Misuses Revealed, from Astrology to the Moon Landing "Hoax"*, John Wiley & Sons Inc., New York, 2002.

RANDI, James, *An Encyclopedia of Claims, Frauds, and Hoaxes of the Occult and Supernatural – James Randi's Decidedly Skeptical Definitions of Alternate Realities*, St. Martin's Press, New York, 1995.

—, *Flim-Flam ! : Psychics, ESP, Unicorns and other Delusions*, Prometheus Books, Buffalo, New York, 1982.

—, *Le Vrai visage de Nostradamus – Les prophéties du mage le plus célèbre du monde*, [trad. Sylvette Gleize], Éditions du Griot, France, 1993.

—, *The Faith Healers*, Prometheus Books, Buffalo, New York, 1987.

ROBERT-HOUDIN, Jean-Eugène, *L'Art de gagner à tous les jeux – Les tricheries des Grecs dévoilées*, Slatkine, Genève-Paris, 1981.

SCHIFFMAN, Nathaniel, *Abracadabra ! Secret Methods Magicians & Others Use to Deceive their Audience*, Prometheus Books, Amherst, New York, 1997.

SEARLE, John, *The Construction of Social Reality*, Free Press, New York, 1995.

—, *Mind, Language, and Society : Philosophy in the Real World*, HarperCollins Canada, Toronto, 1999.

SEBEOK, Thomas A. et Robert ROSENTHAL (dir.), *The Clever Hans Phenomenon : Communication with Horses, Whales, Apes, and People*, Annals of the New York Academy of Sciences, vol. 364, New York, 1981.

SOKAL, A. et Jean BRICMONT, *Impostures intellectuelles*, Odile Jacob, Paris, 1997.

THUILLIER, Pierre, « La triste histoire des rayons N », dans *Le Petit savant illustré*, coll. « Science Ouverte », Éditions du Seuil, Paris, 1980, p. 58-67.

Les médias

BADGIKIAN, Ben, *The Media Monopoly*, 6e édition, Beacon Press, Boston, 2000.

BAILLARGEON, Normand et BARSAMIAN, David, *Entretiens avec Chomsky*, Éditions Écosociété, Montréal, 2002.

BARSAMIAN, David et Noam CHOMSKY, *Propaganda and the Public Mind : Conversations with Noam Chomsky*, South End Press, Cambridge, Massachusetts, 2001.

BERTHIAUME, Pierre, *Le Journal piégé ou l'art de trafiquer l'information*, VLB éditeur, Montréal, 1981.

CAREY, Alex, *Taking the Risk out of Democracy – Corporate Propaganda versus Freedom and Liberty*, University of Illinois Press, Urbana and Chicago, 1997.

CHOMSKY, Noam, *Necessary Illusions : Thought Control in Democratic Societies,* Anansi, Concord, Ontario, 1989.

— et HERMAN, E. S., *La Fabrique de l'opinion publique. La politique économique des médias américains*, Le Serpent à Plumes, Paris, 2003.

COLLECTIF, *Informer sur l'information. Petit manuel de l'observateur critique des médias*, PLPL et Acrimed, Paris, 2004.

COLLON, Michel, *Attention médias ! – Les médiamensonges du Golfe – Manuel anti-manipulation*, Éditions EPO, Bruxelles, 1992.

EWEN, Stuart, *PR! A Social History of SPIN*, Basic Books, New York, 1996.

HACKETT, Robert A., Richard GRUNEAU, *et al.*, *The Missing News : Filters and Blind Spots in Canada's Press,* Canadian Center for Policy Alternatives/Garamond Press, Ottawa, 2000.

LES ASSOCIÉS D'EIM, *Les dirigeants face au changement*, Éditions du huitième jour, Paris, 2004.

PAUL, Richard et Linda ELDER, *The Thinker's Guide For Conscientious Citizens on How to Detect Media Bias & Propaganda In National and World News,* The

Foundation for Critical Thinking, Dillon Beach, California, 2003.

RAMPTON, Sheldon et John STAUBER, *Weapons of Mass Deception – The Uses of Propaganda in Bush's War on Iraq*, Jeremy P. Tarcher/Penguin, New York, 2003.

STAUBER, John C. et Sheldon RAMPTON, *Toxic Sludge Is Good for You – Lies, Damn Lies and the Public Relations Industry*, Common Courage Press, Monroe, Maine, 1995.

STEVEN, Peter, *The No-Nonsense Guide to Global Media*, New Internationalist Publications Ltd, Toronto, 2004.

TYE, Larry, *The Father of Spin : Edward L. Bernays and the Birth of Public Relations*, Owl Books, New York, 2002.

Revues

Skeptic, Skeptics Society, Altadena, Californie, http: //www.skeptic.com/ss-skeptic.html.

Skeptical Inquirer, Committee for the Scientific Investigation of Claims of the Paranormal, Amherst, New York, http://www.csicop.org/si/.

Québec Sceptique, Les Sceptiques du Québec, Montréal, http://www.sceptiques.qc.ca/QS/qsmain.html.

Free Inquiry, Council for Secular Humanism, Amherst, New York, http://www.secularhumanism.org/fi/.

Pour joindre Normand Baillargeon

baillargeon.normand@uqam.ca

Table

CET OUVRAGE A ÉTÉ IMPRIMÉ EN NOVEMBRE 2005 SUR LES PRESSES DE L'IMPRIMERIE GAUVIN POUR LE COMPTE DE LUX, ÉDITEUR À L'ENSEIGNE DU CHIEN D'OR À MONTRÉAL

Il a été composé avec LaTeX, logiciel libre,
par Marie-Eve LAMY et Sébastien MENGIN.

La révision du texte et la correction des épreuves
ont été réalisées par Annie PRONOVOST.

Les graphiques et illustrations techniques
ont été réalisés par Charlotte LAMBERT.

Lux Éditeur
c.p. 129 succ. de Lorimier
Montréal, Québec
H2H 1V0

Diffusion et distribution au Canada : Prologue
Tél. : (450) 434-0306 – Fax : (450) 434-2864

Diffusion en France : CEDIF

Distribution : DNM / Distribution du nouveau monde

Tél. : 01.43.54.49.02 – Fax 01.43.54.39.15

Imprimé au Québec